D0192997

Marie NDiaye
Lieve familie

ROMAN

Uit het Frans vertaald door Jeanne Holierhoek

UITGEVERIJ DE GEUS

Deze vertaling is tot stand gekomen mede dankzij de steun van het
Franse ministerie van Cultuur.
De vertaalster ontving voor deze vertaling een werkbeurs van de
Stichting Fonds voor de Lettteren.

Oorspronkelijke titel *En famille*, verschenen bij Les Éditions de Minuit,
Parijs 1990
© oorspronkelijke tekst Les Éditions de Minuit, 1990
© Nederlandse vertaling Jeanne Holierhoek en uitgeverij De Geus,
Breda 1994
© nawoord Jeanne Holierhoek, 1994
Omslag Robert Nix
Foto auteur John Foley

ISBN 90 5226 220 9
NUGI 301

Verspreiding in België door uitgeverij EPO,
Lange Pastoorstraat 25-27, 2600 Berchem.

Inhoud

EERSTE DEEL

I

Lieve familie

Toen ze aankwam bij grootmoeders huis aan de rand van het dorp raapten de twee honden, vroeger vaak door haar geaaid en inmiddels zo oud dat ze niets meer zagen, nog voldoende krachten bij elkaar om in razernij op het hek af te stormen, en nauwelijks wilde ze haar gezicht tussen de spijlen steken of ze begonnen te blaffen met een heftigheid die ze nog nooit van deze dieren had meegemaakt. Zacht riep ze hun naam. Hun woede groeide. Ze zette haar koffer neer, beklom een grote steen aan het ene uiteinde van het hek en stak, in de zekerheid nu dat ze buiten hun bereik was, haar hele bovenlichaam tussen twee spijlen door om in de richting van het huis te schreeuwen of ze open wilden doen. En het maakte haar verdrietig dat de honden haar niet hadden herkend, ze zag het als een teken dat zijzelf ernstig te kort was geschoten.

In de deuropening verscheen een van haar ooms. Wat doet die vandaag bij grootmoeder? vroeg ze zich af terwijl ze vluchtig lachte, want veel van zijn haar was uitgevallen. Toch leek haar laatste bezoek aan de familie haar nog zo kort geleden dat de oom onveranderd had kunnen blijven en de honden haar niet hadden hoeven vergeten.

In zijn ene hand hield de half kale oom een glas en in zijn andere een saucijzebroodje, waarvan hij stond te happen zonder zich te bekommeren om de kruimels. Hij maande de honden tot kalmte en vroeg wat ze wilde.

'Maar Georges, ik ben het, je nichtje!' zei ze met een glimlach. En ze strekte haar armen naar hem uit, ondanks de pijn die de spijlen haar bezorgden als ze zich ook maar even verroerde. Ze kreeg trouwens nauwelijks lucht, maar kon ze zo achter het hek blijven staan, als een vreemde, vernederd door de honden? Bij haar weten had ze de familie nooit schade berokkend en altijd goed voor de honden gezorgd, de keren dat ze voor een kort bezoek bij grootmoeder was geweest. Maar dat haar iets kwalijk werd genomen waar ze geen weet van had daar zag het wel naar uit, daar moest ze zich bij neerleggen.

De oom fronste zijn wenkbrauwen en nam haar onverschillig op. Hij maakte geen gebaar naar haar maar slikte een laatste hap door, dronk zijn glas leeg, haalde zijn schouders op en liep langzaam grootmoeders huis weer in, de deur sloeg met een klap dicht. Vroeger had oom Georges haar eens een pop met lang haar gegeven die ze nog steeds bezat! Nu zou zich, bedacht ze, snel het gerucht verspreiden dat Georges haar buiten had laten staan, iets wat de hele familie hem tot het eind zijner dagen zou aanrekenen. Ze maakte een arm vrij, drukte op de bel en haalde haar vinger er niet meer af, in een verwrongen houding, haar middel geplet, terwijl de dol geworden honden op het hek afstormden. Vanuit een ooghoek lette ze op haar koffer die op het trottoir was blijven staan, gisteren zorgvuldig dichtgegespt voor de lange reis. Maar daar ging eindelijk de huisdeur open. Verrast herkende ze verscheidene van haar ooms, tantes, neven en nichten, die zich op het bordesje verdrongen zonder zich al in de voortuin te wagen. De japonnen glansden, de kostuums waren donker, de overhemden wit en tot aan de hals dichtgeknoopt. En daar stond haar neef Eugène met zijn vettige lokken, ze hadden elkaar weleens gezoend, bij toeval, achter een kast. Plotseling schoot haar te binnen dat grootmoeder vandaag jarig was. Ze was zo bezig geweest met haar voorbereidingen, zo in beslag genomen door haar grote plan, dat ze niet meer aan die verjaardag had gedacht. Maar evenmin had ze een uitnodiging gekregen, en de familie was voor het feest bijeengekomen zonder zich te realiseren dat er iemand ontbrak die de familie nooit iets had aangedaan, zich er nooit ook maar uit de verte ongunstig over had uitgelaten. Had ze niet altijd zorgvuldig verborgen gehouden hoezeer de familie haar vreemd was, iets wat ze ervoer als een belediging, hoe onuitstaanbaar ze soms waren met al hun kleingeestigheden? En toch verzuimen ze haar uit te nodigen voor grootmoeders verjaardag, laten ze haar aan dat hek hangen, half gewurgd door de spijlen, en nemen ze haar van top tot teen op met een aarzelende, kille blik.

Alleen Eugène schonk haar een vage glimlach. Hij droeg een kort, nauwsluitend jasje dat hij met gespreide vingers vergenoegd over zijn borst glad bleef strijken. Uit de verte leek zijn platte haar een fonkelende helm, geregeld ging hij er met zijn vlakke hand overheen waarna hij het vet aan zijn broek afveegde. Weldra had de aangelegenheid niet langer zijn belangstelling en ging hij er met een halve draai op de punten van zijn laarzen vandoor. Er maakte zich, aanvankelijk aarzelend, een vrouw los uit de groep, ze liep naar het hek, bracht de honden tot zwijgen door met haar tong te klakken en zei ten slotte, haar hoofd omhoog: 'Ja?' 'Waarom ben ik niet gewaarschuwd dat vandaag oma's verjaardag werd gevierd? Tante Colette, ik ben toch de dochter van uw zus! Help me naar beneden!'

Als geschrokken deinsde tante Colette een stap terug, waarna ze rood werd en met een bruuske, onhandige beweging het hek openmaakte.

'Ja kijk, Fanny', begon ze terwijl ze onbeholpen de heupen van haar nichtje omarmde. 'Ik heet geen Fanny, tante Colette! Bent u dan alles vergeten? Ach, het geeft niet, noem me maar Fanny. Ik had toch een nieuwe voornaam nodig', zei Fanny vergenoegd. 'Ah', zei tante Colette, die pogingen deed tot een glimlach.

Om vriendelijk over te komen ging ze Fanny's koffer halen, vrolijk sprong Fanny op de grond en samen liepen ze de voortuin in terwijl oom Georges de honden terughield die ondanks hun aftakeling, hun natuurlijke zachtmoedigheid, het vertrouwen dat ze altijd in haar hadden getoond (waren ze niet de speelkameraadjes van haar kinderjaren geweest?) van zins leken zich op een glimlachende, fleurige, nu bijna achttienjarige Fanny te storten. Georges bekeek haar met geërgerde besluiteloosheid maar Fanny negeerde hem, ging niet eens naar hem toe om hem op de vertrouwde manier – ze was toch zijn nichtje – te omhelzen. En vroeger had ze hem nog wel de geschiktste oom gevonden. Binnen nam haar verontwaardiging verder toe en met ogen vol verwijt keerde ze zich naar tante Colette. Maar Colette was ervandoor, de koffer had ze neergezet en hoe Fanny ook riep en op haar tenen ging staan, geen glimp ving ze meer van haar op, al was tante Colette flink van postuur en droeg ze ter gelegenheid van de verjaardag een blauwe glitterjurk. Fanny herinnerde zich dat ze die jurk al eens had gezien, hetgeen haar ontroerde.

Zoals elk jaar was de hele familie verzameld. Nooit eerder was Fanny grootmoeders verjaardag of het feest ter ere daarvan vergeten en ze erkende dat dit blijk gaf van onachtzaamheid, van afwijkend gedrag en zelfs van gemene gedachten jegens de toch zozeer beminde grootmoeder. Maar omdat niemand haar zag had ook niemand zich om haar bekommerd, en de pietluttige tante Colette had haar naam zelfs verward met die van een onbekende; de naam Fanny kende ze alleen uit boeken. Zou er eigenlijk nog wel een plaats voor haar zijn of moest ze in de keuken eten, samen met de kinderen, wat haar tot tranen toe zou krenken want dan zouden voor haar alleen de minst lekkere stukken overblijven, de restjes wijn, de ongegarneerde taarten, en ze zou het ervaren als een smadelijke vernedering, een beproeving die ze ooit had doorstaan maar nu bij wijze van straf opnieuw moest doormaken. Op weg naar de eetkamer (haar koffer had ze in de hal gelaten, goed verstopt achter de mantels) zag ze verscheidene jochies die ze niet kende, blijkbaar van een verre tak. Streng nam ze hen op. Niet één had haar zijn wang toegestoken of haar zelfs maar gegroet. Ze stuitte op haar neef Eugène, die zachtjes liep te fluiten. Hij trok zijn nauwe broekspijpen zo ver mogelijk over zijn laarzen heen, en toen hij zag dat Fanny plotseling misnoegd was, glimlachte hij sarcastisch en maakte een kleine buiging, maar zij greep hem bij een arm en vroeg of dan tenminste hij haar herkende, en wat ze ervan moest denken dat ze geen uitnodiging had gekregen voor grootmoeders verjaardag, ondanks haar correcte houding, haar constant goede wil, haar respect voor familie en tradities. Terwijl ze haar gezicht vlak bij het zijne bracht, schudde ze Eugène heen en weer en drukte hem tegen de muur.

'Natuurlijk,' zei Eugène, 'natuurlijk heb ik je herkend. Wat denk je wel?'

Door zijn glimlach betwijfelde Fanny of hij de waarheid sprak. Ze gaf hem een stomp, neef Eugène protesteerde en werkte zich lachend los.

'Ik weet nooit of jij te geloven bent!' zei Fanny woedend. En haar blik bleef gevestigd op Eugènes vochtige lippen, terwijl haar irritatie groeide. Wat had ze gedaan dat de familie haar op een afstand hield, zich niet bekommerde om wat men haar verschuldigd was? Om iedere geboorte was ze blij geweest, nooit had ze op iemand van de familie ook maar enige aanmerking gemaakt...

Snel liep ze terug naar de hal, deed haar koffer open, haalde er een foto uit die ze in haar zak stopte, ging toen weer de eetkamer in waar rondom de lange, met bloemen versierde tafel allen hun plaats begonnen te zoeken, in onwrikbare ordening. Glimlachend gaf Fanny de een na de ander een zoen, ergens achteraf zag ze tante Colette die met haar blik bleef volgen wat ze deed. Het ronde gezicht van tante Colette sprak van louter ongeruste verbazing en volstrekt onbegrip. Waarom kijkt ze zo naar me, zei Fanny in zichzelf, terwijl iedereen me zoent en groet net als anders? Daar had je Robert die haar een kneepje in haar kin wilde geven, ze vonden dat ze er goed uitzag. Zelfs werd haar gevraagd, en dat stelde haar helemaal gerust, hoe het ging met haar ouders die door allerlei bezigheden, het ongemak dat de reis met zich mee zou brengen, een vermoeide onverschilligheid misschien, ieder in hun eigen huis waren gebleven. Maar niemand noemde haar bij haar voornaam, en toen ze had gezegd dat ze voortaan Fanny heette werd zwijgend ingestemd, alleen tante Colette slaakte een zucht. Er werd voor één persoon extra gedekt en Fanny ging op haar gebruikelijke plaats zitten. Grootmoeder, werd haar verteld, had zich in haar slaapkamer teruggetrokken, na de maaltijd zou Fanny naar haar toe kunnen. Fanny glimlachte naar iedereen, in haar drang om te laten zien dat er geen enkele reden was om te denken dat ze was veranderd, of afwijkend van de wijze waarop een lid van de familie geacht werd te zijn, en omdat ze ook nog eens compensatie moest geven voor het feit dat haar ouders het lieten afweten. Op haar robuuste rug drukten de laakbare nalatigheden van haar ouders. Eugène wordt gekoesterd, dacht Fanny toen ze hem zag geeuwen, en hij mag zich onbehoorlijk gedragen want zijn vader en moeder, op wie niets aan te merken valt, zijn erbij. Hadden ze Eugène niet zelfs voorzien van de juiste gelaatstrekken? Haar neef Eugène leek op hun overleden oud-oom. Nu stond hij zonder iets te zeggen van tafel op om in de tuin te gaan roken, zijn laarzen nauwelijks van de houten vloer tillend. Tante Colette, naast Fanny gezeten, wees naar haar man en fluisterde: 'Eugène is onze zoon.' 'Natuurlijk,' zei Fanny, 'dat weet ik toch?' En ze dacht aan Eugènes vochtige lippen. Maar het leek of tante Colette haar niet hoorde, zodra Fanny begon te praten gleed over haar gespannen, geconcen-treerde gezicht een zweem van een glimlach en richtte haar blik zich op een onzichtbaar punt in de ruimte. Meer dan eens hield ze op met eten om Fanny uitleg te geven over wat Fanny allang wist; en gedetailleerd deed ze het relaas van een of ander avontuur dat bij de hele familie bekend was, nauwelijks ver-baasd wanneer een geïrriteerde Fanny het verhaal voor haar afmaakte, maar zacht verkondigend: 'Van al die dingen moet je op de hoogte zijn.' Zulke schamele verhalen! dacht Fanny woedend. Was er overigens iemand die beter dan zij de on-beduidende familiewederwaardigheden en de naam van elk familielid kende, die een betrouwbaarder geheugen had, zich alles preciezer herinnerde? Maar Fanny's ouders waren niet van onbesproken gedrag en waarschijnlijk vervuld van minachting jegens grootmoeder met haar bekrompen ideeën. En zonder zich te verontschuldigen deden ze geen moeite om op haar verjaardag te komen.

Aan het eind van de maaltijd, toen er koffie met taart werd geserveerd, haalde Fanny de foto uit haar zak en zette die tegen haar glas. Het was er een van haarzelf op drie- of vierjarige leeftijd in de armen van haar glimlachende, vertederde moeder, toentertijd net zo leuk om te zien als nu Fanny, wier ogen overigens minder vrolijk stonden. Tante Colette boog zich naar de foto, anderen probeerden er een glimp van op te vangen. Tot Fanny's grote voldoening liet tante Colette de foto rondgaan, iedereen wierp er een discrete blik op en gaf de foto dan zonder iets te zeggen weer door. Ze moeten toch minstens mamma herkennen, dacht Fanny, die ondanks haar fouten met ieder van hen verbonden blijft. Inderdaad werd de naam van Fanny's moeder uitgesproken, en soms niet onwelwillend. Iemand gaf zachtjes uitdrukking aan zijn teleurstelling dat Fanny er niet meer zo uitzag als op de foto. Ze mocht dan glimlachen en blijk geven van haar goede wil, niemand durfde zich rechtstreeks tot haar te wenden. Ongemakkelijke blikken beroerden haar maar wat er werd gezegd, was voor Fanny die uit plicht luisterde volstrekt oninteressant. Het gesprek kwam op de periode waarin de foto was gemaakt. Fanny vertelde een herinnering uit haar kindertijd. Het ging over het riviertje en het dansende bruggetje. Er werd instemmend gereageerd, zonder dat duidelijk was of men alles voor zich zag wat Fanny beschreef, dan wel of men Fanny het recht gunde zich net zo uit te drukken als in boeken, met de mooie beelden en de geestdrift die je er soms in tegenkomt. Toen ze ontroerd raakte, moest men lichtelijk glimlachen. Tante Colette mompelde dat ze zich niets herinnerde van wat Fanny vertelde. Maar geen van allen, zelfs de ouderen niet, hadden ze iets kunnen inbrengen tegen het relaas van Fanny, die beschikte over een grenzeloos en strikt geheugen en het nabije verleden nauwkeuriger kende dan degenen die het zelf hadden meegemaakt.

Eugène kwam terug uit de tuin om zijn stuk taart te eten en voor grootmoeder werd een flinke portie apart gezet. Fanny dacht aan het zoenen en bekeek haar neef Eugène met welgevallen. Ze probeerde zich een voorstelling te maken van de lange reis en overwoog hem mee te nemen, want een trouwe metgezel kon ze wel gebruiken. Het ogenblik brak aan dat haar geschikt leek om de familie op de hoogte te brengen van haar plan. De kinderen waren van tafel; men zakte achteruit tegen de rugleuning en half sloten zich de ogen, terwijl her en der in de schalen de vetresten stolden. Alleen Eugène en Fanny bewogen rusteloos heen en weer. Neef Eugène zuchtte luidruchtig, zijn ogen stonden dof, hij droeg een strakke zwarte trui en om zijn middel een metalen riem. Sinds kort was hij in het bezit van een kleine snelle auto, waardoor hij zelfvertrouwen had gekregen. Ineens kwam Fanny overeind, haar buren schrokken op. Ze kondigde aan dat ze iets belangrijks te vertellen had en een beroep zou moeten doen op ieders hulp; geld had ze niet nodig (ze had gezichten zien betrekken) maar inlichtingen over tante Leda, de zus van haar moeder. 'Leda,' zei tante Colette met een onrustige blik, 'waar die is weet niemand.' 'Ik heb tante Leda nooit gezien,' zei Fanny, 'noch in werkelijkheid noch op een foto, want ze is nooit op een verjaardag geweest en misschien weet ze niet eens dat hier ieder jaar een feest is. Hoe zou ze het ook kunnen weten, als niemand haar meer gezien of gesproken heeft sinds grootmoeders verjaardag echt wordt gevierd? Toch heb ik jullie soms over haar horen praten. Jullie vonden het spijtig niet te weten wat voor leven ze leidde, tante Leda, die deel uitmaakt van de familie alsof elk van jullie haar iedere dag van het jaar ziet en alsof ze er, ondanks alles, niet zo erg verkeerd aan heeft gedaan niets meer van zich te laten horen. Jullie genegenheid lijkt even groot als wanneer jullie er ook maar iets van terugontvingen, wat niet het geval is. Goed. Tante Leda geniet het voorrecht dat iedereen op haar gesteld is, ook al heeft ze jullie verwaarloosd en zich niet om jullie bekommerd. Ikzelf hoor hier niet, al heb ik dat tot nu toe altijd gedacht. In het gunstigste geval ben ik een element dat wordt geduld, maar ik lijk nooit iets anders te hebben gedaan dan imiteren en jullie laten je niet langer iets wijsmaken, jullie hebben het nog eerder begrepen dan ik. Toch ken ik mijn tekortkomingen, of die van mijn ouders. Alle ellende is gekomen doordat tante Leda niet zoals ieder van jullie in kennis is gesteld van mijn geboorte, terwijl zij de zus is van mijn eigen moeder. Jullie waren er ook bij toen ik mijn echte entree in de familie maakte, er werd een maaltijd georganiseerd en nog steeds heb ik een paar cadeautjes uit die tijd, ik was vier maanden en zeventien dagen. Leda ontbrak uiteraard, iets waar niemand zich druk over maakte. Er is geen poging ondernomen haar te laten weten dat haar eerste nichtje ter wereld was gebracht, en als Leda op dat moment toevallig nog in onze stad woonde (niemand wist immers waar ze was, ze kon dus evengoed vlak bij ons in de buurt zitten en rakelings langs ons gaan zonder dat we er een vermoeden van hadden) heeft ze het misschien zelfs in de krant gelezen, als willekeurig wie. De dingen zijn dus niet geregeld zoals zonder meer had gemoeten, en mijn ouders dragen een enorme schuld, al weten ze het niet. En ieder van jullie heeft me een beetje schade berokkend. Hebben jullie niet gedaan of jullie me accepteerden en me tegelijkertijd te verstaan gegeven dat mijn rechten beperkt waren, wat ik me vandaag, nu jullie me ronduit zijn vergeten, terdege realiseer? Het enige wat ik nu kan doen, is tante Leda terugvinden. Dan organiseren we een tweede geboortemaaltijd te mijner ere', besloot Fanny met een glimlach, 'en Leda zal aan het hoofd van de tafel zitten, met mijn ouders aan weerszijden. Jammer genoeg kan hun fout maar gedeeltelijk worden hersteld. Want ik ben inmiddels achttien en heb reeds met veel narigheid en ellende moeten boeten voor de zorgeloosheid van mijn verwekkers.'

Fanny ging weer zitten en legde haar handen kruiselings op tafel. Licht boog ze haar hoofd, maar onder haar neergeslagen oogleden schoot haar blik van de een naar de ander. En ze zag dat Eugène voor zich uit zat te staren met een intens verveelde uitdrukking op zijn gezicht en een halfopen mond, waarin zijn tanden blonken. Had hij eigenlijk wel tot het einde toe naar haar geluisterd?

'Die arme Leda heeft niet veel van haar leven gemaakt', zei tante Colette.

Daarna begon iedereen door elkaar heen over Leda te praten, maar er kwam niets uit naar voren dat Fanny van nut kon zijn noch werd terugverwezen naar wat ze zojuist had verteld, en ze zweeg alsof dit alles niets met haar te maken had. Zonder het te merken duwde tante Colette haar met brede, nerveuze gebaren geleidelijk naar de hoek van de tafel. Ze beweerde dat Leda met een man naar het buitenland was gevlucht, dat Leda's levensverhaal alleen maar heel banaal en hier en daar heel vulgair was. De leeftijd van tante Leda, haar eigen zus, kon tante Colette niet precies aangeven. Maar ze meende te weten dat het de man met wie Leda ervandoor was gegaan bepaald niet had ontbroken aan geld, iets waar Leda, zonder vak of opleiding, niet uitgesproken scherpzinnig en evenmin echt mooi, altijd belust op was geweest. Sommigen mompelden dat ze het toch anders zagen. Oom Georges leek zelfs kwaad, zijn nek zwol op. Maar tante Colette bleef luid doorpraten, zij was Leda's zus en degene die haar het beste had gekend, vroeger. Ze was vergeten dat Fanny naast haar zat en haar handen zwaaiden heen en weer in zulke weidse gebaren dat Fanny voortdurend haar stoel moest verplaatsen om botsingen te voorkomen. 'Hebt u enig idee naar welk land Leda is vertrokken?' vroeg Fanny toen tante Colette zweeg. 'Niemand weet waar ze is', antwoordde Colette zonder Fanny aan te kijken. Haastig voegde ze eraan toe dat ze Fanny's verhaal verward had gevonden en dat zij van haar kant geen kans zag haar te helpen, ook nauwelijks begreep wat Fanny eigenlijk wilde. Want ieder is verantwoordelijk voor wat hem overkomt. En als ze vergeten waren Fanny uit te nodigen, zoals ze beweerde, kwam dat waarschijnlijk door de drukte van de voorbereidingen. Was ook zijzelf niet grootmoeders verjaardag vergeten? En tante Colette wendde zich naar een geeuwende Eugène en gaf hem een standje vanwege een wijnvlek op de lichte stof van zijn broek.

2

Grootmoeder

Toen ze eindelijk van tafel waren om even de benen te strekken in de tuin of in de zitkamer een potje te kaarten, ging Fanny bij grootmoeder kijken, die in haar slaapkamer lag te rusten. Dat vertrek stond rechtstreeks in verbinding met de smalle, in damp gehulde keuken waar twee meisjes, die voor de hele dag waren ingehuurd en zojuist de maaltijd hadden opgediend, bijna klaar waren met de afwas. De deur van de slaapkamer kon maar voor driekwart dicht en vanuit de keuken zag je grootmoeders grote ledikant; en helemaal aan het eind een grijs haardosje. Fanny schoof een stoel tegen het bed, dat zo hoog was dat de rand tot haar kin kwam. Grootmoeder was overeind gaan zitten en nam haar nieuwsgierig op, intussen plukkend aan de koordjes van haar nachthemd waarmee de boord was aangetrokken. Fanny stond op om haar wang te kussen. En ze meende dat grootmoeder op het punt stond te sterven, want uit haar blik sprak een onmetelijke ontzetting. Die gedachte was nog nooit bij haar opgekomen, ze voelde zich heel verbaasd, geschokt bijna. De cadeaus her en der op bed vervulden haar van schaamte, zij had niets meegebracht. Vorig jaar had ze een mooi boek over de natuur gegeven met de beste wensen van haar moeder die toen niet kon komen, waarmee ze die nalatigheid een beetje· had goedgemaakt. Vandaag kwam ze met lege handen en zonder enig excuus van de kant van haar ouders, die zich totaal niet druk maakten over grootmoeders naderend overlijden, want ze hadden zoveel bezigheden, zoveel kleine beslommeringen die hen volledig in beslag namen! Zij waren verantwoordelijk voor Fanny's ellende maar vreesden niets zozeer als verveling, tijdverspilling, nutteloze activiteiten – niet eens de dood in eigen persoon, waarvan Fanny hier tot haar verbijstering de belichaming meende te ontwaren.

Grootmoeder had haar mond open en beantwoordde Fanny's kus niet. Haar ogen stonden nog levendig. Ze noemde Fanny bij haar echte voornaam en zei dat ze heel blij was haar te zien. In de duistere kamer zwollen de donkere vlekken van de zware meubels op ten koste van grootmoeder van wie alleen nog vagelijk een bleek gezicht te zien was, als een skelet waarvan het vlees was afgelicht. Een golf van sympathie ging door Fanny heen en ze wilde grootmoeders hand pakken maar tastte vergeefs over de sprei, grootmoeder gaf haar hand niet. De meisjes in de keuken praatten luid en rammelden met het vaatwerk, zonder iets te horen van wat in de slaapkamer werd gezegd. Grootmoeder had allerlei vragen. Ze vroeg hoe het stond met haar studie, haar toekomstplannen, waar ze de afgelopen jaren mee bezig was geweest, wat ze allemaal heel goed had kunnen weten want Fanny had haar steeds van haar doen en laten op de hoogte gehouden. Van de kleinste gebeurtenis wilde grootmoeder alle bijzonderheden horen, ze trok aan de koordjes van haar hemd als om Fanny aan te sporen haar nog meer te vertellen. 'Grootmoeder, dat is toch allemaal verleden tijd!' riep Fanny kwaad. Ze deelde mee dat ze diezelfde dag nog op zoek zou gaan naar Leda en niet zou terugkeren voor ze haar had gevonden, dat ze liever onderweg stierf dan een leven te blijven leiden waarvan de lijn van meet af aan vervormd, verwrongen was geweest door apathie en nalatigheid, een leven dat alleen daardoor tot nu toe gevuld was geweest met armzalige, onzegbare dingen, ongelukkige, kreupele verhalen waarvan het relaas de halve pagina niet zou hebben overschreden. Met beide handen klampte ze zich inmiddels vast aan de bedrand en haar gezicht reikte naar dat van grootmoeder, die onmerkbaar terugweek. Kon de onverdraaglijke futiliteit van haar leven trouwens niet worden verklaard uit het feit dat Leda haar alvorens te vluchten had behekst, toen ze merkte dat haar eigen zuster haar vergat? Fanny's moeder en Leda hadden vroeger een innige band gehad, en ook lange tijd hetzelfde kapsel gedragen: ze deelden hun haar in tweeën en maakten daar vlechten van, die ze boven hun oren in een rol legden en vastzetten met een vergulde speld. De dag voor haar vertrek had Fanny een heel kort kapsel laten knippen, met de gedachte dat dit een zekere waardigheid had als je op reis ging. Ze had alleen zwarte kleren bij zich en niet meer dan twee, drie sieraden. Ze wilde nu horen hoe grootmoeder erover dacht en bovenal haar goedkeuring krijgen. Maar wat lag grootmoeder er op het enorme bed nietig en verloren bij! In haar sombere blik glansde geen zweem van sereniteit maar een verschrikkelijke, onbestemde vrees, en grootmoeder had zo veel jaren geleefd, ze had al zo veel gezien, tot tal van keren toe zelfs de dood! Fanny huiverde, voelde haar vertrouwen in grootmoeder langzaam slinken. Nu fronste grootmoeder de wenkbrauwen en keek Fanny vertwijfeld aan. Ze had nog nooit gehoord, zei ze ten slotte, dat de tantes of andere familieleden per se bij iedere geboorte moesten worden verwittigd, vooral wanneer in jaren niets van hen was gehoord, zoals in het geval van Leda. Fanny's bestaan zou Leda vast en zeker geen zier kunnen schelen, aldus grootmoeder, en dat mocht je haar niet kwalijk nemen, net zomin als Fanny's ouders echt mocht worden verweten dat ze niets hadden ondernomen om Leda op te sporen. Als Fanny zich ongelukkig achtte, lag de oorzaak zeker niet in een verzuim toen ze ter wereld was gekomen, van zoiets had niemand nog ooit gehoord. En ze had niet de indruk, zei grootmoeder verbaasd, dat haar ouders Fanny veel hadden misdaan, juist dat ze haar naar beste vermogen hadden grootgebracht. 'Uw verjaardag kan hun geen donder schelen!' schreeuwde Fanny onbeheerst; en nu ze op dreef was ging ze door terwijl ze op de rand van het bed zat te timmeren: 'Ze geven af op de familie, niemand uitgezonderd! Toch wordt er van hen gehouden, aan hen gedacht, terwijl ik met alle moeite die ik doe alleen maar verder word vergeten. Zonder dat men het beseft, word ik gestraft voor elk van hun fouten!'

Grootmoeder schudde het hoofd, langzaam leek ze weg te zinken tussen de lakens en Fanny zweeg, in de veronderstelling dat ze haar vermoeide, al trilde ze nog van woede. Grootmoeder vroeg wie haar op de gedachte had gebracht dat Leda's afwezigheid, vroeger, invloed had gehad op haar bestaan. Fanny antwoordde dat het niet anders kon, dat het onontkoombaar was. En zij wist het al zo lang, terwijl alle anderen het van lieverlee vergaten. 'U ook', zei ze mistroostig. 'En ik dacht toch dat u...'

Ze maakte een weids gebaar van berusting. Grootmoeder was precies als de anderen! Ook al hield ze vast aan vormen van bijgeloof uit de oude tijd, aan absurde overtuigingen, en ook al waren de onwaarschijnlijke verhalen die ze Fanny vroeger voor het slapengaan vertelde, met een eerbiedig en bevreesd gemurmel, in haar ogen waar. En nu keek grootmoeder haar vol mededogen aan! Zachtjes vroeg ze over wat voor ellende Fanny dan toch klaagde. 'Het gaat er juist om dat er niets is', zei Fanny die dit gevraag vervelend vond.

Onverhoeds ging de deur open, met ordeloze haren en een vrolijk gezicht verscheen daar een van de meisjes uit de keuken, die net een hele sauskom over de boord van een bejaarde neef had gemorst. 'Kunnen we nu gaan?' Maar voordat grootmoeder had geantwoord was het meisje al weg, en Fanny, die haar in de keuken hoorde lachen met de anderen, kreeg een pijnscheut van jaloezie. 'Ja, ik dacht toch dat u...' herhaalde ze werktuiglijk. En diep teleurgesteld hield ze haar blik gericht op het kruisbeeld boven grootmoeders hoofd. Na de aankondiging van haar reis had ze gehoopt op bemoedigende reacties en omdat de onderneming haar vermetel leek, de zaak gewichtig en fraai, op een enkele bezorgde opmerking en tal van gelukwensen. Grootmoeder hield zich toch aan allerlei godsdienstige riten en geloofde in het lot! Had ze niet een keer in bedekte termen gesproken over een buurvrouw die volgens haar behekst was, terwijl op haar gezicht plotseling een uitdrukking van onvervalste angst en van vertrouwdheid met het mysterie was verschenen?

Fanny dacht aan haar neef Eugène, wikkend en wegend of ze hem kon meenemen, op hem kon vertrouwen. Toen vervolgens haar blik afdaalde naar grootmoeders verschrompelde gezicht moest ze denken aan zijn zachte, warme lippen en het leed voor haar geen twijfel meer of hij zou zich ontpoppen als een gehoorzame, oprechte, dappere metgezel.

Maar ze wilde nog niet weg van haar grootmoeder wier einde naderde, dat voelde ze. En deze keer lukte het haar een hand te pakken en die te omklemmen. Grootmoeder ademde moeizaam. Toch verscheen op haar gezicht een glimlach. Ze vertelde van de maaltijd die destijds na Fanny's geboorte was georganiseerd en waar Leda niet bij was geweest, omdat ze niet was uitgenodigd. Bepaalde details wist ze nog precies. Als voorgerecht was er kalfskop, waar grootmoeder niet van hield. En in een hoek van de zaal had Fanny de hele maaltijd in haar hemelbedje liggen huilen.

Was die maaltijd trouwens wel ter gelegenheid van Fanny's geboorte geweest, vroeg grootmoeder zich af terwijl ze haar hand terugtrok en die onder het laken liet glijden, of om te vieren dat Fanny's vader net directeur was geworden van de grote firma waarvoor hij werkte? Zijn salaris was destijds verdubbeld, hij had verdiende gelukwensen in ontvangst genomen terwijl Fanny's moeder iedere keer verrukt had geglimlacht en te verstaan had gegeven dat haar bijdrage aan het succes van haar man niet gering was geweest.

Grootmoeder hoestte, en medelijdend haalde Fanny haar schouders op. Ze kwam uit haar stoel om de kussens op te schudden en grootmoeder lichtelijk omhoog te tillen, onder haar vingers voelde ze de koele huid, de scherpe botten. En omdat grootmoeder het vroeg, knoopte ze de koordjes van het nachthemd stevig dicht. Daarna liep ze een stukje door de kamer en stootte tegen allerlei meubelen die ze bij haar weten nooit had gezien, een secretaire met vele laden, een bergère, een enorme kast dwars door het vertrek waar ook al naast elkaar tegen een muur twee kasten stonden. En in haar herinnering was het een ruime, lichte kamer! Op een tafeltje stonden wat ingelijste foto's. Ze kon ze niet duidelijk zien, pakte ze op goed geluk en stopte ze tussen haar broekriem, trok haar trui eroverheen zodat grootmoeder niets zou merken. Die had aan het andere eind van de kamer haar ogen gesloten en haar hoofd neigde licht naar een schouder. Haar hele lichaam trilde en leek in de greep van de angst. Weer terug op de stoel vroeg Fanny aan grootmoeder of ze een foto had van haar dochter Leda. Maar grootmoeder had er geen. Sinds Leda was vertrokken, vertelde ze vertrouwelijk, waren er zoveel jaren verstreken dat ze geleidelijk haar gezicht begon te vergeten, er soms bijna aan twijfelde of Leda wel echt had bestaan, al meende ze haar nu en dan te horen, 's nachts achter de luiken. Misschien, dacht ze dan, is Leda nooit vertrokken en ben ik haar vaak tegengekomen zonder mijn eigen dochter te herkennen!

'Mijn ouders hebben me zoveel kwaad berokkend dat ik zal herademen als ze dood zijn!' riep Fanny.

3

Op weg

Ze ging op zoek naar Eugène, die zich buiten bij de honden vreedzaam zat te vervelen. Ze lagen nu aan de ketting en bij de aanblik van Fanny, die zich er wat beklemd door ging voelen, volstonden ze met een gegrom. Ze trok Eugène mee naar een rustig plekje en zorgde ervoor dat hij vlak naast haar op een bank kwam te zitten. Ze herinnerde hem aan soortgelijke dagen, vroeger, toen ze elkaar op deze zelfde bank onbeholpen hadden gekust, en Eugène glimlachte enigszins hooghartig terwijl hij zijn hoofd achterover wierp om een haarlok weg te werken, strekte nonchalant zijn benen. Toen moest hij geeuwen. Ze gaf een zachte por in zijn ribben. 'Wil je met me mee?' 'Waarheen?' vroeg hij wantrouwig. Ze verweet hem dat hij daarnet niet had geluisterd. Eugène was verstrooid, lui, en hij kreeg zo gauw ergens genoeg van dat je nog maar nauwelijks aan het eind van een zin was of zijn aandacht was alweer ergens anders! Ze praatte over de reis waartoe ze had besloten, bekende dat ze een betrouwbare metgezel nodig had die haar in alles zou gehoorzamen, haar niet in de steek zou laten tot ze tante Leda had gevonden. Haar stem klonk dringend, want ze kon nauwelijks iemand anders dan Eugène bedenken die bereid zou zijn haar te volgen, en ze drukte zich tegen hem aan en omknelde met beide handen de zijne, zodat hij zich niet meer kon verroeren en zelfs gejaagd ging ademhalen. Haar mond was nu zo dicht bij de halfopen mond van Eugène dat hun lippen bij elk woord dat ze zei rakelings langs elkaar gingen. Maar Eugène beperkte zich tot wat vrijblijvend gehum. Hij trok een beetje een sceptische grimas en Fanny voelde zich onwaarachtig, niet oprecht, terwijl ze toch niets verborgen had gehouden. Zei ze wat ze dacht, dan veranderde dat in een leugen!

Het schoot haar te binnen dat Eugène droomde van een belangrijke functie, een ruim kantoor voor hemzelf alleen van

waaruit hij leiding zou geven aan enkele tientallen personen,
voorzien van een glaswand die uitzicht bood op de stad beneden hem en op de lieflijke, in wolken gehulde heuvels verderop.
Hij wilde in zaken en wist niet hoe dat aan te pakken, soms gaf
hij de schuld aan zijn jeugdige leeftijd, dan weer aan zijn
beperkte middelen. Haastig verzekerde Fanny hem dat Leda
iets voor hem zou doen als ze, zoals verteld werd, was getrouwd
met een rijke man, dat ze hem trouwens geen hulp zou kunnen
weigeren want hij was haar neef.

'Ze moet flink wat in de melk te brokkelen hebben op dit
moment', zei Fanny terwijl ze haar ogen samenkneep, en ze
schudde Eugène aan een arm. 'Voor haar is het een kleinigheid
om jou vooruit te helpen!'

De honden waren harder gaan grommen en maakten aan
een strak gespannen ketting sprongen in de richting van Fanny,
die door hun houding de wanhoop nabij was.

'Willen jullie nou eens ophouden?' riep ze met tranen in
haar ogen. En tegen Eugène: 'Vroeger deden die twee alles wat
ik zei!'

Lang bleef ze jammeren, nog steeds aangeklemd tegen Eugène, die bij zichzelf te rade leek te gaan. Ten slotte vroeg hij
slapjes: 'Wanneer vertrekken we dan?' 'Vandaag! Meteen!' zei
Fanny terwijl ze overeind sprong. Maar hij maakte zich zorgen
over zijn moeder, een afspraak die hij had gemaakt, zijn vrienden, allerlei eindeloze zaken. 'Wat een rijk gevuld leven!' merkte Fanny jaloers op. Hij krabde op zijn hoofd en leek al bijna
spijt te hebben van zijn besluit. Ze gaf hem een half uur om
tante Colette te gaan verwittigen en de rest telefonisch af te
handelen, zei verder nog dat ze over wat geld beschikte en
onderweg zou kopen wat hij nodig had.

Toen Eugène weg was haalde ze de foto's tussen haar riem
uit. De hemel was grijs, in het dorp met de lage, bruinige huizen
– die dor en gesloten waren als de gezichten waarvan soms,
zelden, een glimp te zien was achter de rand van een gordijn,
door de gelijkvloerse ramen – hing donker een zware, vochtige
mist. Vanaf haar bank sloeg Fanny dit alles door het hek gade,
ze vond het majestueus en hoopte dat ze later grootmoeders huis
zou erven.

Op de eerste foto poseerde Eugène aan de zijde van zijn ouders, die een hand op zijn schouder hadden gelegd. Daarachter twee glimlachende nichtjes die Fanny minder goed kende, eveneens in gezelschap van hun ouders die verre, indirecte banden met grootmoeder hadden, het verbaasde haar dan ook een beetje dat grootmoeder ze in haar kamer bij haar bed had neergezet. De tweede foto was van een groep kinderen. Ergens achteraf stond Eugène stuurs te kijken, en ze kreeg de indruk dat al haar volle neven en nichten daar bijeen waren, in grootmoeders tuin waar de foto was genomen. Aandachtig zocht ze naar zichzelf, tevergeefs. Vagelijk voelde ze zich gekwetst. Ze hield zichzelf voor dat ze, al kon ze zich het tafereel niet herinneren, misschien verscholen stond achter het lange meisje op de eerste rij dat lachend de twee honden, op dat moment vuistgroot, in haar armen hield. Die honden waren ook te zien op de laatste foto en een gevoel van bitterheid maakte zich van Fanny meester. Ik ben zo vaak met ze gaan wandelen, dacht ze. Hoeveel malen heb ik niet hun hok schoongemaakt! Ze stond op, raapte zonder erbij na te denken een scherpe steen van de grond en gooide die naar de honden toe. De zachtaardigste van de twee werd geraakt in zijn oog. Allebei begonnen ze te janken terwijl zij het huis in vluchtte, uit angst dat er iemand zou komen kijken. Zouden ze haar niet verwijten dat ze onrust kwam veroorzaken, die mensen die haar doodgemoedereerd niet hadden uitgenodigd en dat prima vonden zo? In de hal, waar haar koffer stond, kwam ze Eugène tegen. Hij meldde dat zijn zaken geregeld waren, en met zijn handen in zijn zakken wiegde hij heen en weer, zijn korte jasje spande om zijn borst.

'Heb je wat geld?' vroeg Fanny. 'Niets niemendal!' Hij leek er trots op, tot Fanny's ergernis, want al pratend was ze zelf gaan geloven dat Leda het als een plicht zou beschouwen Eugène vooruit te helpen, en nu Eugène en zij evenveel profijt van de reis zouden hebben, vond ze dat de kosten moesten worden gedeeld. 'Wil je moeder je dan niets geven?' hield ze aan, met een verstrooide blik. 'O die!' zei Eugène en hij maakte een brede armzwaai. Tante Colette was zo kwaad geweest dat ze zich had afgewend zonder hem een kus te geven. Hij had haar allerlei verwensingen aan Fanny's adres horen mompelen, met bijval van de overige familieleden die in de tuin een wandelingetje maakten en van wie Fanny gerust naar de duivel had gemogen. En haar foto, die ze op de tafel had laten liggen, was door oom Georges met een boos en misprijzend gebaar doormidden gescheurd. 'Het heeft geen zin erheen te gaan,' zei Eugène toen hij zag dat Fanny erop af wilde, 'ze gooien je de deur uit. Mijn vader en een paar anderen houden bij de kamer van grootmoeder de wacht om te voorkomen dat je haar gedag zegt. Ze slaapt trouwens.'

Hij zei het met voldoening, alsof alles was verlopen zoals hij had gewild, en nu was hij zo gretig om te vertrekken dat hij heen en weer bleef lopen van de deur naar de garderobe, zonder zich om Fanny te bekommeren. 'Vooruit dan maar', zei ze met een zucht. Treurig pakte ze haar koffer en trok haar jas dicht. Buiten gekomen keek ze expres niet naar de honden. Die waren stil, ze schrok ervan en haastte zich weg. Er viel een dichte, kille regen. 'Mijn auto staat daar voor het huis', zei Eugène bibberend. 'Maar we gaan lopen!' riep Fanny. Ongelovig bleef hij staan. Ze kon slechts vage redenen aanvoeren, beweerde dat een reis als deze alleen te voet mogelijk was, in traag tempo en onder allerlei moeilijke omstandigheden, maar wel was ze overtuigd van haar zaak en ze hield hardnekkig vol alsof ze de precieze en misschien voorbije oorzaken wel was vergeten maar haar desalniettemin de zekerheid was gebleven dat het zo moest. En ze was gebelgd over Eugènes verbazing, die ze ervoer als een beschimping zonder duidelijk te zien wat er werd beschimpt. Woedend sloeg Eugène met zijn laarzen tegen elkaar.

'Dat is toch niet te geloven! Nou zullen we het krijgen!' schreeuwde hij.

Zijn natte jasje leek te krimpen en omdat hij gejaagd en onregelmatig ademhaalde, maakte hij de indruk er bijna door te worden gesmoord. Hij keek beurtelings naar zijn auto en naar het vastberaden gezicht van Fanny, die nu een paraplu uit haar koffer haalde en deze kalm opendeed. Toen hij haar zo bezig zag durfde hij uit trots niet terug naar grootmoeders huis, waar ze zouden denken dat hij was gezwicht voor de argumenten van zijn moeder. 'Van twintig of dertig kilometer zullen we niet doodgaan', zei Fanny terwijl ze hem beschermde tegen de regen. Omdat zij de paraplu vasthield, moest hij van haar de koffer dragen. Ze gingen op weg. Meer dan eens keerde Eugène zich om naar zijn auto en dan zuchtte hij, ging langzamer lopen, maakte zichzelf op gedempte toon uit voor stommeling, doof voor de opgewekte aanmoedigingen van Fanny die hem beloofde dat hij later, wanneer Leda voor hem de uitstekende positie zou hebben geregeld die hij verdiende, twee of drie auto's voor de deur kon krijgen als hij dat wilde, en heel wat krachtiger exemplaren dan deze. Ze hield hem stevig bij een arm, maar ter verzachting van die ruwe greep streelden haar fijne vingers zachtjes zijn pols.

Stevig stapten ze door het dorp. Hun hakken galmden in de stilte, achter de verlichte ramen verschenen enkele hoofden. Zodra Fanny opkeek waren ze echter weer verdwenen, rap als schimmen, en al gaf Eugène haar de verzekering dat deze of gene bekende hen door het venster minuten lang had gadegeslagen, hem soms zelfs onopvallend een teken had gegeven waarop hij niet had kunnen reageren, Fanny zag niets en dacht dat Eugène haar voor de gek hield. Op een bepaald moment meenden ze tante Colette te ontwaren. Haar gestalte kwam uit een straatje en haastte zich voor hen uit, een huis met gesloten luiken in. Bijna wilde Eugène roepen, toen haalde hij zijn schouders op en ze liepen door, tegen elkaar zeggend dat zij het niet kon zijn, maar toch een beetje ongemakkelijk. Fanny verstevigde haar greep. En zogenaamd om hem te verwarmen drukte ze haar vlezige heup tegen de heup van Eugène. Hij begon trouwens te mopperen, klaagde over de kou, de regen, het donker, had nu al honger. Nauwelijks waren ze het dorp uit of Fanny's koffer werd naar zijn zeggen zwaar en niet te hanteren. Het ding sloeg tegen zijn benen, sneed in zijn hand. Uiteindelijk overwoog hij de hele inhoud tot een bundel te knopen, dat zou gemakkelijker dragen zijn. Ze protesteerde. Al haar spullen zouden verfrommeld raken, onbruikbaar worden. Eugène zei niets meer en Fanny moest voortdurend het gesprek gaande houden, bang als ze was voor de stilte waarin Eugènes slechte humeur een soort obstakel op hun weg zou worden. Ze vertelde hem dat ze naar het dorp van haar vader liepen. Ze moest met hem praten over belangrijke aangelegenheden, uit wrok had ze hem lang niet gezien. Bovenal had ze redenen om aan te nemen dat hij wist in welke richting tante Leda destijds was vertrokken, op basis van een onderzoekje dat ze had verricht, informatie die ze had vergaard uit heimelijk geraadpleegde brieven. Maar Eugène luisterde niet meer naar haar, want hij ging volledig op in zijn poging om met één hand de knopen van zijn jasje dat hem ging benauwen los te laten springen. Toen het jasje eenmaal open was, raakte hij verkleumd. Hij vloekte, ze moesten stoppen. Het was nu donker en uit de verlaten velden hoorden ze allerlei zwakke geluiden opstijgen waar ze vruchteloos hun oren voor spitsten. Soms reed er een auto voorbij en steevast slaakte Eugène dan een zucht, onwillig ging hij opzij, op het laatste moment, en dat hij in de berm moest kwetste zijn trots in hevige mate. Fanny streelde hem, kuste hem op zijn wang. Ze liep om hem heen en streek de haren op zijn achterhoofd glad, deed zijn broekriem goed, hoorde toe hoe hij klaagde en zei ja ja, zachtjes, vrolijk. Nu ze op weg was naar haar doel, kon de regen haar geen zier schelen!

Toch schoten ze niet op. Ze wilde Eugène een trui lenen, hij liet zich lang bidden en zei vervolgens dat de trui te klein was. Ten slotte zette hij koppig de koffer neer, kruiste zijn armen en deelde mee dat hij het opgaf. Ontevreden keek hij haar aan, alsof zij hem had bedrogen door hem over zulke moeilijke wegen mee te slepen, en voor Fanny, die ervan bloosde, leed het geen twijfel of ze had daarnet ongewild tegen hem gelogen. Zij was van top tot teen een leugen, zo was ze gemaakt! Achter hen klonken voetstappen. Plotseling werd een man zichtbaar in een lange zwarte oliejas, een zaklantaarn in zijn hand – een buurman van grootmoeder. Ze schrokken van zijn schril verlichte gezicht, dat als het ware door het duister dreef. Eugène welfde zijn borst en bracht zichzelf ertoe om met aarzelende voeten een pas naar voren te doen. Bruusk overhandigde de man hem een rolletje bankbiljetten met een elastiek eromheen. 'Van je moeder, en het dubbele als je terugkomt', zei hij nors. 'Ik ben niet te koop!' schreeuwde Eugène. Hij stond op het punt het geld af te wijzen toen Fanny tussenbeide kwam, onwillekeurig een zachte kreet slaakte, hem voor lichtzinnig uitmaakte en fluisterde dat hij het geld moest aannemen, het verplichtte hem tot niets. Ze greep Eugène bij een arm en leidde zijn hand ruw naar het pakje. De man had het geld nog niet gegeven of hij was alweer opgegaan in het duister, zo snel dat Fanny, die zich opeens herinnerde dat ze geen lamp hadden en dat er te weinig auto's waren om hen voortdurend bij te lichten, niet meer kon vragen of hij hun zijn lantaarn wilde verkopen. Intussen was Eugène vergeten dat hij niet meer verder wilde. Hij voelde zich gevleid en maakte zich vrolijk om die angstige tante Colette. Hij werd zelfs bijna kwaad bij de gedachte dat ze zich niets gelegen liet liggen aan zijn toekomst en hem liever bij zich hield, in een banaal bestaan, dan hem te zien vertrekken naar een kans op succes, waarschijnlijk uit beduchtheid dat hij bij zijn terugkomst zou zijn veranderd. Daarna begon hij zich zorgen te maken. Hij werd zwijgzaam en Fanny meende te zien dat een gluiperige glans, iets mysterieus berekenends zich duister in zijn halfgesloten ogen nestelde. Maar ze drukte zich tegen hem aan en vergat het.

De weg lag nu in het licht van de volle maan en omdat het minder hard was gaan regenen, vatten ze weer moed en begonnen ze vrolijk te kletsen, en Fanny voelde zich jaloers op Eugène, die altijd het gevoel had gehad recht te zijn geplant en flink te zijn gegroeid op vaste grond, zonder dat hij bang hoefde te zijn die grond te moeten verlaten of verloochenen, in het besef dat het de zijne was. Eugène liep druk te praten, onbekommerd, maakte plannen, gebruikte soms hoogdravende woorden. Hij beschreef zijn toekomst zoals hij die zag, en droomde van een groot cilinderbureau.

Op Fanny's verzoek gingen ze herinneringen vergelijken. Maar of Eugène onwillig was of dat Fanny het belang van de gebeurtenissen overdreef en zich erop had toegelegd onbeduidende dingen te onthouden, hij was in ieder geval niet in staat zich ook maar enig tafereel te herinneren waarvan zij hem verslag deed, en ze werd bijna driftig, gaf hem de verzekering dat hij net zo goed als zij aanwezig was geweest bij wat ze nu zo levendig beschreef, tijdens de talloze vakanties die ze vroeger samen bij grootmoeder hadden doorgebracht. 'Er staat me echt niets van bij', bleef Eugène herhalen, zijn wangen bol. Pijnlijke situaties, kleine vernederingen, een discussie waarin ze zichzelf belachelijk had gemaakt, waren jaren lang aan Fanny blijven knagen, terwijl er in Eugènes gelukzalige geheugen geen spoor van was blijven hangen! Bij de gedachte aan al die nutteloze spijt en verspilde schaamte ging ze het hem kwalijk nemen, voelde ze zich zwaar aan zijn arm hangen. Maar het verbazingwekkendste was dat zij zich op haar beurt niets kon herinneren van wat Eugène vervolgens met allerlei details erbij begon te vertellen, hoewel ze dat niet durfde te bekennen, in een vaag vermoeden dat hij haar ervan zou beschuldigen dubbelhartig te zijn of te kort te schieten jegens de familie en zich misschien vol walging van haar zou afkeren. Terwijl het uitsluitend een kwestie van oppervlakkigheid was, dat Eugène niets meer wist van wat ze hem had verteld, want bij Eugènes geboorte waren de tradities fraai in acht genomen. Was hij trouwens niet voldoende ordentelijk van lichaam en geest om het zonder te kunnen stellen, en blaakte hij niet van perfectie?

Behoedzaam schoof Fanny het onderwerp herinneringen terzijde. Ze wisten niets meer tegen elkaar te zeggen en liepen zwijgend voort. Van tijd tot tijd kneep Fanny de arm van Eugène bijna beurs, waar hij boos om werd. Uit wraak dreigde hij de koffer voor een auto te zullen gooien. Zij smeekte, vleide, ze voelden zich dichter tot elkaar komen.

Vermoeid hielden ze halt bij een benzinestation waar Eugène koekjes en een knoflookworst kocht, en Fanny een roddelblad waar ze al jaren geen nummer van oversloeg, want graag vergeleek ze haar eigen, onzegbare bestaan met dat van beroemdheden en dreef dan weg in enigszins sombere mijmeringen. Op aanwijzingen van de pomphouder vonden ze iets verder een hotelletje. Vandaar zouden ze de volgende ochtend vroeg kunnen vertrekken en dan voor het middagmaal bij Fanny's vader zijn.

Het in fel neonlicht gehulde etablissement aan de kant van

de weg was gevuld met vertegenwoordigers die zaten te eten, allemaal eender, een wit servet onder hun kin. Nieuwsgierig namen ze Fanny op en hun ogen keken zo serieus, hun gezicht stond zo ernstig, dat ze een gevoel kreeg of ze plotseling was veranderd in een enorm vergrijp tegen de goede smaak. Eugène, aan haar zijde, kreeg slechts onverschillige blikken. Toen ze eenmaal met Eugène aan een achteraftafeltje zat, verschoven sommigen zelfs hun stoel om Fanny meer op hun gemak te kunnen bestuderen. Waren ze uitgegeten dan sloegen ze hun benen over elkaar en staken een sigaar op, en de rook versluierde geleidelijk hun vlezige gezicht dat hardnekkig naar Fanny gewend bleef, vermengde zich met het verwarde geroezemoes. Een stuurse serveerster kwam hun bestelling opnemen. Het leek of ze zo lang mogelijk had gewacht alvorens eindelijk ongeïnteresseerd te naderen, in de hoop misschien dat die twee daar, geïntimideerd, zich zonder iets te vragen weer uit de voeten zouden maken. Maar Eugène had honger. Wat Fanny betrof, de geconcentreerde aandacht van de handelsreizigers maakte het haar onmogelijk zich terug te trekken al had ze gewild, want zij waren hier in zekere zin thuis. Eugène bestelde gelijktijdig vissoep, in olijfolie gefrituurde inktvis, palmkool in vinaigrettesaus, palingragoût en verscheidene toetjes. Fanny volstond met zeetong en een drupje rode wijn. Ze praatte zacht, met gebogen hoofd, maar de serveerster herhaalde luid haar bestelling en het werd onrustig onder de vertegenwoordigers. Opgelaten wierp Fanny een tersluikse blik naar Eugène. Schaamde hij zich niet voor zulk gezelschap? Hij had niets in de gaten, een en al oog als hij was voor het menu. Hij slaakte verrukte kreten en riep 'Dat is vast lekker!' terwijl hij op zijn dij sloeg.

Later lag hij nog maar nauwelijks in het tweepersoonsbed of hij sliep, en tot de andere ochtend ondervond Fanny hinder van zijn kleine schonkige achterwerk, zo veel ruimte nam hij in. En in zijn droom praatte hij over een meisje dat Fanny onbekend was, met een brede glimlach van gelukzaligheid.

4

Bij Fanny's vader

Na de kou van de vorige dag was het nu drukkend heet. In het dorp van haar vader fristen ze zich op bij een bron. Het was siëstatijd, Eugène liep te mokken omdat hij tussen de middag niet had gegeten. De worst en de koekjes had hij in de loop van de ochtend naar binnen gewerkt, waarna hij was gaan treuzelen en had geklaagd dat Fanny te vlug liep. Om naar hij zei zijn krachten te sparen, gooide hij steeds de koffer voor zich uit, pakte hem weer op, gooide opnieuw, en Fanny had hem laten begaan uit angst dat een ruzie tot nog meer vertraging zou leiden. Maar haar woede was groot. Eugène is een regelrechte hufter, zei ze in zichzelf, hij begrijpt niets van deze reis en heeft geen idee van de waardigheid, de plechtigheid, de deemoed die zo'n tocht vergt. Mijn neef Eugène is alleen maar een ordinaire klaploper!

In het stille dorp aangekomen pakte ze hem opnieuw onzachtzinnig bij een arm en ze liet haar greep pas verslappen toen ze voor het huis van haar vader stonden. Ze had trouwens de indruk dat Eugène een soort week genot ervoer als hij zo werd vastgehouden. Ze deed vuurrode lippenstift op, duwde Eugène iets naar achteren en belde aan, vergeefs haar oren spitsend of haar een geluid bereikte van achter de hoge muur rondom het huis waarin haar vader, inmiddels rijk geworden, al geruime tijd woonde. Ze had hem vele jaren niet gezien en vroeg zich af of hij haar zou herkennen dan wel of haar aanblik hem sceptisch de wenkbrauwen zou doen fronsen. Zou hij haar, nu hij rijk en geëerd was, misschien ervan verdenken dat ze uit eigenbelang voor zijn dochter wilde doorgaan, en haar verontwaardigd de deur wijzen? Ze had er spijt van dat ze in grootmoeders huis niet de moed had gehad de foto weer bij zich te steken waarop ze te zien was in de armen van haar moeder en die oom Georges volkomen onrechtmatig had verscheurd. Die foto, overigens van povere kwaliteit, was het enige bewijs dat ze had kunnen leveren, of het moest zijn dat haar vader, tegenwoordig door een ieder gerespecteerd, in zijn achterdocht of kwade trouw weigerde zelfs Fanny's moeder te herkennen, indertijd een leuk type, vrolijk, teerbemind. Fanny van haar kant wist zeker dat dit het huis van haar vader was. Het was het grootste en modernste van het dorp, het beste onttrokken aan blikken van buiten.

Na een poos kwam een huisknecht in een opzichtig uniform opendoen. 'U bent zeker juffrouw Fanny?' zei hij nors. 'Maar dat is niet mijn echte naam!' riep Fanny verrast en opgetogen uit. De huisknecht haalde zijn schouders op. Zijn rode jasje zat met grote koperen knopen dicht. Hij nam de koffer over van Eugène die nieuwsgierig dichterbij was gekomen en gedrieën liepen ze door de uitgedroogde tuin waarin verschrompelde struiken stonden. Zonder iets te zeggen liet de bediende hen in de marmeren hal achter. Er ging een deur open en daar stond Fanny's vader. Door de kier van de deur zag Fanny een groot, onopgemaakt bed, een vrouw die haar uitdrukkingsloos aankeek, een wit hondje verstrikt in de lakens. Het leven van haar vader kende ze nog slechter dan dat van een volkomen vreemde! 'Dat ben jij dus', zei Fanny's vader. Werktuiglijk gaf hij haar een zoen terwijl zij hem onstuimig omklemde en zelfs in haar opluchting, in een drang om Eugène te imponeren, overvallen door een oud, vergeten verlangen, voor de grap aan zijn baard trok, een dikke, zwarte baard zoals ze die zich ook herinnerde. 'Kom nou toch', reageerde Fanny's vader knorrig. 'Zullen we eens gaan eten?' zei Eugène. Met plotselinge dienstvaardigheid nam haar vader hen mee naar de keuken, gaf de huisknecht opdracht de restanten van het middagmaal op te warmen, waarna hij stil en soepel verdween. En terwijl hij wegliep merkte Fanny het gebaar op waarmee hij zijn uitzonderlijk dikke haardos die glansde en golfde in orde bracht. Nijdig liet ze haar portie vlees staan voor Eugène.

'Wie heeft u gezegd mij Fanny te noemen?' vroeg ze aan de bediende, die geeuwend en aan zijn koperen knopen plukkend af en aan liep in de keuken.

'Die naam werd gebruikt als over u werd gesproken', antwoordde hij onverschillig. 'Of ik moet in de war zijn en ze hadden het niet over u als ze over Fanny spraken. Trouwens, was het wel Fanny? Precies weet ik het niet meer.'

'Wat een sukkel!' schreeuwde Fanny boos. 'Hoe kan iemand zo'n beperkt geheugen hebben?'

De huisknecht klemde zijn lippen op elkaar en zei niets meer, gaf zelfs geen antwoord aan Eugène die zich zorgen maakte over het nagerecht en haalde diens bord zo snel weg dat er wat jus op zijn broek spatte. Weet mijn vader eigenlijk wie ik ben? vroeg Fanny zich beklemd af. Hij had haar wel herkend maar meende hij werkelijk haar te hebben omhelsd, Fanny zoals ze echt was? En als hij zijn vergissing merkte, als Fanny heel anders bleek dan hij had gedacht en hun familieband plotseling erg onwaarschijnlijk en onbestendig werd (zozeer dat hij tegen zichzelf zou gaan zeggen: Nou en?) zou hij dan niet bij haar aankomen met beschuldigingen, niet zozeer van bedrog als wel van verraad, huichelarij, haar kunnen verwijten dat ze zo lang niets van zich had laten horen en zich in die periode willens en wetens had verwijderd van hem, haar naaste familie? Dus alsof het genoeg was je er nooit ongunstig over uit te laten, wilde zij dat de familie haar met open armen ontving!

'Wordt er vaak over mij gesproken?' vroeg Fanny aan de huisknecht; ze boog zich voorover en beroerde even zijn knie, om haar grofheid van daarnet goed te maken.

'Ik zei al', pruttelde hij, 'dat ik niet zeker weet of ze u bedoelen, als ze het hebben over een zekere Fanny.'

'Dat zal ik toch wel zijn,' zei Fanny na enig nadenken, 'ik heet immers Fanny.'

'Ik weet niet eens zeker of het wel Fanny is', vervolgde de huisknecht, 'en of die naam hier ooit is genoemd. Dus hoe moet ik dan weten of er over u wordt gesproken? Trouwens, wie bent u?'

'Ik ben Fanny!' schreeuwde Fanny geïrriteerd.

'Ach, Fanny, dat zegt nog niets!' schreeuwde hij op zijn beurt.

'Ik ben Fanny en daarmee uit', zei ze koppig, 'en als u in een boek mijn levensverhaal las, zou u dat genoeg zijn.'

'Vast wel', zei de huisknecht met overtuiging.

Waarna hij zweeg, terwijl over zijn gezicht een uitdrukking van kalme voldoening speelde, alsof hij het probleem gunstig had geregeld en het geen nut meer had er verder nog iets over te zeggen. Fanny schold hem heel zacht uit voor domkop. 'Nu je toch in gesprek bent met je vader,' zei Eugène, 'ga ik even een dutje doen.' 'Maar dit is mijn vader niet, dit is de huisknecht!' En Fanny lachte verontwaardigd, verbijsterd. Gepikeerd draaide de man haar de rug toe en deed of hij door het raam naar buiten keek. Eugène haalde zijn schouders op en geeuwde: eigenlijk kon het hem niet schelen wie hier Fanny's vader was. Zijn blik viel op een divan in een hoek van de keuken en hij ging liggen. Zijn ogen sloten zich, hij snurkte licht, zijn half-geopende lippen zagen er vol en verzadigd uit.

5

Voor de televisie

Fanny kwam bij haar vader zitten in de salon, waar hij haar naartoe had laten komen voor de middagthee, toch wel het minste wat hij voor zijn dochter kon doen nu ze op bezoek was. Drie keer achter elkaar stuurde hij op barse toon de huisknecht met de koperen knopen terug omdat die troebel water had gebracht of de verkeerde kopjes of te weinig thee, en nu Fanny merkte dat haar vader zo'n moeilijke man was, zo'n kille heerser, terwijl ze zich niet herinnerde ooit te hebben gehoord dat hij aan wie dan ook een bevel gaf of zelfs zijn stem verhief, voelde ze plotseling de trots van een echte dochter. Het was evenwel niet mogelijk dat het aanzien van haar vader ook afstraalde op haar, van wie zelfs de voornaam niet echt vaststond, en dat bijvoorbeeld de huisknecht, die haar net nog in de keuken had zien eten, haar met evenveel nederige eerbied bediende. Het was niet zeker, peinsde Fanny, dat de huisknecht met de koperen knopen precies wist wie zij was, al had hij haar Fanny genoemd zoals iedereen nu moest doen, maar misschien was het van zijn kant gewoon een vergissing geweest, een verwisseling, en zag hij haar aan voor een onbelangrijke bezoekster. 'Had ik toch nog maar die foto!' zei Fanny in zichzelf terwijl ze, het hoofd recht, trachtte zich enige allure te geven.

Fanny's vader zette de televisie aan. Er kwam een belangrijke voetbalwedstrijd. Getweeën zaten ze daar in de grote salon met de logge meubels, onder het zeegezicht dat een groot stuk van de muur tooide en waarop je een passagiersschip zag vergaan. Aandachtig volgde Fanny's vader de wedstrijd, soms slaakte hij een kreet en nam hij zonder erbij na te denken Fanny tot getuige, vergetend wie ze was en hoe weinig ze ophad met voetbal. En zijdelings sloeg Fanny hem verbaasd gade. Hij was voor haar zo helemaal een vreemde! En alles om haar heen leek vreemd, raadselachtig, verwarrend, alsof het in een uitbarsting van leedvermaak schreeuwde: 'En wat kom jij hier doen?' Fanny wilde haar rechten doen gelden! Terwijl ze op geen enkele manier kon bewijzen dat een mysterieuze saamhorigheid haar met haar vader verbond, noch dat ze in de tijd van de foto samen gelukkige momenten hadden beleefd, die nu uit haar geheugen waren vervlogen en waarvan de foto, met het warme licht, de milde ongedwongenheid, de liefhebbende glimlach van haar moeder, een heel klein beetje had kunnen getuigen. Wie kon op dit moment bevestigen dat haar vader ooit de grootste verwachtingen omtrent Fanny had gekoesterd? Dat zij werkelijk zijn dochter was, die plotseling tot haar schrik had ontdekt dat hij zo'n lange neus had? Ze herinnerde zich niets van hun gemeenschappelijke verleden, kon hem geen enkel verwijt maken.

Zwijgend dronk haar vader zijn thee. Hij zette de televisie harder. De vrouw, in gemakkelijke huiskledij, het hondje dicht tegen haar wang gedrukt, verscheen schuchter in de deuropening. 'Wil je...' begon ze, zonder dat ze Fanny leek te zien. Maar de vader gunde haar geen blik en joeg haar met een handgebaar weg. Geeuwend rekte hij zich in zijn volle lengte uit. Met luide stem vertelde Fanny toen waar ze aan begonnen was, en ze verzocht hem haar alles toe te vertrouwen wat hij wist over tante Leda, zijn schoonzuster. Had haar vader haar ook maar het kleinste verhaal verteld, had hij om haar te beschermen uit zijn ervaring geput, had hij ooit met haar gesproken over hun voorouders?

'Misschien', zei Fanny, 'hebt u enig idee waar Leda zich bevindt.' Had haar vader haar ooit geholpen door het relaas te doen van andere ervaringen? En had hij haar ooit naar behoren onderricht in de familiegeschiedenis? Fanny drukte zich tegen hem aan, gespitst op zijn antwoord. De blik van haar vader was zo kil dat ze de indruk kreeg van iets intens onbetamelijks, alsof ze zich schaamteloos en uiterst ongeoorloofd tegen een onbekende had aangewreven. Toch was hij haar vader, de bewoner van dit enorme huis dat ze meteen had herkend. 'Ik heb voor jou altijd gedaan wat ik doen moest', zei hij ten slotte lusteloos. 'Ik heb zorgvuldig toezicht gehouden op je opvoeding, en geld ben je nooit te kort gekomen.' Intussen was zijn blik gevestigd op het scherm en zat hij te wringen om de afstand tussen Fanny en hem ongemerkt te vergroten. Fanny riep uit dat hij nooit anders had gehandeld dan uit eigenbelang, voor zijn eigen genoegen, om een goede indruk te maken op zijn collega's, en dat de allernoodzakelijkste riten als hij er geen voordeel bij had laatdunkend werden verwaarloosd, uit luiheid. Zijn plichts- besef bracht hem nooit zover iets te doen dat niet onmiddellijk vruchten afwierp, terwijl haar dat toch over een van oudsher uitgestippelde weg had kunnen voeren vanwaar ze met een heldere, vastberaden blik de omgeving in ogenschouw zou hebben genomen, waar ze zich met kennis van zaken van had kunnen verwijderen met de woorden: dit is niet de weg die ik wil volgen noch wil ik deze tradities voortzetten, maar in plaats daarvan smachtte ze nu in fatale verblinding naar wat ze had gemist. Ze wist niets van haar voorouders, alleen dat ze ver- schrikkelijk naar hen hunkerde! En de stompzinnige maar rechtschapen familie beschouwde haar als een onzuivere, als een indringster met grenzeloze pretenties. Dat was, met al zijn zorgeloosheid, de schuld van haar vader.

'Wat een onzin!' schreeuwde de vader geïrriteerd. Maar de ploeg waarvan hij een fervent aanhanger was begon fout op fout te maken waarna er een storing kwam, je hoorde alleen nog onduidelijke kreten. De vader zette luidruchtig zijn kopje neer en keerde zich naar Fanny. Wat zag hij er voor haar gevoel plotseling vreemd uit, op deze manier riep hij in haar nauw- gezette geheugen geen enkele herinnering op! 'Als dat zo is, ga dan maar', zei hij hardvochtig. 'Je ziet dat je niets voor me betekent.' En hij was zo kwaad dat hij Fanny bij een arm greep om haar overeind te krijgen. Met zijn andere hand trommelde hij op het televisietoestel. Zijn gedesoriënteerde, woedende blik ging van het scherm naar Fanny's gezicht, hij liet haar bruusk los, zei 'Ga weg' en wendde zich vervolgens af, voor hem was de zaak gesloten. Haastig verliet Fanny de kamer. Uit een hoek van de hal hoorde ze gekir en gezucht komen. 'Ik dacht dat je sliep', zei ze tegen Eugène die ze daar aantrof met zijn haar in de war, terwijl hij nog glimlachte in de richting van de deur waar de vrouw met het hondje bij het zien van Fanny discreet door was verdwenen. 'Pak mijn koffer, we vertrekken.' Fanny gaf Eugène een stomp. Hardhandig streek ze zijn haar glad, met haar zakdoek veegde ze zijn gezicht schoon, zwijgend, haar lippen opeengeklemd. Eugène was zwaar bedroefd dat hij nu al weg moest uit een huis waar ze zo goed waren ontvangen. Het kon hem niet eens schelen of ze Leda terugvonden, als je zo gemakkelijk van het leven kon genieten. Met de voldane uitdrukking op zijn gezicht en zijn lichtelijk rode wangen bezorgde hij Fanny een gevoel van afkeer. Toch was ze bang hem te verliezen! 'En je cilinderbureau?' zei ze ernstig. Eugènes antwoord wachtte ze niet af want van de andere kant van de hal werd naar haar geroepen. Het was de huisknecht met de koperen knopen. Terwijl hij een vinger tegen zijn lippen hield, overhandigde hij haar met veel omhaal een oude, gekreukelde ansichtkaart en hij smeekte Fanny vooral om niets tegen de heer des huizes te zeggen. Volgens hem was die kaart een aantal jaren geleden gestuurd door Leda, vanuit een stadje waar ze was geweest, al kon hij het niet bewijzen want Leda had niets achterop geschreven, ze had niet eens getekend. 'U weet niet precies wie ik ben,' fluisterde Fanny, 'of ik wel pas bij de voornaam die u me hebt gegeven, noch of u die voornaam ooit hebt horen uitspreken, en toch weet u zeker dat deze maagdelijke kaart, dit besmeurde stukje karton, is gestuurd door mijn tante Leda! Hoe is dat mogelijk?' 'Geen idee', zei de huisknecht schouderophalend. 'We moeten aannemen dat dit mijn rol is.' Waarna hij verdween in de richting van de keuken. Met een blij gevoel bekeek Fanny aandachtig de kaart, een kerk op een zonnig plein dat haar deed denken aan het dorp van haar grootmoeder, met smalle trottoirs, een enkele troosteloze winkel in de grijsgepleisterde gevels die nergens, bij gebrek aan fantasie of uit gierigheid, werden opgefleurd door ook maar de kleinste geranium, waarvan het felroze hier een indruk van louche vrolijkheid zou hebben gegeven, en Fanny wilde het ook liever zo, zonder een enkele bloem. Geroerd borg ze de kaart op en ze voegde zich bij Eugène die op weg was naar buiten. 'Moet je geen afscheid nemen van je vader?' vroeg Eugène verbaasd.

'Hij heeft me weggejaagd', zei Fanny. 'Toch zou je er beter aan doen hem gedag te zeggen.' 'Weet je inmiddels wie mijn vader is?' vroeg Fanny. 'Niet de man met de koperen knopen en de witte bakkebaarden die je in de keuken hebt gezien.' Maar Eugène was al met zijn gedachten elders, hij kreeg een dromerige blik en Fanny schreeuwde: 'Schoft! In het huis van mijn vader! Waar dacht je wel dat je was?' Woest kneep ze in zijn hals, terwijl Eugène met zijn tong langs zijn lippen bleef gaan. Zijn jasje was gekreukt, zijn broek glom; een paar haarlokken, stijf van de smeer die hij erop deed om ze te laten glanzen, staken overeind als een moddervette vogelkuif. En toen, plotseling liefdevol, nam Fanny de koffer van hem over en pakte zijn arm. Vriendelijk legde ze uit waar ze nu naartoe gingen.

6

De busreis

De weg naar de stad waaruit tante Leda de ansichtkaart had
verstuurd was zo lang en het was zo warm, zo drukkend in het
land van haar vader, en verder liepen ze het gevaar om op hun
trage tocht door het rode stof en de dikke lucht nog op zo
weinig plaatsen te kunnen drinken en rusten dat Fanny bereid
was de bus te nemen. Eugène zou trouwens niet met haar zijn
meegelopen. Hij was nu vrijpostiger, trots misschien op het
onthaal dat hij bij Fanny's vader had gekregen terwijl zijzelf
zonder handdruk was weggestuurd. Zou dit verschil in ontvangst niet de indruk hebben kunnen geven dat hij de zoon
was, en Fanny een vreemde? Inmiddels nam hij ook de vrijheid
te beweren dat hij er weinig belang aan hechtte om directeur of
zelfs president-directeur van wat dan ook te worden, en dat hij
niet zeker wist of hij tante Leda's hulp wenste als ze haar
terugvonden, want dan zou hij genoodzaakt zijn verantwoor-
ding af te leggen, zich ernstig en ijverig te tonen, kortom te
verdienen wat voor hem zou worden gedaan. Al wat hij wilde
was zijn rust, en zo nu en dan een meevaller. Hij had best
voorgoed bij Fanny's vader kunnen blijven, waar hij in de
koelte van de keuken zou hebben gegeten en gepraat met de
huisknecht in het rode jasje, en zich braaf zou hebben vermaakt
met de vriendelijke vrouw van het hondje, zonder nog ergens
over na te denken. 'En ik,' zei Fanny, 'hou je niet een beetje van
mij?' 'Ik zou van je houden', zei Eugène, 'als je niet zo op je
eigenbelang uit was, als je me niet had meegenomen enkel en
alleen om jou gezelschap te houden en de koffer te dragen.'
Omdat Eugènes stem sereen klonk en ongeïnteresseerd, omdat hij de omgeving en haarzelf vreedzaam bekeek, gaf Fanny
er de voorkeur aan niet te antwoorden. Ze drukte alleen zijn
arm onder de hare en bedacht dat haar neef Eugène een beperkte intelligentie had, povere ambities. Verlangde hij er niet naar

haar plaats in te nemen bij haar vader, zich in een hoek van de keuken te nestelen? Met evenveel voldoening zou hij zoon of huisknecht zijn geworden. Terwijl Fanny met de grootste strengheid over haar vader oordeelde en nu tegen zichzelf zei: 'Het zou beter zijn geweest als hij me niet had herkend en me zo tot de overtuiging had gebracht dat ik onder het verkeerde dak terechtgekomen was!'

Een poos wachtten ze langs de kant van de weg op de komst van de bus. Eugène was op de koffer gaan zitten, Fanny liep heen en weer, met ogen die pijn deden van de felle kleuren van de huizen in het dorp, en vagelijk ontevreden. Ineens bleef ze staan toen ze bedacht dat grootmoeders huis later vast en zeker naar Eugène zou gaan. Zij zou misschien wat meubels krijgen, oude dingen die in elkaar zouden zakken als ze nog maar nauwelijks klaar zou zijn met het reconstrueren van hun volhardende, in heimelijk lijden gedrenkte familiegeschiedenis, en die haar zouden nopen tot de gedachte dat ze niet in staat was geweest ze ongeschonden te bewaren. Eugènes rechten gingen boven de hare want zijn intrede in het leven was in overeenstemming geweest met de regels en het noodzakelijke fatsoen, de familie voelde een natuurlijke liefde voor hem en had er geen behoefte aan hem te leren kennen of hem te kunnen vertrouwen, zodat het aloude huis aan hem zou toevallen. En toch is dat rechtvaardig, hield Fanny zichzelf voor, volkomen van haar stuk, kijkend naar het onschuldige gezicht van haar neef. De hitte en verveling gaven Eugène iets logs. Zijn nauwe jasje had hij omhooggerold, op zijn strakke trui zaten vlekken van het zweet en van de worst. Hij haalde luidruchtig adem. Het kwam Fanny voor dat ze een solide genegenheid voor hem voelde maar meer nog hield ze van hun onbetwistbare familieband, al was er de vorige dag een discrepantie geweest tussen hun jeugdherinneringen en al was zij daar ongerust over, zich half en half afvragend of Eugène haar niet een of andere droom van vroeger had verteld.

Vóór hen stopte een oude autobus. Ze gingen achterin zitten waar nog twee plaatsen vrij waren. Tot hun verrassing troffen ze vrouwen met harde stemmen en stevige nekken, een paar

mannen die zwijgend zaten te roken, gevogelte met samengebonden poten, op elkaar geperst in manden, klem gezet in diepe
schoten, hier en daar een braaf kind en over alles heen een geur
die ze niet kenden. Uit schuchterheid durfden ze niets te zeggen. De taal die ze hoorden was hun onbekend. Toch had
Fanny vroeger, mijmerde ze, bezield door de schaduw van een
ongrijpbare herinnering, misschien weet gehad van deze taal, of
mogelijk in een voorbij leven, en opeens had ze er een soort
heimwee naar, maar was het vroeger of in een ander bestaan,
was zijzelf het wel of een personage uit de talloze boeken die ze
had gelezen en waarmee ze zich onwillekeurig identificeerde, in
de verwarde herinnering aan een vergelijkbare situatie? Ze had
de indruk dat ze op het punt stond te begrijpen wat er gezegd
werd, zonder ook daarvan te weten of het dat echt was dan wel
verzonnen, en ze leed onder die wanorde, dacht aan het dorp
van grootmoeder, aan het armoedige, eenvoudige huis aan het
eind van de straat. Ze pakte Eugène bij zijn middel en fluisterde
in zijn oor: 'Begrijp jij een woord van wat ze zeggen?' 'Nee,
natuurlijk niet,' antwoordde Eugène, 'hoe zou ik dat kunnen?
Het is niet mijn taal.' En hij haalde zijn schouders op, verbaasd
over zo'n vraag. Plotseling werden ze omzwermd door vrouwen. Al een poos zaten die naar Fanny toegedraaid en namen
ze haar nieuwsgierig op, ze lachten onderling en wierpen haar
tegelijkertijd verbijsterde blikken toe. Nu waren ze opgestaan
en kwamen ze dichterbij om haar aan te raken, en toen ze door
een schok van de bus dreigden te worden omgegooid hielden ze
zich vast aan Fanny's arm, aan haar schouder. Vrolijk stelden ze
vragen. Fanny hoorde de naam van haar vader. De vrouwen
keken vriendschappelijk, aandachtig. Uit hun kleurige rokken
stegen als om haar te bedwelmen ondefinieerbare geuren op.
Wilden ze haar laten weten dat ze haar vader kenden en ook
wisten wie zij was? Fanny werd bang en drukte zich tegen
Eugène aan. Als deze vrouwen zich met verwarrende vrijpostig-
heid aan haar vastgrepen en haar kenden, kwam dat omdat ze
iets te maken had met dit oord, ook al wist ze er niets meer van
en dacht ze dat ze nooit eerder een bezoek had gebracht aan
haar vader, naar wiens huis, het mooiste van het dorp, ze toch

zonder aarzelen was toegelopen, geleid door haar intuïtie.

De vrouwen gingen geduldig door met vragen en toonden zich verbaasd dat Fanny geen antwoord gaf, in hun taal die eigenaardig geladen was met vertrouwde mysteries als de brokstukken van dromen. Fanny, half over Eugène heen, verstrakte; en ze zag, naar zich toe gebogen, de wijd opengesperde ogen in gezichten uit een vijandige wereld, vriendelijke gezichten die haar naar hun kant wilden trekken, zich haar wilden toeëigenen, vervuld van moederlijke welwillendheid. Eugène werd gesmoord en jammerde. Ten slotte legde Fanny zich erop toe recht voor zich uit te kijken, zo kil dat de vrouwen zich stuk voor stuk teleurgesteld terugtrokken. In de plooien van hun kleren en in hun sieraden, waarmee ze rijkelijk waren getooid, hoorde Fanny een soort gemurmel van wreedheid. Bood haar vader niet onderdak aan een soortgelijke vrouw, die door Eugène een hoek in was getrokken en zich misschien gretig op Fanny zou hebben gestort, haar zou hebben aangespoord de familie, het dierbare dorp van grootmoeder te verloochenen? Fanny had er verkeerd aan gedaan haar vader op te zoeken, want op de huisknecht met de glimmende knopen na had hij zich omringd met vreemdelingen die in feite vijandig tegenover haar stonden, zelfs al had men haar net als deze vrouwen hier willen verleiden, gevangen willen nemen misschien. Zij, zoals ze was, werd alom gehaat! 'Daar ben ik goed van afgekomen', mompelde ze tegen Eugène. En in een opwelling van liefde voegde ze eraan toe: 'Jou kan ik vertrouwen, wij zijn eender.'

Terwijl ze door het raampje zat te kijken, veranderde plotseling het landschap. Regen viel neer op de leidaken, op de modderige weg, in de omheinde tuintjes, en de benzinestations waren al verlicht, en hier en daar strekten zich onduidelijke terreinen uit waarop caravans stonden met dichte deuren, of je zag eindeloze autokerkhoven, en Eugène noemde de naam van een prachtig wrak, of aan stadsranden raakte Fanny, met een stille glimlach omdat ze alles herkende, in vervoering over de stralend verlichte supermarkten, die veelvuldig in reusachtige letters waren aangekondigd op affiches met afbeeldingen van feestbanketten, van compleet geluk dat in volle glorie lag uitge-

47

stald. Geleidelijk werd de bus leger, weldra waren ze alleen nog met hun beiden over. Fanny drukte haar voorhoofd tegen het glas, naast dat van Eugène, en nu prees ze zich gelukkig dat haar vader haar als een lastpost had verjaagd. De kilte van de familie in grootmoeders dorp en de boosaardigheid van de honden hadden haar eerst van haar stuk gebracht, haar toen wanhopig gemaakt! Terwijl zij er nu het vanzelfsprekende van inzag, ze was immers niet volledig.

Het werd avond. De chauffeur zette de radio aan en het geluid van de regen werd overstemd door een liedje dat Eugène graag hoorde. Fanny legde haar neef uit: 'Weet je, één ding staat voor mij vast, dat ik niet zal rusten voordat ik onze tante Leda heb gevonden. Vergeleken bij deze eis, deze plicht, is de rest alleen van belang voor zover het daartoe bijdraagt. En weet je, soms heb ik een gevoel of ik ben geboren om Leda te zoeken, en daarmee zijn al mijn gemenigheidjes bij voorbaat gerechtvaardigd. Alleen, er dringen zich enkele vragen aan me op: is het niet zo dat ik, omdat niemand me die opdracht heeft gegeven, een vergissing heb gemaakt door te besluiten op zoek te gaan naar Leda? Want was het niet volgens plan dat mijn ouders destijds hebben nagelaten Leda uit te nodigen? Lag het niet eerder in de lijn der dingen dat Leda ver van die familie-aangelegenheid werd gehouden? Zou het zelfs niet voor mijn bestwil kunnen zijn, zonder dat iemand het vermoedt terwijl toch iedereen doet wat hij daartoe behoort te doen, dat Leda er niet is? En ben ik niet bezig te verstoren wat mij boven alles dierbaar is – de mooie gevestigde orde, de tradities – juist omdat ik denk dat men op dat punt is te kort geschoten? Weet je, al die vragen spelen door mijn hoofd. Want als ik in deze zaak op een dwaalspoor raak ben ik verloren. Ja Eugène, als ik me vergis rest mij niets anders dan de dood. En als straks tante Leda zelf ellende over me afroept? Als ze zich nu eens ontpopt als een enorme, verschrikkelijke teleurstelling? Zal ze echt mijn tante zijn, kan ik daarvan op aan? Ach, voorlopig ben ik niets dan iemand die op zoek is naar tante Leda en die Fanny wordt genoemd.'

'Ga je ver van me heen dan ben ik verdrietig en alleen...'

neuriede Eugène in koor met de chauffeur wiens rug ze zagen schudden. Eugènes gezicht was in wellustige concentratie. Bij het refrein, door de zangeres met een schelle stem uitgeschreeuwd, kon hij een glimlach niet onderdrukken, zo groot was zijn genot.

7

De busreis (vervolg)

De chauffeur stopte aan de rand van een dorp en tante Colette stapte in. Ze droeg een karbies vol groenten en was gekleed in de blauwe glitterjurk die Fanny haar op de verjaardag had zien dragen en die in de regen extra glansde – een jurk, merkte Fanny nu op, met een discreet maansikkelmotief. Tante Colette ging voorin zitten. 'Ze heeft ons niet gezien', mompelde Fanny. 'Ze is hier voor mij', pochte Eugène. 'Waar ik ook ben, ze verliest me niet uit het oog.' 'Ik verzeker je dat ze ons niet heeft gezien', hield Fanny vol.

De brede schouders van tante Colette schommelden onder de dunne stof van de japon, je kreeg een vermoeden van de kleur van haar weke vlees waarin Eugène zich nog weleens koesterde, als hij geplaagd werd door zorgen over de toekomst. Ongerust vroeg Fanny zich af wat tante Colette in deze uithoek deed. Ze had groenten bij zich, alsof ze van de markt kwam! Uit haar karbies die ze in het gangpad had gezet staken drie makreel-koppen, waar het bloed van afdroop. Fanny veegde de beslagen ruit schoon en herkende het dorp van grootmoeder. Ze reden net langs de kerk, die eruitzag als geen ander, tot aan de klokke-toren toe bestreken met een laag cement en aldus nog een aantal eeuwen van haar bestaan verzekerd. 'We zijn terug in grootmoe-ders buurt!' fluisterde Fanny verbluft. 'Mamma is dus niet naar huis gegaan', merkte Eugène sereen op. 'Maar we moeten niet deze kant uit!' riep Fanny. Tante Colette, vóór in de bus, leek doof en had zich niet omgedraaid, zelfs haar hoofd niet bewo-gen. Ze zat daar volkomen roerloos in haar japon voor hoogtij-dagen, die ze standvastig ieder jaar uitnam of inlegde al naar gelang de mode, niet zozeer uit koketterie als wel uit respect voor de maatschappelijke regels, en al was ze drijfnat, ze leek het niet koud te hebben. Bij de volgende halte, niet ver van grootmoe-ders huis, stapte ze uit in de regen en verdween snel in een smal straatje – ze vloog voort als een schim, alsof ze zweefde.

'Mamma hoopt vast dat ik terugkom', zei Eugène met plotselinge weemoed. 'Daarom zal ze bij grootmoeder zijn gebleven.' Met een zucht vervolgde hij: 'Zullen we ze gedag gaan zeggen?' 'Onmogelijk,' zei Fanny, 'we kunnen niet naar ze terug voor we hebben gevonden wat we zoeken. Denk je eens in dat je terugkomt als directeur, of afdelingschef, of minstens als ploegbaas, terwijl je tot nu toe niet eens in staat was een gewoon baantje te houden.'

Eugène trok een zuur gezicht. Fanny leunde tegen hem aan en strekte haar benen in het gangpad. Gretig bekeek ze de sombere gevels, ieder hek, elk willekeurig gezicht, waarop ze de trekken meende te herkennen van een familielid – ook al had het een hoogrode kleur en zag het er ontoegankelijk uit – al die gezichten waarop ze dat van haar zo graag had zien lijken. Ze vond het niet langer bizar dat de bus precies door grootmoeders dorp reed terwijl ze had gedacht zich in tegenovergestelde richting te verwijderen. Maar ze realiseerde zich dat grootmoeder er weldra niet meer zou zijn en vroeg zich beklemd af of ze zelfs nog wel in het dorp zou mogen komen, na de dood van haar grootmoeder, wier onbetwistbaar gezag haar lange tijd had beschermd, wier aanwezigheid als ze getweeën door de straten liepen haar altijd had behoed voor wantrouwige vragen. Als grootmoeder er niet meer zou zijn, hoe zou Fanny dan bewijzen dat ze haar kleindochter was geweest en dat ze aanspraak kon maken op het dorp, haar enige land? Ze stond op geen van de foto's die grootmoeder in haar slaapkamer had uitgestald! Ze zouden haar vierkant uitlachen als ze zou beweren dat ze hier was geboren, dat ze beter dan wie ook het kleinste steegje kende, elke oneffenheid in de muren, en dat het dorp zich in haar dromen met bovennatuurlijke precisie aan haar vertoonde.

Fanny stond op, ging naar de chauffeur en vroeg of hij echt wel op weg was naar het stadje waaruit tante Leda een paar jaar eerder de ansicht had gestuurd. Hij knikte en trapte op de rem: 'Trouwens, we zijn er!'

Het was op slechts enkele minuten afstand van het dorp, waarvan de torenklok van heel nabij zichtbaar was.

8

Een dorp

Dit kleine stadje kwam noch Fanny noch Eugène bekend voor. De bus was gestopt op het kerkplein dat Fanny herkende van de ansichtkaart, en het ontroerde haar als was het een overduidelijk bewijs van tante Leda's bestaan, van de diepe noodzaak van haar reis, hoe ook de afloop daarvan zou zijn. Ze schudde Eugène die zich in een nors stilzwijgen hulde heen en weer en veegde ondanks zijn gemopper met haar zakdoek over zijn gezicht. 'Wat een laag vuil!' zei ze vrolijk. En ze kon het niet laten een dikke zoen te geven op zijn rozerode, glanzende, wat weke mond. Onverschillig liet Eugène haar begaan, zijn duimen half in de zakken van zijn getailleerde jasje. Het werd donker; het regenen was gestopt maar Eugène bibberde; hij wilde ogenblikkelijk eten. Fanny profiteerde van het feit dat hij was afgeleid en zoende hem opnieuw, zonder dat Eugène het zelfs maar leek te merken. Zijn lippen waren zo zacht dat Fanny ze zonder moe te worden wel duizenden malen zo had kunnen zoenen, en ze waren gezwollen als kussentjes! In een duizeling zag ze zichzelf opeens op mysterieuze wijze aan hem vastgehecht, haar lippen bevestigd aan de verveelde lippen van Eugène, en in haar overgave niet eens meer denkend aan tante Leda, aan haar eigen voornaam of aan het enige dat het waard was om voor te leven. Even overviel haar een gevoel van afkeer, ze maakte zich van Eugène los en schoof met haar voet de koffer naar hem toe. Gedwee tilde hij die op en ze liepen de eerste de beste straat in.

Maar wat Fanny had aangezien voor een stadje van redelijke afmetingen bleek niet meer dan een dorp, nauwelijks flinker dan dat van grootmoeder, bijna in alle opzichten vergelijkbaar, met eenzelfde soort hoofdstraat waar in de groeiende duisternis steeds talrijker vrachtwagens doorheen reden die zo zwaar waren, zo snel, dat Fanny en Eugène struikelden door de luchtdruk en tegen de muur moesten gaan staan, en soms waren het zulke lange dat ze verdoofd van het lawaai het gevoel hadden in een smalle gang te lopen. De winkels waren al dicht en Eugène werd wanhopig. Zijn verlangen naar een schijf leverpastei op een lekker stuk brood was zo heftig dat de tranen in zijn ogen sprongen. Hij ontstak zelfs in woede, verweet Fanny dat ze nooit aan de proviand dacht en op een geheime plaats het geld verstopt hield dat hun beider bezit was, hij had haar immers de bankbiljetten van tante Colette toevertrouwd. Fanny deed haar best hem met vriendelijke woorden en onduidelijke beloften te kalmeren. Zogenaamd omdat ze hem tot bedaren wilde brengen, bleef ze staan om hem vol en gulzig op de mond te zoenen. Meteen daarna nam ze het zichzelf kwalijk, want zou ze ooit erg ver komen op haar speurtocht naar tante Leda als Eugènes lippen haar na elke stap tot staan brachten, als ze voedsel bleef geven aan haar verlangen om zich samen met Eugène terug te trekken in een achterafhokje waar ze zich, zonder iets tegen hem te zeggen, zonder zijn ogen te zien, alleen maar tegen hem aan hoefde te drukken, tegen dat verende zachte lichaam dat volgestopt leek met lappen? Zou ze zelfs wel haar doel kunnen naderen, de hoop mogen koesteren eindelijk te beginnen aan het ware leven waar ze zozeer naar haakte, waarvan ze een gedetailleerde beschrijving had gelezen in elk boek dat ze had opengeslagen, elk tijdschrift dat ze had doorgebladerd, wanneer zo iemand als Eugène in staat was haar tot stilstand te brengen louter met de aantrekkingskracht van een wat matte nonchalance en zijn malse, passieve lippen? Tante Leda was misschien ver weg, zo ver dat Fanny werkelijk al haar energie nodig zou hebben om haar te vinden en te herkennen! Ze zou er ook voor moeten zorgen dat tante Leda haar herkende, wat weleens moeilijk zou kunnen zijn, zo niet onmogelijk; in dat geval stond Fanny niets anders te doen dan te verdwijnen.

Ze liepen de hoofdstraat door en kwamen weldra bij de rand van het dorp, waar de straatverlichting ophield. Ze hoorden reeds het klappen van de luiken die voor de nacht werden dichtgetrokken en soms, onder een raam, een soort gedruis van harmonieuze stemmen waarvan ze na een moment van illusie meenden te begrijpen dat ze uit een televisietoestel kwamen, en een paar honden begonnen te janken toen er een vrachtwagen langsreed waar de grond van schudde. Omdat van de andere kant een jochie kwam aanlopen en ze verder nog niemand waren tegengekomen, ging Fanny met een sprong vóór hem staan, greep hem bij een magere schouder en bukte zich om hem van zo nabij mogelijk in de ogen te zien. Uit vreugde dat ze nu een bewoner van het dorp vasthield, hoe spichtig en wankel ook, schreeuwde ze bijna, en als om hem te bezweren haar niet teleur te stellen verstevigde ze de druk van haar hand: 'Ventje, heb jij weleens gehoord van Leda, mijn tante?' Terwijl Eugène met schelle stem vroeg: 'Zeg, weet jij hier ergens in de buurt een eettent?' herhaalde Fanny haar vraag en schudde ze de jongen licht door elkaar, om er zeker van te zijn dat hij het goed begreep, waarin ze prompt werd nagevolgd door Eugène die een nog schellere toon aansloeg, en plotseling, toen hij op de andere schouder van de jongen een bazige hand liet vallen, realiseerde Fanny zich dat Eugène, zonder erop uit te zijn, weleens haar ergste vijand zou kunnen worden als ze hem niet zijn plaats wees, hem achter zich liet lopen en zo min mogelijk naar hem keek, zelfs vergat hoe zijn gezicht eruitzag. Want nu had ze een gevoel of Eugènes roze huid er hardnekkig naar streefde haar te gronde te richten, evengoed als zijn geklaag en zijn vraatzucht. Toch was hij even onontbeerlijk als haar scha- duw! Op Fanny's vraag antwoordde de jongen rustig dat ze hem alleen maar hoefde te volgen, hij was juist op weg naar waar vaak was gepraat over een zekere Leda, mogelijk degene die zij zocht. Toen wendde hij zich naar Eugène en gaf hem de verzekering dat hij daar zou kunnen aanschuiven aan de geza- menlijke maaltijd. Wijd opende hij een soort karbies die hij aan zijn arm droeg – een dozijn glanzende eieren, die hij bij zich had voor de omelet bij het avondmaal. 'Vooruit!' zei Eugène enthousiast. 'Ja, vooruit', zei Fanny flink, want ze wilde niet dat Eugène zichzelf zag als degene die de beslissing had genomen, en ze duwde de jongen voor zich uit in de richting van het dorp, maar hij boog soepel af en ging de donkere weg op, de velden in waaruit, als was het hun ware kreet, als was het een schreeuw die werd geslaakt door het koren, het gebulder van het niet aflatende verkeer opsteeg. Met lichte tred ging het joch voort, op de hielen gevolgd door Fanny, die in haar haren Eugènes adem voelde en bang was dat hij, als ze vaart minderde, van de gelegenheid gebruik zou maken om haar te passeren. Want hij stelde het kind vragen die het niet hoorde, over de maaltijd en over het bed dat ze misschien ook nog wel bereid waren hem ter beschikking te stellen. Hij was uitgeput en verwenste Fanny. En hij ergerde haar met opzettelijke pesterijtjes, door bijvoorbeeld op de hak van haar schoen te trappen, of hij gooide zich tegen haar aan om haar te laten struikelen en beweerde giechelend dat hij ergens achter was blijven haken. Kwaad duwde Fanny hem terug – met een gevoel van haat bijna, nu ze hem de rug had toegekeerd en niets haar er nog aan herinnerde wie Eugène was, haar neef met wie ze vroeger, in de gelukkige tijd van de vakanties bij grootmoeder, misschien had gedroomd te zullen trouwen, indertijd onwetend van het feit dat haar uitgerekend bij grootmoeder ooit nog eens de toegang zou worden geweigerd, zelfs door de gevoelloze honden. En toch, peinsde Fanny, hoe vaak heb ik ze niet uitgelaten en verzorgd! Maar aangezien oom Georges de deur voor haar neus had dichtgeslagen, was het mogelijk dat de honden zich alleen maar aan de stilzwijgende orders van de familie hadden gehouden, terwijl de familie zelf zo doordrongen was geraakt van de noodzaak om Fanny buiten te sluiten dat ze erin geslaagd waren haar bestaan en haar voornaam te vergeten, alsook het respect waarvan ze altijd blijk had gegeven, beter op de hoogte als ze was van ieders levensgeschiedenis dan de betrokkene zelf. En blindelings had ze de familie lief!

Na een varkensstal te zijn gepasseerd, liepen ze een veld met doperwten door, nog lang doof van het geknor van de radeloze beesten, toen weer een ander veld met de bedoeling een stuk weg af te snijden waar echter Eugène, gehinderd door de koffer, verward raakte in de hoge stengels, en ze moesten stoppen, hem losmaken, terwijl hij van zijn erbarmelijke situatie profiteerde om het Fanny flink onder de neus te wrijven dat ze hem zelfs geen toestemming had gegeven zijn moeder in de bus gedag te zeggen. Hij bracht haar in herinnering dat zijzelf zonder te groeten uit het huis van haar vader was weggegaan, een lichtzinnigheid die hem persoonlijk enorm tegenstond, of Fanny's vader nu de dikke man met de koperen knopen was of wie anders dan ook. Woedend kneep Fanny hem in zijn middel en Eugène grinnikte uitdagend. Ze zou hem nog erger hebben mishandeld als ze niet had bedacht dat ze ondanks alles niet het risico mocht lopen hem te verliezen, haar neef Eugène, in haar voetspoor, aan haar arm, haar zekerste band met de familie.

9

De pastis

Ze volgden het joch een binnenplaats op waar hier en daar hopen huisvuil, schroot en kreupel speelgoed lagen die het kind ondanks de duisternis behendig wist te vermijden, terwijl hij zijn eieren in de hoogte hield. Uit een half in de modder weggezakt autowrak schoot jankend een grote gele hond tevoorschijn. In een ellendig hok dat helemaal scheef stond zat een aantal konijnen, het stonk zo naar urine dat Fanny haar neus dichtkneep. Trots verkondigde de jongen: 'Hier wonen wij!' en opeens leek hij zo op zijn gemak dat Eugène en Fanny zich vergeten voelden. Hadden ze het jongetje niet tevoorschijn getoverd, hadden ze zich niet aan zijn schouder vastgeklampt als aan hun gemeenschappelijk bezit, in zijn oren schreeuwend zonder zich te bekommeren om de vraag of ze hem daarmee niet tegen zich innamen?

Een beetje boos betraden ze op hun beurt het pover gebouwde huis: geprefabriceerde muren op een fundering van onafgewerkte bouwblokken. Daar kwam een dikke vrouw aangesloft. In het felle licht van de gloeilamp aan het plafond leek ze zo breed, zo onmetelijk weids, en zo dik leken haar armen die bloot uit haar gebloemde jasschort staken, dat Fanny terugdeinsde omdat ze dacht tante Colette te zien die haar in een val had gelokt. Ze keek zoekend rond naar de jongen, maar hij was opgegaan in de massa kinderen die liepen te rennen en te springen, of simpelweg met een gniepig gezicht in een hoekje stonden te lachen, terwijl ze elkaar opzij duwden en sluwe blikken in Fanny's richting wierpen, langs de muur schurkten, hun handen op hun rug, in brutale spot hun magere borst welfden, of over de afgrijselijke tegelvloer rolden, de ledematen gestrekt als op een verend gazon, krijsend van plezier of met onbetamelijke kermgeluidjes. De jongen kon wie dan ook van die opgewonden bengels zijn, ze waren met zo velen en roerden zich zozeer dat je blik nergens kon haperen of je zag er een, en dat je nooit zeker wist of het kind waar je een paar seconden lang naar keek, niet ongemerkt was vervangen door een ander dat erop leek, van een even ondefinieerbaar geslacht, dat op dezelfde toon lachte, grinnikte of jammerde als het eerste. Op de met bedrukt papier bedekte muren waren al die kinderen waarschijnlijk terug te vinden, want tientallen foto's waren daar in alle standen op vastgeprikt.

'Er waren maar twaalf eieren!' mompelde Eugène verslagen. Maar Fanny, die maling had aan de omelet en alleen aan tante Leda dacht, liep vol vertrouwen op de vrouw toe, legde haar wijsvinger op de enorme, onbestemde boezem, en vroeg energiek: 'Vertelt u mij alstublieft eens, mevrouw, waar Leda, mijn tante, naar is vertrokken. Of het moet zijn', voegde ze er in plotselinge bange hoop aan toe, 'dat ze nog hier in de buurt is.' 'Dat niet', zei de vrouw. Ze haalde kalm haar schouders op en voerde haar trage lichaam in de richting van de keuken, door de herrie heen schreeuwend dat iemand de eieren moest komen brengen. Toen een peuter haar been vastgreep, schudde ze dat heen en weer om het kind los te krijgen, zonder een blik naar omlaag en nog steeds met dezelfde welwillende uitdrukking op haar gezicht, en vriendelijk gaf ze haar oude pantoffel prijs, volkomen sereen, jong nog – ter hoogte van haar heupen wipte een lange bruine paardestaart, die twee schaterlachende knulletjes zogenaamd probeerden te pakken. Toen Eugène dat zag stormde hij erop af en gaf ze allebei een oorvijg. Het vooruitzicht van een karig avondmaal, terwijl hij stierf van de honger, deed hem trillen van woede en ergernis.

Zolang ze bij de ingang van de kamer waren blijven staan, hadden ze niet gezien dat aan het andere eind voor een tafel met allerlei spullen erop een man zat, die van zijn aanwezigheid blijk gaf door te kuchen en hen vervolgens uit te nodigen iets te komen drinken, een mager, smal, klein type, wat Fanny een verbaasd gevoel gaf vermengd met iets van minachting, want haar eigen vader had altijd een erg brede borst gehad met harde spieren.

De man schonk eigener beweging vier pastis in. Eugène en

Fanny gingen zitten en Fanny legde op de overvolle tafel de ansicht neer die Leda had gestuurd, van het plein met de kerk en de dorre begraafplaats. Maar zo behendig dat ze er niets tegen kon uitrichten, en voordat de man zijn hals had gerekt om er een blik op te werpen, greep een kind dat als een duveltje onder de tafel uit was geschoten de kaart met een schaterlach beet en ging er op handen en voeten mee vandoor, gevolgd door een vrolijk groepje dat weldra samenklonterde en daarmee het zicht op het kind in het midden ontnam. Fanny kon een kreet van woede niet onderdrukken. Toch verroerde ze zich niet, want de man vond het heel grappig en zijn vrouw, terug uit de keuken, moest er ook om lachen, wat aanstekelijk werkte op Eugène die het uitproestte en daarbij met zijn vuist licht op de tafel sloeg. Fanny raakte aangenaam doordrongen van de opgewekte harmonie in dit gezin, ze glimlachte en dronk in één teug haar pastis op. Haar neef Eugène en de man met de bloeddoorlopen ogen vertelden nu schuine verhalen, tot groot genoegen van de vrouw, ook al had haar man het over zijn jeugdjaren, waarin hij populair was geweest. Eugène zat op te scheppen terwijl hij aan zijn strakke trui bleef plukken. Geregeld bedacht Fanny hem met een liefkozend of attent gebaar of met een wat bitse opmerking, om de indruk te wekken dat Eugène haar toebehoorde. Maar hem kon het niet schelen of zij hem vertroetelde of afsnauwde, voorlopig wilde hij niets anders dan het echtpaar overdonderen met het relaas van zijn prestaties, hij streek over zijn tors, over zijn plakkerige haar, zat in vervoering te kronkelen, liet zich met zogenaamde vanzelfsprekendheid obscene termen ontvallen.

Er werden nog eens vier pastis ingeschonken en de vrouw trok een zak chips open. Een paar keer achter elkaar gooide ze een royale hand naar de kinderen die er zich met luide kreten op stortten, waardoor ze elkaar niet meer konden verstaan en er moest worden gedreigd met de karwats ('Straks haal ik mijn kornuit voor de dag!' zei de vrouw) en met schoppen tegen hun achterste. De grootsten grinnikten, strijdvaardig en brutaal. Ze leken gemaakt van dik leer dat ongevoelig was voor klappen of valpartijen, alsof ze zo veel te verduren hadden gehad dat het vooruitzicht van gewelddadigheden hen opmonterde, en over hun spitse, smalle smoeltjes gleed soms een akelige uitdrukking van sluwe lust. Ze scharrelden langs de muren zonder hun blik af te wenden van de tafel, vanwaar het gevaar dreigde. Maar daar waren ze de snotneuzen vergeten, rustig dronken ze hun aperitief en naarmate de glazen leger werden groeide de vertrouwelijkheid. Steeds opnieuw begon Fanny over Leda. Ten slotte zei de vrouw met een diepe zucht dat ze Leda een paar jaar geleden goed hadden gekend, dat ze in een periode van ontreddering nog even bij hen had ingewoond, en dat ze in de andere kamer een foto hadden waarop je haar zag lezen. Fanny sprong op van vreugde, wilde er vlug heen. Leda was in die tijd zo dik, merkte de vrouw verder nog op, dat het moeite had gekost haar helemaal op de foto te krijgen, en verbluft riep Fanny: 'Mij is verteld dat ze net zo slank was als mamma!' Maar de man sprak haar met kracht tegen. Hijzelf had, bekende hij met lepe blik en een rood gezicht, allertoevalligst één van Leda's borsten gezien. Gretig boog Fanny zich naar hem toe met de vraag hoe die borst van tante Leda eruitzag. Het lukte de man niet een beschrijving te geven, bij gebrek aan woordenschat. Zijn geheven handen streelden een onzichtbare vorm en knipogend lachte hij naar Eugène die echter zijn blik afwendde, hij was immers Leda's neef. Maar Fanny vervulde het met een gevoel van fel, ontroerd genot, dat deze man de borst van tante Leda had gezien en misschien zelfs aangeraakt, daarmee beter dan wie ook het bewijs leverend van de vleselijke realiteit van tante Leda aan wier bestaan grootmoeder, zoals ze had bekend toen Fanny van haar was weggegaan, soms smadelijk twijfelde, ook al hoorde ze haar in haar dromen met gebiedende wilskracht tegen de luiken bonzen.

Zogenaamd om de foto te gaan bekijken, legde ze het zo aan dat zij en de man alleen waren aan het eind van de gang die naar de andere kamer voerde. Intussen dekte Eugène de tafel en sloeg de vrouw de eieren stuk. Met gedempte stem, een bemoedigende glimlach op haar lippen, drong Fanny er bij hem op aan haar alles te vertellen wat hij wist van het onbekende lichaam van tante Leda, en ze liet zich een paar uitdrukkingen ontvallen die hem zouden kunnen helpen of zijn geheugen zouden kunnen opfrissen, er intussen voor zorgend dat haar eigen lichaam, naar de man toe neigend, hel verlicht werd door de gloeilamp die aan een lange kale draad van het plafond hing. Haar hart klopte hevig, want ze voelde dat deze wankele man Leda dichter was genaderd dan hij in aanwezigheid van zijn vrouw had durven toegeven. En bestond zelfs niet de mogelijkheid dat hij Leda tegen het oude bloemetjesbehang van deze muur had gedrukt en zijn vingers, zijn gloeiende gezicht had begraven in het onvoorstelbare vlees van tante Leda, tot wier mysterie ze zich nu zo aangetrokken voelde dat ze ervan in een roes raakte?

Maar de man had gedronken en praatte onsamenhangend. Hij stak een hand uit naar Fanny, die weer recht ging staan en ontevreden wegliep. 'Van u valt werkelijk niets wijzer te worden', bromde ze. Hij had welwillendheid bij haar verondersteld en was onaangenaam verrast. Hij was, schreeuwde hij, niet meer dan een spoorwegman maar zij een verrekte meid, om zich naar hem toe te buigen en er zodra hij dichterbij kwam weer vandoor te gaan. In zijn boosheid raakte hij de draad kwijt. Fanny stampte woedend met haar voet op de grond, waarna ze de kamer binnenstormde en de deur achter zich op slot deed. Ze mompelde beledigingen aan het adres van de man en van alle bewoners van het huis, die wel met tante Leda waren omgegaan maar niet in staat waren iets over haar te zeggen omdat de simpelste woorden hun niet te binnen schoten. Terwijl Fanny, om zich van Leda een voorstelling te kunnen maken, niets anders vroeg dan een paar precieze uitdrukkingen! Ze dacht aan de man met groeiende jaloezie. Wat had hij tussen zijn grove handen gehouden en met welke blik was hij bekeken door degene die ruggelings tegen de muur stond, een muur vol bloemen of, zoals in de huiskamer, verfraaid met jachttaferelen in verschoten kleuren? Met gebalde vuisten nam Fanny zich voor dat ze Eugène naar zich toe zou zuigen, zelfs al zou hij daaruit de conclusie trekken dat de familie er goed aan had gedaan haar als een schadelijk element uit te stoten.

Toen ze merkte dat ze met rust werd gelaten, begon ze rond te kijken in de kamer, die eenvoudig gemeubileerd was met een bed waarop een sprei lag van oranje chenille, twee krukjes van groen plastic en twee bijpassende nachtkastjes. Een grote kermispop midden op bed, met een wijd gedrapeerde rok, gaf misschien in de ogen van de vrouw aan het geheel enig cachet. Fanny trok een la open, pakte er de ingelijste foto uit waarop slechts een wazige grijze vorm te zien was. Onderaan las ze de naam Leda. 'Dus dit is mijn tante!' kon ze niet nalaten uit te roepen. Ze kneep haar ogen samen in een poging zich een voorstelling te maken van de gelaatstrekken, een gestalte te halen uit deze vage massa die zich uitstrekte tegen een naar wit zwemende achtergrond, totdat haar duidelijk werd dat een soort breed uitgevouwen tijdschrift het onmogelijk maakte iets te zien van het gezicht en het bovenlijf van tante Leda, van wie je nog maar net de vingers kon onderscheiden, de onderkant van haar rok, een haarlok die naar boven stak. Had Leda misschien de gewoonte om dezelfde bladen te lezen als Fanny, over prinsessen en filmsterren? Lichtelijk teleurgesteld maar in grote opwinding trok Fanny het kiekje uit de lijst, vouwde het dubbel en stopte het in haar zak. Terug in de huiskamer ging ze naast Eugène aan tafel zitten, waar nu ook de oudste kinderen hadden plaatsgenomen die zich volstopten met omelet en brood, terwijl de kleintjes zittend op de grond aten of languit op een oude canapé voor de televisie. Eugène werkte enorme happen naar binnen, zwijgend, voorovergebogen, hij negeerde Fanny alsof hij haar gedrag tegenover de man met de kippenek als een persoonlijke belediging beschouwde, of het moest zijn, overwoog Fanny, dat haar neef Eugène, die er wel van hield om te kletsen en een vette lach te laten klinken, haar kwalijk nam dat hun gastheer zich nu in een norse, wrokkige stilte hulde en een geveinsde ongeïnteresseerdheid tentoonspreidde die zwaar was van nijdige verachting. Glimlachend serveerde de vrouw Fanny's portie omelet. En op haar rug wipte de lange paardestaart zo vrolijk op en neer dat Fanny wegschoof van Eugène om dichter in de buurt te komen van deze vrouw wier vermoeide, gehavende gezicht nu en dan een eindeloze mildheid uitstraalde – en op dit moment de aandachtige kalmte die er ook bezit van had genomen toen haar man zijn vieze verhalen had verteld – maar dat soms vluchtig een uitdrukking kreeg van onontkoombaar en volkomen voorzien einde; soms echter leek het, abrupt, te spreken van het plotseling opflitsende idee dat het ellendige bestaan zou uitmonden in de ellende van het begin en van altijd, tot onheil van de vrouw. Toch vond ze in zichzelf nog voldoende soevereine onverschilligheid om de omelet met zorg op te dienen, de koekepan uit te schrapen, zich raadselachtig blij te maken over iets onduidelijks, de kleintjes te knuffelen of eens flink met haar pantoffel uit te halen naar degenen die tot bedaren moesten worden gebracht. Maar dat het als al het overige vergeefs was in het licht van het schamele, onherroepe-lijk voorbije leven, in het licht van het geweld dat haar deel was geweest en waarvan iets vervallens in haar gezicht nog getuige-nis aflegde, dat bevestigde ze met een droevige, berustende blik, en voor zich uit starend zei ze tegen haar man 'ach wat...', waarna ze neerplofte op haar stoel en traag aan haar kuit krabde, in plotselinge wanhoop.

10

Een droom

Toen de omelet op was sloegen de kinderen grote kommen koffie met melk achterover waarna de vrouw beduidde dat Fanny met haar mee moest naar de slaapkamer, ze gingen naast elkaar op het bed zitten, voor de stoffige kermispop, de vrouw sloeg een arm om Fanny heen en drukte haar mond tegen haar oor. Ze zuchtte, omdat ze iets moest bekennen dat ze liever voor zich had gehouden. Het was namelijk zo, zei de vrouw met een fluitend stemgeluid dat pijn deed aan Fanny's oor, dat ze nog pas afgelopen nacht van Leda had gedroomd en zich nu verplicht voelde die droom aan Fanny te vertellen, omdat er misschien allerlei aanwijzingen in verwerkt zaten die Fanny zonder moeite zou kunnen thuisbrengen en die haar zouden helpen op haar speurtocht naar Leda. 'Snel,' zei Fanny, vervuld van plotselinge hoop, 'ik zoek wel uit wat ik kan gebruiken!' De vrouw boog zich naar een van de nachtkastjes waar ze een schriftvelletje uit haalde dat bezaaid was met vlekken – bang dat ze hem zou vergeten had ze nog dezelfde ochtend vlug de grote lijnen van haar droom opgeschreven. 'Maar hoe wist u dan dat ik bestond', vroeg Fanny verbaasd, 'en dat u mij zou ontmoeten?' 'Ik meende dat het bij mijn rol hoorde om dat te weten', zei de vrouw kalm, tot Fanny's grote vreugde. Ze dacht niet langer aan de lichte pijn in haar trommelvlies die ze te danken had aan de snerpende piepstem van de vrouw, wier klamme lippen haar oor kietelden, het blonde dons dat ze daar had irriteerden en wier malse vlees haar lichtelijk platdrukte. Met veel onderbrekingen, om verbouwereerde blikken op haar papier te kunnen werpen en te proberen haar eigen handschrift te ontcijferen, deed de vrouw haar verhaal. In die droom, bekende ze, was zij Leda geweest, niet met de trekken of het lichaam van Leda, maar toch met de innerlijke zekerheid dat zij Leda was, wonend in het dorp M., niet ver weg, en afgezien van dat verschil verder in alle opzichten hetzelfde leven leidend als hier, waar ze zich bezighield met de kinderen en het huishouden. Maar, zei ze, men noemde haar Leda, zonder dat dit haar verbaasde. En haar geest was die van Leda, zonder dat ze daardoor anders werd. 'En hij daar was ook uw man?' vroeg Fanny walgend. Toen de vrouw dit bevestigde, raakte Fanny vervuld van afkeer en langdurig bleef ze de vrouw met een verwijtende blik aankijken. Met welk recht meende deze vreemde het zich te mogen veroorloven haar tante te beledigen door haar op te schepen met zo'n man als die van haar, zonder zich daar ongemakkelijk over te voelen, ja zelfs de indruk wekkend, met haar nu half lachende gezicht en meer gedempte stem, dat ze er een geamuseerde voldoening aan ontleende?

Fanny zuchtte, subtiel geparfumeerd zweet druppelde uit de hals van de vrouw in de hare, en gezien de grote dienst die ze haar bewees, besloot ze de vrouw te vergeven. Maar de rest van de droom, verscheidene regels nog, was onleesbaar. Getweeën over het papier gebogen, formuleerden ze veronderstellingen over de vorm van een letter, het geslacht van een woord, door de vrouw onmiddellijk weer verworpen met een ostentatief en fier gebaar dat Fanny des te meer irriteerde omdat haar gastvrouw beweerde zich niets maar dan ook niets meer te herinneren van wat ze had gedroomd en daarna had opgeschreven, en omdat ze er genoegen in schepte om, tikkend op het reeds besmeurde papier, met aangeslagen stem te verkondigen: 'En toch staat alles daar! De waarheid is daar te vinden!' Ten slotte verontschuldigde ze zich voor haar slordigheid en borg het papier weg, alsof het enige waarde had gekregen doordat het niet meer bruikbaar was. 'Waar is het dorp M.? Ik heb er nog nooit van gehoord', zei Fanny terwijl ze overeind kwam. Toch was het hier vlakbij, merkte de vrouw op, en het was eigenaardig dat Fanny, die beweerde uit de buurt afkomstig te zijn, het niet kende. 'Nee hoor,' zei Fanny uitdagend, 'ik ken het niet!' Toen ze vervolgens in de ogen van de vrouw een zweem van wantrouwen meende te zien opflitsen, was heel haar trots prompt verdwenen, ze ging weer zitten, drukte zich tegen de vrouw aan die zich nu wat stram hield, het hoofd recht, en smeekte bijna of ze haar woorden niet in twijfel wilde trekken door af te gaan op bedrieglijke schijn, op contradicties zonder waarde, terwijl zij toch verklaarde niets anders van de wereld te weten dan wat met deze streek te maken had, en eigenlijk geen andere zozeer lief te hebben als deze. Wat kon ze verder nog zeggen, nu de familie haar hardnekkig bleef verloochenen? En hoe kon ze nog meer haar goede wil bewijzen, nu de familie weigerde naar haar te luisteren uit angst voor de beroering die, ook al stelde ze zich vreedzaam, nederig en eerbiedig op, inherent was aan haar opvallende aanwezigheid, aan haar onduidelijke afkomst – ook al verdiende ze meer vertrouwen en sympathie dan haar neef Eugène, die straffeloos vloekte en vroeger al eens (Fanny trilde van schaamte, van verdriet) grootmoeder had uitgemaakt voor ouwe trut? 'Toch,' hield de vrouw aan, 'als je nog nooit hebt gehoord van het dorp M., dat iedereen hier kent, dan klopt er iets niet.' Eugène kent dat dorp vast, dacht Fanny met grimmige jaloezie. Ondanks zijn onverschilligheid en zijn gegrinnik. Terwijl die naam in mijn aanwezigheid nooit is genoemd! Zou het straks misschien nog zover komen, overwoog ze beklemd, dat ze haar eigen woorden niet meer geloofde? Als grootmoeder eenmaal dood was zou de familie, enigszins ontstemd, tactvol de blik afwendend, toelaten dat de honden Fanny opvraten! Om haar te genezen van haar onuitstaanbare pretenties!

II

Eugène neemt de vlucht

Toen het nacht was geworden, werden Fanny en Eugène vriendelijk meegenomen naar een kinderkamer. Twee knulletjes werden verjaagd uit een klein krakend bed dat hun werd geoffreerd, met verontschuldigingen dat er niets beters voorhanden was, ze wurmden zich erin, slechts half uitgekleed want omdat in dezelfde kamer een stuk of tien kinderen sliepen – de oudere – en ze in het licht van de volle maan door allemaal nieuwsgierig werden gadegeslagen, hadden ze het niet aangedurfd al hun kleren uit te trekken, hoe graag Fanny ook had gewild. De kinderen fluisterden, lachten zachtjes. Een van hen stiet een gehuil uit, dat door tien opgewonden stemmetjes gedempt werd overgenomen. Toen gingen ze voor de grap scheetjes laten. Eugène bulderde: 'Wacht maar af, als ik opsta...!' 'Het heeft geen zin,' fluisterde Fanny, 'laat ze maar, straks vallen ze in slaap.' Ze was op haar beurt in een vrolijke opwinding verzeild geraakt, in een koorts die haar verhitte. Als om te voorkomen dat Eugène uit bed zou gaan, dan wel alsof ze te veel last had van haar krappe plaatsje aan de rand, klemde ze haar armen en benen om hem heen, verblindde hem met haar haren, greep hem bij zijn oren en gleed vervolgens, terwijl het bed volop kreunde, boven op de buik van haar neef, waar ze als een pad bleef kleven, haar lichaam extra zwaar, haar wang zo ver tussen Eugènes lippen dat hij kon spreken noch ademhalen. 'Eugène, ik hou van je', zei Fanny vrolijk, op dat moment zo gelukkig haar neef te kunnen omhelzen dat ze niet meer dacht aan hem noch aan het onbehagen dat hij waarschijnlijk voelde, zelfs tegen zichzelf zei dat ze in deze houding graag de rest van haar leven zou hebben doorgebracht, en geleidelijk haar druk op Eugènes zachte lichaam verstevigde, in haar genot aan zijn oren trok, onbesuisd aan zijn hals knabbelde. Wat hield ze veel van hem! dacht ze verbluft. Ze had een gevoel of ze het enorme lijf van tante Colette in haar armen hield, en het koude skelet van grootmoeder, zelfs het karkas van de oude honden met hun borstelhaar! Wat hield ze veel van hen allemaal! Een harde klap op haar rug deed haar naar adem snakken. Eugène had zijn vuisten losgewerkt en sloeg haar als een bezetene. Ze hield haar kaak stijf, wreef zich tegen hem aan tot ze pijn kreeg, Eugène kromde zijn rug, verstrengeld tuimelden ze in het gangetje naast hun bed. Onmiddellijk sprong het grut op de grond en groepeerde zich luidruchtig om hen heen, zonder te dichtbij te komen. Die tien silhouetten in pyjama, licht en smal als zuchtjes wind, ongrijpbaar en helder, stonden daar te huppelen met de trage gebaren van onwezenlijke gestalten, maar namen wel een merkwaardige behoedzaamheid in acht. Eugène sloeg er nog steeds op los en probeerde vergeefs zijn tanden te zetten in Fanny's wang, die zijn mond vulde. Ofschoon de pijn haar koud liet, maar omdat haar vreugde was gezakt en ook de bedwelmende zekerheid doofde dat ze Eugène vasthield – en de hele familie, de honden, alle gestorvenen van vroeger – kwam Fanny ten slotte rap overeind, ze zwaaide met haar handen om de kinderen te verjagen en ging terug in bed, waar ook Eugène kort daarna zwijgend in klauterde. Ze wilde hem een zoen geven, maar walgend duwde hij haar weg en Fanny viel in slaap.

's Ochtends stond het raam te klapperen. Eugène had de benen genomen door de erwtenvelden, en het geld had hij uit de koffer gehaald. Zonder schoenen, zozeer was ze van wanhoop de kluts kwijt, stapte Fanny het raam uit en begon in alle richtingen door de velden te rennen terwijl ze riep: 'Eugène, kom terug! Ben je dan alles vergeten? Eugène!' Struikelend, met een schokkend lijf, van erwtenbed naar erwtenbed springend, leek ze uit de verte gezien uitdrukking te geven aan haar vreugde. De kinderen lachten om haar grappige luchtcapriolen! Fanny huilde de hele dag, of werd woedend om opnieuw in snikken uit te barsten, en haar verdriet om het verlies van Eugène werd verhevigd door het belachelijke en ongerijmde van een reis zonder reisgenoot, want ze herinnerde zich niet ooit te hebben gelezen dat zoiets in een werkelijk of denkbeeldig verleden al eens was voorgekomen.

12

In het dorp M.

Ofschoon de man en de vrouw bij wie Fanny logeerde er geen geheim van hadden gemaakt dat ze genoodzaakt waren hun talrijke kroost te voeden en groot te brengen met nog een klein beetje minder dan, zonder verwennerij, voor henzelf nodig zou zijn geweest, stonden ze erop haar geld te geven voor de reis naar het dorp M., waar de vrouw in haar droom Leda had zien wonen en waar Fanny naar ze hoopte iets over haar tante zou vernemen of haar zelfs in eigen persoon zou aantreffen. Ze vertrok lopend, haar koffer in de hand, na iedereen te hebben gekust. Ze werd nog overvallen door vlagen van verdriet wanneer ze dacht aan Eugènes zijdezachte lippen, aan haar eigen onbetamelijke eenzaamheid, of wanneer ze halt hield om haar hand te masseren die pijn deed van het handvat en ze zich herinnerde hoe ontroerend gedwee Eugène steeds voor de koffer had gezorgd, ondanks zijn luiheid. Wat had zij hem aangedaan dat hij er zo tussenuit was geknepen, vroeg Fanny zich af. Ze was in haar volle lengte op hem gaan liggen en had hem enigszins toegetakeld, maar had hij, haar neef, niet kunnen merken hoeveel ze ineens van hem hield, en van de hele familie, en hoe graag ze haar onvolmaakte vlees wilde vermengen met het zijne, haar troebele bloed met het bloed van Eugène? Wat had ze ernaar verlangd om, tegen hem aangevlijd, Eugène zelf te worden, oom Georges en tante Colette als ouders te hebben, van wie niets anders werd gezegd dan dat het 'beste mensen' waren! Een van de trouwe honden te worden misschien...

Huilend ging Fanny op een paaltje zitten. In een spiegeltje dat ze bij zich had bekeek ze zichzelf met afkeer, al was ze leuk om te zien zoals haar vaak was verteld (maar niet door iemand van de familie, die vonden Fanny's gezicht vreemd). De kou bracht haar weer in beweging, en ze begon zich ongerust te maken over Eugène. Was hij dik genoeg gekleed? En nu kreeg ze medelijden met hem, dat hij niet in staat was geweest voldoende te blijven geloven in de noodzaak van de zoektocht naar Leda om er tot elke prijs aan vast te houden, niet in staat was geweest zijn geest op dat ene doel te richten, waarmee in ieder geval de verlokkingen van de melancholie op een afstand werden gehouden. Eugène had gedroomd van een bureau zo breed als een bed, van eerbiedige ondergeschikten voor wie hij goed zou zijn geweest, van roze heuvels die zweefden op de wolken! Arme, arme Eugène, dacht Fanny verbeten.

In kwieke pas liep ze langs de autoweg terwijl ze met één hand haar kraag dichthield. De wind gierde over de troosteloze uitgestrektheden van de monotone korenvelden, bietenvelden en maïsvelden, over de vlakke troosteloosheid van de eindeloze velden doperwten en de onmetelijke, monotone velden vol eenzame zonnebloemen die een naargeestige buiging maakten. Fanny was beducht dat het zou gaan regenen want hier stond geen enkele boom, er waren niet eens een paar struiken om haar beschutting te bieden. Maar ze zag al het kerkhof van het dorp M., van de plaats waar Fanny vandaan kwam gescheiden door een stukje autoweg en zeker nauwelijks verder verwijderd van het dorp van grootmoeder, waar Fanny enkele dagen eerder was vertrokken met het idee dat ze het ver achter zich zou laten. Blij begon ze zich te haasten, hopend op Leda. Ze herinnerde zich de droom van de vrouw met een zo kleurige precisie en zo'n overvloed aan details die de vrouw zelf haar de dag tevoren niet had kunnen geven, dat het haar nu vaag leek of het haar eigen droom was geweest, die op onverklaarbare wijze in handen van een onbekende was gevallen. In die droom was Fanny dus Leda! Ik ga elke bewoner ondervragen, zei Fanny in zichzelf, en misschien zal blijken dat één van hen tante Leda is of haar van nabij heeft gekend. Ik weet zo weinig van Leda af en ik heb op zoveel verschillende manieren over haar horen praten dat ze uiteindelijk evengoed een man zou kunnen blijken te zijn, of wat dan ook. Wat weet ik van tante Leda? Waar heb ik haar gezicht gezien? Niets staat vast! Alleen dit: bij mijn geboorte is jegens haar een fout gemaakt die mijn arme persoontje de ene na de andere brok ellende heeft bezorgd.

De lucht betrok; nu vielen er dikke druppels, de verlaten weg glinsterde, Fanny begon onbeholpen te rennen. Voor het kerkhof met zijn hoge cementmuren bevond zich een aantal nieuwbouwhuizen, allemaal met grijze luiken en bruinige dakpannen, en in de smalle voortuin een hok waaruit, ondanks de regen, wanneer Fanny langskwam een paar keffertjes tevoorschijn schoten die langdurig tekeergingen.

De straat was leeg en de muren waren grijsgepleisterd, net als in het dorp van grootmoeder, de ramen hadden geen vensterbanken en er hingen ondoorzichtige, zorgvuldig gesloten gordijnen voor, het trottoir was zo smal dat Fanny haar koffer met twee handen voor zich uit moest dragen. En evengoed als in het dorp van grootmoeder had de weg die over het kerkplein liep een belemmering gevormd voor het plaatsen van een paar banken, voor het planten van een boom waaronder mensen elkaar hadden kunnen treffen. Ah, peinsde Fanny tevreden, wat ken ik dit allemaal goed, wat is het me hier allemaal vertrouwd! Ze ging het café tegenover de kerk in – de Dappere Haan – waar je, zo stond er gepreciseerd, ook kon eten. Binnen was niemand. Fanny schudde zich uit, schoof met haar stoel over de grond, werd even overvallen door wanhoop bij de gedachte aan Eugène en begon hem vervolgens krachtig te minachten.

Er kwam een meisje aansloffen. 'Ik heet Fanny,' zei Fanny vriendelijk, 'en ik zou graag, alstublieft, twee spiegeleieren willen, worst en een biertje.' Een uitdrukking van ergernis nestelde zich in de stuurse ogen van het meisje, dat bij het zien van Fanny niet de moeite had genomen helemaal naar haar tafeltje te komen en nu luid zuchtte, met de punt van haar schort over de tapkast wrijvend. Ze schudde haar doffe haren met een uitdrukking van zo intense moeheid, en heel haar enigszins logge, enigszins papperige personage (het vlees van haar armen en heupen trilde licht) leek plotseling onder zo'n zwaar gewicht gebukt te gaan dat Fanny bloosde en zich ongerust afvroeg of dat door haar kwam. Maar het meisje maakte een onbestemd gebaar, haalde haar schouders op en verdween in de keuken. De zoom van haar onooglijke rok hing aan de achterkant los. Ze ergert zich aan mij, zei Fanny nederig in zichzelf, maar waarom toch? Echt, ik moet hier vrienden zien te maken, ervoor zorgen dat alle deuren voor me opengaan. Ik zal ze weten te overtuigen dat ik van hier ben. En op een dag zullen ze met een glimlach tegen me zeggen: 'Daar is je tante Leda!' Bij die gedachte sloot Fanny onwillekeurig haar ogen van geluk, maar in een huivering van schrik vroeg ze zich af: 'Wie zal ik dan zijn, met tante Leda naast me? Hoe zal de familie reageren? Als die eens weigeren Leda zelf te herkennen? Als de honden (Fanny rilde en verdreef het beeld razendsnel) bij Leda's komst eens grommend naar het hek stormen?

Fanny schoof haar koffer onder de tafel en probeerde een nonchalant gezicht te trekken, om te voorkomen dat men iets zou merken van haar angst, die niet erg in overeenstemming zou zijn geweest met de overtuiging dat ze hier zo goed als thuis was, zozeer leek dit dorp op dat van grootmoeder.

Hoe komt het dan toch dat ik twijfel? vroeg Fanny zich af. Is het omdat men mij per se het idee wil geven dat ik in dit oord echt niet thuis kan horen, met een mysterieuze halsstarrigheid die me van mijn stuk brengt, of is het omdat ik niet door en door zeker ben van wat ik poneer, waardoor ik vanzelf argwaan wek? Ach, ik weet het niet. Voor mij staan er zulke grote belangen op het spel, het is heel goed mogelijk dat ik weleens het juiste zicht verlies. Want als al deze dorpen me te verstaan geven dat ik onmogelijk bij ze kan horen, met welke bewijzen ik ook aan kom dragen, hoeveel kennis ik ook aan de dag leg van wat er allemaal gebeurt, gewoon omdat het onmogelijk is, wel, dan zal ik nooit ergens bij horen. Trouwens, vind ik tante Leda niet, dan heeft het geen zin om terug te gaan naar het dorp van grootmoeder: met alle inzet van haar kwade trouw zal de familie dat feit dan aangrijpen om tegenover mij haar gelijk aan te tonen.

Fanny keek de zaal rond, die verduisterd was door de regen. Het was in het begin van de middag en toch al schemerdonker, wat niets melancholieks had maar hard en fantasieloos was, evenals in het dorp van grootmoeder waar een drukkende grauwheid de gestalten naar de grond leek te buigen. Aan het lage, vuile plafond hingen stroken vliegenpapier, neonbuizen zaten onder het vet, een oude vergeten slinger bewoog zwakjes in de tocht; de muren waren bleekgroen en vol gelige vlekken ter hoogte van de tafels waarop fletse, blauwwit geruite zeiltjes lagen. Door de smalle ramen was niets anders te zien dan het zijstuk van de plompe kerk aan de andere kant van de weg. Een hardnekkige geur van vetresten, donkere tabak en onfrisse honden bedierf de lucht en maakte Fanny inmiddels bijna duizelig, in het café-restaurant van grootmoeders dorp, Georgettes Eethuis, was ze nooit zo lang gebleven als in dit hier, de Dappere Haan, waar ze nu al een half uur zat te wachten.

Toen de serveerster terugkwam was Fanny ingedommeld. Met een schop tegen haar stoel maakte het meisje haar wakker en bruusk zette ze een glas bier neer, twee gebakken eieren en een Frankfurter worst, op een gehavend bord. Fanny bedankte uitbundig, stak haar handen uit om te helpen, deinsde terug en trok haar nek in, uit angst dat ze zou hinderen.

13

Lucette

Vervolgens begon dat kordate, fiere, robuuste meisje, dat brede schouders had en een stevige tred maar fijne, regelmatige gelaatstrekken, een rechte neus, smalle lippen, langwerpige en ver uit elkaar staande ogen, met grote woedende passen door het zaaltje heen en weer te lopen, zonder erop te letten dat ze, als ze tegen de tafeltjes stootte, dat van Fanny akelig liet trillen, en Fanny moest dan ophouden met eten, afwachten tot de serveerster bij een vrije zone kwam en haastig een hap nemen, dit alles zeer onopvallend. Het verbolgen gezicht van het meisje vond ze angstaanjagend, de manier waarop ze haar lippen optrok of haar haren naar achteren gooide alsof ze wilde dat haar hoofd er ook afvloog. Toch keek het meisje haar niet aan; het leek zelfs of ze zich niet verwaardigde Fanny's kant uit te kijken, terwijl ze soms onverschillig langs haar schampte, in haar razernij om vooruit te komen tegen de tafel botste, tegen de stoel, een rand van de koffer raakte. Toen Fanny uitgegeten was – met grote moeite want de worst smaakte vies – leunde ze achterover en vroeg bedeesd: 'Hoe is uw naam, als ik vragen mag?' 'Lucette!' riep het meisje. Prompt bleef ze staan, liep naar Fanny toe, ging met één dij op de tafel zitten, sloeg haar armen over elkaar. Haar ogen boorden zich in die van Fanny, die geheel vervuld waren van respect en hoop. 'Je moet weten,' zei Lucette snel en met behoud van haar furieuze gelaatsuitdrukking, 'je moet weten, het is kiezen of delen, ik kan niet tegelijk serveren en in de keuken werken. Nee, dat kan zo niet doorgaan. Ik ben serveerster en dat is genoeg, en ik geef je de verzekering dat het niet niks is, vooral 's avonds niet. Ik heb een hekel aan koken, met eten prutsen, en ik ben er niet voor aangenomen. Wat ik graag doe is hier in de zaak werken, bestellingen opnemen en serveren, en als ik niet heen en weer ren zit ik op die grote stoel daar achterin, ik spreid mijn rok en hou alles in het oog, en ik maak gekheid met de klanten, niet te veel en niet te weinig. O, niets ontgaat me. Ik leg mijn handen op mijn buik, zo, mijn ogen doe ik half dicht vanwege de rook en onopvallend observeer ik alles. Zodra een klant iets wenst, soms zelfs voordat hij zijn mond opendoet, spring ik op hem af en meestal weet ik precies wat hij wil, want ik heb hem zo goed bestudeerd dat ik zijn verlangens voorvoel.'

'Het is niet waar!' reageerde Fanny op bewonderende toon.

'Jawel, zo is het precies', zei Lucette die zich plotseling Fanny's aanwezigheid herinnerde. 'De keuken is mijn zaak niet en als het zo doorgaat hou ik 't voor gezien, o dat gaat zeker gebeuren, als de bazin blijft weigeren iemand erbij te nemen.'

'Als je weggaat,' zei Fanny, 'zullen ze vast nog moeite hebben een even bekwame serveerster te vinden.'

'Dat zeg ik haar ook en dat weet ze best. Alleen, ze kan geen beslissing nemen, dat lukt haar gewoonweg niet. Ze kan zo moeilijk van haar geld af!'

'Kan ze ons niet horen?' fluisterde Fanny.

'Ze slaapt,' zei Lucette misprijzend, 'en wat zou het, dan hield ik nog mijn mond niet. Ik dacht echt dat ik gek werd toen jij eieren en worst bestelde! Is het goed voor het aanzien van een etablissement, denk je, als de serveerster ranzig ruikt? Kijk, nu zit er eigeel op mijn blouse. Denk jij dat zoiets een goeie indruk maakt, als ik het aperitief kom brengen?'

'Beslist niet', viel Fanny haar bij, al vond ze, in gedachten, de Dappere Haan zo onwelriekend en morsig dat de geur van Lucettes haren niet speciaal zou opvallen of dat er aanstoot zou worden genomen aan een paar vlekken op haar groezelige kleren.

'En nu ben ik wanhopig!' schreeuwde Lucette terwijl ze een klap op de tafel gaf. 'Ik kan je gerust vertellen, ik heb huilend je eieren staan bakken, zo ellendig vond ik mijn situatie, zo weinig in overeenstemming met datgene waarvoor ik ben geschapen. Ik schaam me! Ja, zo gauw ik naar die rotkeuken word gestuurd, krijg ik een gevoel of ik sterf van schaamte.'

'Dat is afschuwelijk!' riep Fanny uit, oprecht aangedaan. Ze wilde Lucette bij een hand pakken maar deze maakte onder het praten weidse, verontwaardigde gebaren, en begreep trouwens niet wat Fanny's bedoeling was omdat ze over haar heen keek, helemaal opging in haar ellende, terwijl onder het dunne nylon van haar blouse haar robuuste schouders rolden als golven, haar vaag gelijnde boezem heftig zwol en slonk. De regen ging tekeer tegen de vensterruiten. Binnen, waar het al zo donker was dat Lucettes gelaatstrekken wazig werden, raakten een paar dikke vliegen verkleefd aan het honingkleurige lint en bleven daar langdurig knisteren; er waren er ook die rond het bord vlogen of in een plasje bier doken. Fanny kreeg een grenzeloos vertrouwen in Lucette, ze twijfelde er niet meer aan of Lucette, sterk als ze was en werkzaam in het dorp, kende tante Leda, wie dat dan ook mocht zijn. Terwijl haar hart een sprong maakte dacht ze: Misschien dat zelfs, op wonderbaarlijke wijze, Lucette... Ook overwoog ze dat Eugène alles had meegenomen en zij dus vrijwel geen geld meer had, nog net genoeg voor haar maaltijd, en geen onderkomen voor de nacht. Terwijl ze hier in dit oord moest zijn!

'Ik kan je helpen', zei ze, en ze naderde Lucette zo dicht als ze durfde.

'Mij helpen, wat helpen...' Lucette was Fanny totaal vergeten en wiegde verstrooid heen en weer op het ritme van de sonore druppels die op de ruiten en tegen de lage deur sloegen, zwaaiend met haar zwartgesokte kuit waar bovenaan als uit een omknelling, rond en vet, een bleke knie tevoorschijn sprong, en ze was zozeer verdiept in haar rancuneuze overpeinzingen dat ze, toen haar blik toevallig op Fanny viel, helemaal verbaasd was haar te zien, een grimas van ongeduld niet kon onderdrukken. Onder de wat stompzinnige blik van Lucette voelde Fanny zich verpletterd, geminimaliseerd, en niets leek haar belangrijker dan bij dit krachtige, moeilijke meisje in de smaak te vallen. Om zichzelf moed te geven, bleef ze kijken naar een ranken-motief op de rok van Lucette.

'In ruil voor kost en inwoning', zei ze heel vlug, 'zou ik je kunnen vervangen in de keuken. Als de bazin daarmee akkoord gaat vraag ik niets extra's, dan hoeft het toch niet veel te kosten.'

'Zo! En dat zou je kunnen?' vroeg Lucette verbaasd.

'Ik kan alles', zei Fanny met een bescheiden blik.

'Zelfs bepaalde gerechten bereiden die hier te bestellen zijn?' Sceptisch en bijna verachtelijk trok Lucette haar wenkbrauwen op, haar armen hield ze over elkaar en haar been, verzwaard met een grove veterschoen, gooide ze ver voor zich uit.

'Dat komt,' zei Fanny zonder haar ogen op te slaan, 'ik heb heel vaak gekeken hoe mijn grootmoeder het deed.'

Alsof ze nu op serieuze aangelegenheden overstapte, vroeg Lucette kortaf: 'Kalfskop?'

'De scheil toevoegen en ruim drie uur laten sudderen op een zacht vuur, met tijm, veel tijm.'

'Wildragoût?'

'In het eigen bloed, met aardappels en een scheutje rode wijn.'

'De hazepâté maken we hier zelf, en ook de marmelade.'

'O,' riep Fanny enthousiast uit, 'nog pas vorige zomer heb ik geholpen met de rabarbermarmelade. Wat de pâté betreft, ik kan de haas villen en ik weet dat er voor de helft varkensvlees in gaat, en peterselie.'

'Ja,' zei Lucette, 'maar gestorte pudding, denk je dat dat je lukt?'

'Heb ik heel vaak gemaakt.'

'Je zult pasteitjes moeten vullen.'

'Met kalfszwezerik, champignons, in een geurige bechamel...'

Fanny was bijna teleurgesteld dat Lucette ophield met vragen, zo'n plezierige ontroering gaf het haar om terug te denken aan de handelingen die ze grootmoeder talloze malen had zien verrichten en die haar eigen moeder was verleerd omdat ze voor die oude, devoot overgeleverde gebruiken slechts geïrriteerde minachting voelde, want had men niet, door haar te onderrichten in die recepten, door te willen dat ze zich er trouw aan zou houden, getracht haar te binden, haar, de moeder van Fanny, die al vroeg was ontsnapt uit het dorp, met de bedoeling haar terug te voeren naar de streek waaruit zij zich had losgewerkt? En zo, uit onduidelijke angst, verveling en weerzin, vond Fanny's moeder tegenwoordig steevast een of ander voorwendsel om zich te onttrekken aan grootmoeders verjaardagsfeest, hetgeen Fanny's schuldbewuste geweten met extra schande belaadde en bij haar de gewoonte had aangekweekt om zich, vooral tegenover tante Colette, uit te putten in blijken van respect.

Lucette leek inmiddels overtuigd. Ze zou met de bazin praten zodra die wakker was en meende nu al met zekerheid te kunnen zeggen dat Fanny zou worden aangenomen op de door haarzelf genoemde voorwaarden, die heel redelijk waren. Lucette, merkte Fanny met enige wrangheid op (nu de zaak zo gemakkelijk was beklonken verweet ze zichzelf dat ze te bescheiden was geweest) scheen erg tevreden bij de gedachte dat ze niet meer hoefde te lijden in de stinkende hitte van de keuken, trots bijna, alsof zij Fanny's reserves had weggevaagd, alsof Fanny in haar gedweeë gretigheid haar werk was. Ze had nu een blik van vriendelijke superioriteit die de afstand tussen haar en Fanny nog groter maakte. Op de tafel gezeten dacht ze na, terwijl haar handen aan weerszijden van haar dijen de rok strak trokken en haar gezicht gewichtig stond. Haar hoofd helde enigszins achterover, het povere haar viel stijf en schaars op haar rug, als in een watervaleffect. Op haar blote, blonde, vale knie legde Fanny zacht haar kin, zonder dat Lucette het merkte. Zo vlijden vroeger grootmoeders honden hun snuit op Fanny's bovenbeen, 's zomers, in de tuin, met kalme, toegewijde overgave. Ze veracht me al een beetje, dacht Fanny, want ik neem straks een taak over die haar tegenstaat. Nou ja. Het geeft niet. Ik zal haar zover weten te krijgen dat ze Leda kent...

'Ik moet je uitleggen wat je te doen staat', zei Lucette zonder omlaag te kijken. 'Ik kan me dat veroorloven, de zaak is in kannen en kruiken, de bazin heeft haar gebreken maar ze heeft me nog nooit iets geweigerd, als het maar niks kost en ik er baat bij heb. Het is simpel. Om zeven uur sta je op. Je gaat met de bazin mee naar de markt, de winkels, de boerderij voor de eieren. Onderweg stel je met haar het menu op. Je keert onverwijld terug. Je veegt de zaak aan, poetst de tapkast, haalt een lapje over de tafels. Je controleert of geen enkele fles leeg of bijna leeg is. Je doet het keukenschort voor dat aan de deur hangt. Je bereidt de middaggerechten. Dan is het twaalf uur en

op een blocnote schrijf je alles wat ik vanuit de zaal naar je roep.
Je zet de volle borden op de traptreden. Zodat ik niet meer in
die keuken hoef! Om tijd te winnen doe je tussendoor de vaat.
Je maakt schoon, ruimt op, doet je schort af, dan is het ongeveer
vier uur. Je hebt anderhalf uur vrij. Je gaat rusten, dat is het
verstandigste. Kleed je niet uit! Houd je schoenen aan! Anders
val je misschien in slaap. Je gaat weer naar beneden voor de
bereiding van het diner. Alles weer als daarnet, behalve dat er
meer mensen zijn. Om elf uur ben je klaar. Dan kun je, Fanny,
voor je naar boven gaat, als het je trekt, een glaasje komen
drinken in de zaak, met de klanten. Eén! Op kosten van de
bazin!' Lucette begon vrolijk te lachen. Ze sprong op de grond,
pakte Fanny bij een elleboog, duwde met haar andere hand
aanstellerig haar kapsel omhoog, bevrijd van de banale problemen waarmee Fanny zich voortaan zou bezighouden, en zei: 'Ik
laat je de keuken zien', met een stem die van plezier en afkeer
zo egoïstisch was omgevormd dat Fanny purperrood werd van
schaamte en plotseling een gevoel kreeg of ze was gemaakt van
een inferieur soort vlees, in vergelijking met dat van Lucette.
Deze trok haar mee naar een deurtje vlak bij de bar, dat om de
hele klink heen zwart zag van het vuil. Een paar treden gingen
de diepte in naar een soort minuscule kelder waarin Fanny zich
zonder gezelschap moest wagen terwijl Lucette boven aan de
trap stond te gidsen en daarmee een obstakel werd voor het
gedempte licht. Nooit, riep ze met wellustige lichtzinnigheid,
nooit zouden ze haar nog in de keuken zien! Toen klonk achter
haar een geluid, Lucette keek om, sprak een paar woorden van
welkom. Zorgvuldig sloot ze de deur alvorens zich te verwijderen en Fanny moest vettige muren aftasten om het lichtknopje
te vinden. Als Lucette me wonderbaarlijkerwijze ooit naar tante
Leda brengt, peinsde ze neerslachtig... En als Lucette zelf,
wonderbaarlijkerwijze, misschien... Ze ging op een tree zitten
en huilde een beetje, op dat moment uit machteloze woede
denkend aan Eugène. Die Lucette, wat vond ze die dreigend en
ontoegankelijk! Met haar verontrustende, zelfzuchtige uitgela-
tenheid leek ze in Fanny's ogen te beschikken over goddelijke
krachten die de armzalige Fanny moest missen. Maar het leed

voor Fanny geen twijfel dat ze Lucette moest duchten en respecteren zolang ze geen ander contact had in het dorp, waarvan Lucette haar op dit moment voorkwam als de koningin en bewaakster. En lag het niet in Lucettes macht om, net zo gemakkelijk als ze haar hier ter plaatse had geïntroduceerd, haar weer weg te jagen wanneer Fanny haar maar even niet beviel?

Het vijandige neonlicht werd gefilterd door een laag viezigheid. De enige opening in deze ruimte was een raampje ter hoogte van het trottoir, afgeschermd met tralies, en er kwam een stel benen langs, en voeten in overschoenen renden plotseling een plas in, drabbig water spatte tegen het glas. In de hoek stond een oud fornuis, zwartig en aangekoekt, verder een gootsteen vol vette vaat die Fanny meteen begon af te wassen. De tegelvloer was zo kleverig dat ze zich heel behoedzaam moest verplaatsen. De verstikkende smerigheid van de keuken stond haar tegen als een duistere, haar aldus onthulde intimiteit van Lucette, maar tegelijkertijd schepte ze er een zeker genoegen in al voelde ze zich, zonder waarschuwing daar neergeplant, met meer minachting behandeld dan de familie haar had geminacht om het onbetamelijke van haar aanwezigheid. En denkend aan haar familie was Fanny nu en dan wanhopig. Was het in feite niet minder moeilijk, vroeg ze zich af, om tante Leda waar ter wereld die dan ook was op te sporen dan ooit een waardig onthaal te krijgen bij de familie, en oom Georges 'daar is mijn nichtje!' te horen roepen of tante Colette haar echte voornaam te horen gebruiken. Minder moeilijk dan ooit van de honden een blijk van dankbaarheid te ontvangen.

14

De bazin neemt Fanny aan

Op het moment dat Fanny aanstalten maakte de vloer te gaan soppen, deed een lange, magere vrouw de deur open. Het kon geen kwaad, overwoog Fanny tevreden, dat de bazin haar aantrof terwijl ze volop in de weer was, ze bloosde licht en deed, op handen en voeten in het sop, of ze te veel in beslag werd genomen om iets te merken. De vrouw nam haar onderzoekend op. Zelfs tante Colette, zei Fanny in zichzelf terwijl haar blik heen en weer flitste, heeft me nooit zo uit de hoogte en met zo'n vage scepsis bekeken. Er zijn immers maar zelden onbekenden in het dorp. Als Leda nu maar gelooft in mijn bestaan wanneer ik voor haar sta, want ik heb niets meer om het bewijs ervan te leveren (Georges, die verrekte sukkel, heeft de enige foto die ik had verscheurd). Toch heeft mijn vader geen moment gedacht dat ik iets anders kon zijn dan zijn dochter, los van de vraag of hij me heeft herkend of niet, en of hij zich herinnerde of niet dat ik pas vijf dagen Fanny heet en dat hij mij vroeger een heel andere voornaam heeft gegeven, die niemand van de familie ooit correct heeft kunnen uitspreken, behalve grootmoeder...

De vrouw gebood haar naar boven te komen. Fanny bleef nog even boenen en droogde toen haar reeds gezwollen handen. Tegen het raam gedrukt stond een akelige hond haar met opgetrokken lippen te bekijken, woest dat hij niet door de ruit kon springen. Geschrokken en boos wendde Fanny zich af.

Boven in de zaak zat Lucette op haar lievelingsstoel vanwaar ze alles overzag, en ze had haar rok met het gele en groene rankenmotief uitgespreid waardoor een stukje van haar bovenbenen zichtbaar werd. Ze schonk Fanny een verstrooide glimlach waarna ze breeduit en welluidend lachte naar een gezelschap truckers dat daar aan tafel zat, haar Lulu noemde en gekheid met haar maakte. De ruimte werd volledig verduisterd door de vrachtwagens die voor het café waren geparkeerd. De bazin liet een wit licht aanflitsen. Fanny kwam nederig dichterbij en zei tegen die lange spichtige vrouw, met de troosteloze, argwanende blik: 'Mijn familie woont niet ver van hier. Ik beloof u dat u tevreden over me zult zijn.'

Met een schouderophalen legde de ander haar hand op Fanny's hoofd, draaide haar behoedzaam rond, liet een paar keer 'hum' horen terwijl ze haar rug bestudeerde, haar middel, haar lendenen die ze met een vinger aanraakte, daarna wierp ze een blik naar Lucette, sullig en majestueus gezeten, onverschillig voor wat zich aan de andere kant van de zaak afspeelde, en zei toen bruusk, met een kleurloze stem en een klopje op de nek van Fanny die bedankte, oprecht erkentelijk en zich ervan bewust dat ze was toegeëigend: 'Afgesproken.' In de verte liet Lucette een voldane lach horen. Geen van de drie mannen had zich Fanny's kant uit gekeerd, maar ze lachten met Lucette mee en een van hen riep: 'Ze beweert dat haar familie hier in de buurt woont! Je kan wel van alles en nog wat vertellen, toch? Wie zal dat nagaan?'

15

Op de goede weg

Toen de truckers en ook de bazin onverwachts waren vertrokken, profiteerde Fanny van de gelegenheid om naar Lucette te glippen. Ze haalde de foto tevoorschijn waarop je van een lezende tante Leda een pluimpje haar en de onderkant van een rok zag, reikte die Lucette aan terwijl ze smekend vroeg: 'Ken jij, Lucette, iemand die lijkt op deze vrouw, mijn tante?'

'Ja, dat is goed mogelijk', antwoordde Lucette na een snelle blik op de afbeelding. Ze sloeg haar sluwe, laatdunkende ogen op, strekte haar benen en klemde daarmee zonder er erg in te hebben onder haar zware dij de hand van Fanny, die zich aan de stoel had vastgegrepen. Lucettes stoel was zo hoog dat haar benen ruim een meter boven de grond schommelden. 'Ja, dat kan', herhaalde ze achteloos. 'Hier een eind vandaan woont een vrouw die Leda wordt genoemd en die wel eens de vrouw jouw foto zou kunnen zijn.' Van emotie barstte Fanny bijna in snikken uit. Ze klampte zich krachtig aan de stoel vast, stamelde een paar buitensporige woorden van dank terwijl Lucette grootmoedig wat zat te glimlachen en het fotootje werktuiglijk in haar zak stak zodat het verfrommeld raakte. Fanny durfde het niet terug te vragen, al deed het haar verdriet dat ze het nu al kwijt was. Evenmin beklaagde ze zich toen ze constateerde dat haar koffer was verdwenen, ze wendde zich zelfs af om te voorkomen dat Lucette zag hoe een blos naar haar wangen steeg en ze schaamde zich voor de wantrouwige gedachten die bij haar opkwamen, want stond zij hier niet meervoudig in het krijt, hadden ze haar niet, na de gebruikelijke omzichtigheid, minder als een vreemde behandeld dan de familie zelf op grootmoeders verjaardag had kunnen opbrengen?

TWEEDE DEEL

I

In de keuken

Geroosterde koteletten, gestoofd rundvlees, konijneragoût, kip in het pannetje, gebraden kalkoen, zalmforel, gekookte hersens, gemengde salades, gevulde eieren, en verder crème caramel, chocolademousse, appel- en pruimentaart, en op zondag een hachelijke crème anglaise, onvoorstelbare pêches melba, het stond iedere week op het menu van de Dappere Haan, zonder een dag respijt, en Fanny rende 's ochtends door het dorp over de harde trottoirs van aangestampte en nu bevroren aarde waarna ze, voortdurend opgejaagd door de tijd, bang dat het werk haar boven het hoofd zou groeien en er reden zou zijn tot ontevredenheid, haar keuken binnenstoof op het tijdstip dat een chagrijnige Lucette eindelijk opstond en luidruchtig haar ontbijt eiste, vaak gevaarlijke buien van neerslachtigheid had, aanvallen van onverhoedse woede waar ze geen verklaring voor gaf. Onder de aangekoekte TL-buis, die in de ochtendscheme-ring het kelderraam tot een duister gat maakte, stond Fanny te snijden, te hakken, af te halen, ze waste en boende met angst-vallige ijver. En als tegen twaalven Lucette de namen van de bestelde gerechten begon te roepen, boven aan de trap, zonder Fanny ooit meer van zichzelf te laten zien dan haar voeten, streng en ongeduldig in hun grove hoge schoenen, was de olie in de koekepannen klaar om karbonades en biefstukken te ontvangen, stond de dagschotel op een zacht pitje en liep Fanny naar de eerste tree, zich uitrekkend om Lucette beter te horen want herhalen was er niet bij. Soms leunde ze in haar volle lengte tegen de trap en beroerde ze, haar ongeruste gezicht zo ver mogelijk naar voren stekend, met haar voorhoofd Lucettes schoenpunten, ving onder de stoffige rok met de ranken een glimp op van een stukje huid dat er vrijpostig, ferm en oneffen uitzag. Maar het kwam voor dat Fanny als de bestellingen werden doorgegeven niet onder aan de trap kon staan, of dat

Lucette te snel praatte, of met haar gezicht naar de zaak toe, zodat Fanny niet begreep wat van haar verlangd werd. Als ze het al had gewaagd om Lucette te vragen de bestelling te herhalen, zou ze die vraag toch nooit tot een goed einde hebben kunnen brengen voordat Lucette, die niet talmde en nauwelijks stil bleef staan, zich opnieuw naar haar klanten had gerept; daartoe had ze trouwens een stukje de keuken uit gemoeten, de paar treden op moeten klauteren tot ze met Lucette op gelijke hoogte stond, want er zat nauwelijks kracht in haar stem. Zou ze in die situatie in staat zijn geweest, vroeg ze zich af, om een dergelijke stoutmoedigheid duidelijk genoeg te rechtvaardigen? En zou Lucettes verbazing, als ze haar plotseling voor zich zag om de aandacht te vestigen op een foutje in de organisatie, er niet toe leiden dat ze al haar beheersing, al haar toegeeflijkheid jegens Fanny zou verliezen? Fanny besloot dat ze zich nog geen enkel initiatief kon veroorloven want ze voelde zich hier, of-schoon nuttig en onbezoldigd, uit grootheid van geest getole-reerd. Heel wat meisjes uit het dorp, zo stelde ze zich voor, waren waarschijnlijk afgunstig op de positie die ze, ondanks het feit dat ze minder rechten had en haar herkomst onduidelijk was, hier bekleedde. En ze kreeg het vermoeden dat er geen grens was aan de macht van Lucette, die zelfs de bazin overheerste.

Dus als bepaalde woorden haar waren ontgaan en een aan-vankelijk moment van schrik en ontreddering dat haar in smar-telijke weemoed dompelde was verstreken (grootmoeders dorp leek voorgoed verloren) rende Fanny naar het eerste het beste gerecht en schepte een bord vol dat ze boven aan de trap zette, met als enige hoop dat ze goed had gegokt. In de gloeiende, walmende keuken wachtte Fanny gespannen op de komst van Lucette terwijl ze haar handen, gevouwen op haar vettige schort, berustend tegen haar buik drukte. Want was het bord niet op de juiste wijze gevuld, dan volstond Lucette ermee het van de trap te schoppen. Vervolgens bleef ze zonder een woord wach-ten totdat Fanny, die zich zo haastte dat ze vergat te ademen, met een nieuw voorstel kwam. Ze had het benauwd in de zware geuren, maar liep in het keukentje af en aan met als enige gedachte dat Lucette tevreden moest worden gesteld, en Lucette stond intussen boven, in een beledigd, laatdunkend stilzwijgen. Het tweede bord kon op dezelfde gebiedende manier worden teruggeschopt, of nog bruusker. Fanny ging opzij om niet te worden bespat. Maar zo smadelijk, zei ze tegen zichzelf, zou zelfs tante Colette haar niet hebben behandeld, niet eens om haar op de proef te stellen, en ze vroeg zich af hoe Lucette op het idee was gekomen de familie op dit punt te overtreffen. Fanny zag hier een nauwe relatie tussen Lucette en haar speurtocht naar tante Leda. Misschien, overwoog ze, was dit dorp werkelijk het dorp van haar tante Leda. Misschien, overwoog ze, was Lucette zelf... Deze gedachten raakten Fanny diep. Ze nam zich voor in de toekomst nog meer toewijding te tonen jegens Lucette, die haar regelrecht naar haar doel kon brengen, met de invloed die ze had, haar kennis van het dorp, het simpele mysterie van haar persoon, op bepaalde punten zo'n sterke gelijkenis vertonend met bijvoorbeeld tante Colette wier beeltenis, in de blauwe, met maantjes verfraaide jurk, vrijwel nooit uit Fanny's gedachten was.

Had Lucette eenmaal haar hielen gelicht, waardig het gerecht dragend waar ze om had gevraagd, dan raapte Fanny ijlings her en der de scherven op, veegde de saus weg, deed de stukken vlees terug in de pan. Maar daar verscheen Lucette opnieuw, met wensen en eisen, en ze moest rap naar de servieskast en zich haasten naar de ovens, onder het onbarmhartige stemgeluid van de onzichtbare Lucette wier voeten driftig tekeergingen. Fanny nam nauwelijks de tijd om te eten. Het voedsel stond haar tegen en louter om haar krachten niet te verliezen, knabbelde ze op een homp brood die ze bewaarde in haar schortzak en waar ze twee dagen mee deed. Met plezier gaf ze haar portie aan Lucette die nooit genoeg had.

Als Fanny opkeek naar het kelderraam zag ze, liggend tegen het glas en zijn tanden ontblotend zodra haar blik zich op hem vestigde, de grote gele hond die haar de eerste dag zo aan het schrikken had gemaakt. Die hond ontnam haar het karige winterlicht dat door de opening drong. Hij was er dagelijks, vanaf 's morgens vroeg. Maar nooit kwam Fanny hem tegen als ze het dorp inging en ze twijfelde er niet aan of hij zou haar woest zijn aangevlogen, zo boosaardig lag hij de hele dag naar haar te loeren, met een nijdige poot aan het glas krabbelend terwijl hij onophoudelijk een dof gegrom liet horen. 'Jou stop ik straks nog in de braadpan, let maar op!' schreeuwde Fanny geërgerd als ze 's ochtends, vanaf de trap, het donkere silhouet van de gele hond achter het raam zag. Daarna vergat ze het dier, opgeslokt als ze werd door haar werk. Maar de blik van de hond rustte zwaar op haar nek en huiverend dacht Fanny aan de dag waarop hij haar eindelijk zou straffen, hij of een ander. 'En wat kun je honden uitleggen?' prevelde ze. 'Ik heb met ze gespeeld, zonder schroom hun hok schoongemaakt, maar de familie keert me de rug nog niet toe of ze verslinden me...'

Gaandeweg werd Fanny brutaler. Als Lucette er niet stond kroop ze tot boven aan de trap, wierp behoedzame blikken de zaak in waar ze overdag niet mocht komen. Verscholen achter de halfopen deur kreeg ze het vermoeden dat een positie als serveerster in de Dappere Haan haar veel gemakkelijker in staat zou stellen enige informatie over tante Leda te vergaren, door- dat ze daar met veel mensen contact zou hebben, dan wanneer ze het obscure keukenwerk zou blijven doen, waar ze uiteinde- lijk ondanks alles stilletjes aan gehecht was geraakt maar dat haar ver van het dorpsleven hield. Er stopten iedere dag zoveel vrachtwagenchauffeurs, zoveel handelsreizigers die de streek doorkruisten, dat Fanny's ogen op drift raakten en haar hoofd mistig werd doordat ze maar bleef letten op het komen en gaan, in het rokerige zaaltje, van al die verschillende personen die voortdurend in- en uitliepen, naar elkaar riepen, zo gehaast waren, zo vlug aten dat ze nauwelijks gezeten alweer stonden, hun mond al afveegden om te vertrekken als ze nog bezig waren de laatste happen naar binnen te werken, terwijl sommigen tijdens het middagmaal nog zo actief waren dat de tafels bezaaid lagen met ordners, de papieren rechtop tegen de flessen ston- den, bespat werden met saus of wijn zonder dat het iets leek uit te maken voor de dikke, teruggetrokken mannen, kwiek en zwijgzaam, die er stilletjes in zaten te lezen en die zonder een blik naar hun bord alles opaten wat Lucette hun voorzette.

Nooit herkende Fanny iemand, al bevonden zich in de menigte geregeld dezelfde klanten en groette Lucette iedereen met zijn voornaam.

Lucette, buitengewoon vrolijk nu ze alleen nog hoefde te serveren, zorgvuldiger gekapt (het haar samengebonden met een oud lint in Schotse ruiten), was vriendelijk en snel, serieus en streng, en ze verplaatste zich met zware, gezwinde pas terwijl haar ver uit elkaar staande ogen glinsterden van voldoening en waakzaamheid. Achter de tap zat de bazin te dommelen, vertrouwend op Lucette. Fanny voelde zich afgunstig. Als ik geen serveerster word, zei ze in zichzelf, heeft het niet eens zin hier te blijven... En de zaal van de Dappere Haan waar Lucette trots in heen en weer liep, met de muren vol vlekken, het lage plafond, het schamele licht dat extra gedempt werd door de vrachtwagens vlak voor de ramen en door de dichte rook van goedkope sigaretten, werd voor Fanny een begeerlijk oord, ze begon een hekel te krijgen aan haar keukentje waar niemand naar afdaalde, ook kreeg ze opwellingen van vermetelheid en ging ze zich, zodra Lucette weg was, boven aan de trap verstoppen. Op een dag meende ze dat ze in een groep vertegenwoordigers, waarin hij zich stevig aandrukte tegen een lange vrouw met een hoofdstedelijk accent en beiden in die ongemakkelijke houding zaten te eten, oom Georges zelf herkende. Haar oom ging met toiletartikelen langs de deuren, hij kon het zijn. Maar zo van achteren zag Fanny hem niet goed. Ze sloot een paar seconden haar ogen die prikten en juist in die tijd verdween oom Georges met zijn gezelschap, zeer tot Fanny's spijt, want ze maakte al aanstalten om naar hem toe te rennen en hem te omhelzen, zich verkneukelend om het effect dat ze in alle bescheidenheid teweeg zou brengen. Ik zal tante Colette eens het een en ander vertellen over die lieve man van haar, dacht ze opgewonden. Als ze niet op de hoogte is, ben ik verzekerd van haar dankbaarheid.

Maar opeens kreeg Lucette haar in het oog. Ze zette het dienblad neer, stormde op Fanny af, greep haar bij de schouders en duwde haar de trap af, zonder zich te bekommeren om de borden met dampende lamsragoût die Fanny op de treden had gezet en die naar beneden kletterden. De gloeiende saus spatte tegen Fanny aan. 'Nooit', gilde Lucette verontwaardigd, 'mag jij je post verlaten, nooit mag je onder diensttijd naar boven! Wil je dan alles bederven, is dat wat jij wil, verwarring stichten, dat we er geen wijs meer uit worden?' Ze stond daar met haar handen op haar heupen en stampte boos op de grond. Er vormde zich een oploopje. Een paar klanten, servet onder de kin, rekten hun hals, wierpen een omzichtige blik op Fanny die in elkaar was gezakt. Lucette nam hen tot getuige. Onduidelijk, goedkeurend gemompel omringde haar, Lucette trok bij. Fanny profiteerde van de kalmte die was ingetreden en vroeg, al deed haar hele lichaam zo'n pijn dat ze nauwelijks haar mond kon openen: 'Zeg Lucette, ken jij Georges R. die hier daarnet was?'

'Georges? Jazeker, dat is een vaste klant, hij handelt in toiletzeep', zei Lucette schouderophalend.

'Dat is mijn oom!' riep Fanny hoopvol.

'Jouw oom! Zo!' Lucette lachte luid en laatdunkend, zonder dat het Fanny duidelijk werd of haar minachting gericht was op de persoon van oom Georges of dat ze gewoonweg niet kon geloven dat Fanny de waarheid zei. Met een handgebaar verjoeg ze de klanten, waarna ze op haar hurken ging zitten en fluisterde: 'Hoe kan het dat die man een oom van jou is? Ik geloof er niets van!'

'Toch is het zo', zei Fanny op uitdagende toon.

'In ieder geval, hij heeft het vaak met mij gehad over zijn familie maar over jou nooit.'

'Dat komt omdat ik nu een nieuwe voornaam heb', antwoordde Fanny misnoegd, maar toen ze zag dat Lucettes brede gezicht wantrouwig betrok zweeg ze, en sloeg haar ogen neer. Lucette bracht een besluiteloos 'hum' voort. Werktuiglijk zei ze nog, voordat ze opstond: 'Die Georges is echt van hier.'

Ik moet serveerster worden, dacht Fanny, onbeweeglijk op de koude tegels, haar gezicht besmeurd, anders bereik ik niets, want wie zal naar me komen kijken in dit hol, wie kan zich simpelweg nog mijn bestaan herinneren, wie anders dan die vuile vijandige hond? Maar ben ik niet evengoed als Georges van hier? Zal dat ooit van mij gezegd worden? Toch geldt het voor mij meer dan voor velen, dan voor mijn neef Eugène, die nauwelijks respect kent... Terugdenkend aan Eugène begon Fanny zich op te winden. Op de meest ongelegen momenten had zij hem naar hartelust zo ruw gekust dat Eugène er soms van stond te wankelen, zoveel tikken en stompen aan hem uitgedeeld die hij welwillend in ontvangst had genomen! Fanny had altijd al graag met Eugène willen trouwen. Maar tante Colette zou zich natuurlijk fel hebben verzet, al zou weliswaar de vijandigheid jegens Fanny onvermijdelijk moeten slinken wanneer ze tante Leda mee terugbracht, want een wrede vergissing zou aldus worden hersteld en eindelijk zou genoegdoening worden gegeven voor de nalatigheid van Fanny's ouders, die zelf geen boodschap hadden aan de familie en aan haar clementie, niet eens aan grootmoeder, en die voor het dorp niets anders voelden dan een oppervlakkig misprijzen, geïrriteerde weerzin.

2

's Avonds in het dorp

Na haar werk besloot Fanny om niet boven in de zaak, voor het slapengaan, samen met Lucette nog een glaasje brandewijn te drinken, maar de vrouw te gaan opzoeken die Leda werd genoemd en over wie Lucette haar had verteld, ofschoon het al voorbij middernacht was. Maar door Fanny's bezigheden zou het altijd te vroeg of te laat zijn. De bazin bleek die avond trouwens afwezig, en zij zou Fanny er niet van hebben kunnen weerhouden weg te gaan maar haar vast en zeker achterdochtig hebben gevraagd waarheen, omdat onbehoorlijk gedrag van haar medewerksters altijd nadelig kon zijn voor het etablissement. Fanny kon het velen dat ze voor alles wat ze deed meer kritiek te verduren kreeg dan een ander, meer dan Lucette! Ze was deze vrouw die haar niet betaalde erkentelijk dat ze haar in huis had genomen zonder te eisen dat ze uit het dorp kwam of om die reden op haar neer te zien, en nadat ze hier was komen aanwaaien, zonder bewijs van wat dan ook, zonder ook maar één familiefoto, was ze niet gebelgd dat ze slecht werd behandeld, nu ze eenmaal was toegelaten. Fanny hield dan ook van Lucette en had geen hekel aan de bazin, ofschoon geen van beiden haar geloofde wanneer ze sprak over haar banden met Georges en over de familie die vlakbij woonde. Alle twee moesten ze dan besmuikt glimlachen, Lucette begon brutaal een deuntje te fluiten of raakte geïrriteerd, schold Fanny uit voor leugenaarster, wilde haar een gevoel van schaamte geven over haar pretentie, haar onrust. Want het kon Lucette weinig schelen dat Fanny geen verwanten in de streek had, voor haar een vaststaand gegeven in het licht van de talrijke bijzonderheden eigen aan de gestalte, het taalgebruik en de geestelijke structuur van Fanny, die in alle opzichten zo anders was dan Lucette dat het haar zelfs ontbrak aan de intieme en gedetailleerde geografische kennis van de omgeving waarover Lucette, geboren in het dorp, beschikte zonder zich ooit te verplaatsen.

Haastig trok Fanny een oude regenjas aan en ging naar buiten, bestookt door de spotternijen van Lucette die zogenaamd dacht dat ze een afspraakje met een handelsreiziger had. Het regende hard, hoge straatlantaarns wierpen een wit schijnsel op het dorpscentrum, de cementen kerk, de brede, pas geasfalteerde autoweg, het wachthuisje bij een verdwenen bushalte, ooit ten geschenke gegeven door een bank waarvan de naam nog op het dak te lezen stond, voor Fanny een vertrouwde naam omdat grootmoeder er altijd haar spaarcenten had gebracht. Verderop stonden de donkere en zwijgende huizen, met dichte luiken. Voordat ze op weg ging, werd Fanny's aandacht een moment vastgehouden door een affiche tegen de gevel van de Dappere Haan. Haar neef Eugène, niemand minder dan Eugène met zijn glanzende haar, zijn strakke trui, glimlachte haar schaamteloos en vol elegantie toe. Haar neef Eugène! Met zijn vlezige lippen die een beetje rood waren gemaakt! Verbijsterd herinnerde Fanny zich dat Eugène ervan gedroomd had acteur te worden, en nu liet hij het hele dorp zijn blinkende tanden zien, nu wees hij met gestrekte wijsvinger, in stompzinnige opgetogenheid, naar de vier letters van een doe-het-zelfzaak en bleef hij in de kille regen onverstoorbaar en opgewekt, nu had Eugène eindelijk succes, en zonder hulp van Fanny of van welke tante Leda dan ook. Fanny kende de faam van die winkel, waar met uitzondering van haar vader alle mannen van de familie hun inkopen gingen doen. Ontegenzeglijk, dacht Fanny misnoegd, was het voor Eugène een prachtige kans om zichzelf zo te kunnen vertonen, en dat hij louter met zijn beeltenis, met zijn vriendelijke, zwijgende gezicht, de verdiensten aanprees van een winkel waar het voor alle ooms van Fanny een regelrecht feest was om iedere maand heen te gaan, stak haar een beetje.

Ze wendde zich af van de affiche en botste bijna tegen de grote gele hond van het kelderraam aan, die zich grommend verhief op zijn onbehaarde poten. Hij was opgedoken zonder dat ze het had gehoord, ze slaakte een kreetje van schrik en liep vlug weg, terwijl ze de capuchon van de regenjas tot ver over haar voorhoofd trok. Het gekletter van de regen overstemde elk ander geluid. Fanny wierp een angstige blik achterom: de hond volgde haar zonder zich te bekommeren om het slechte weer, wiegend met zijn magere flanken. Hij was opeens zo lelijk dat Fanny er zelfvertrouwen van kreeg. Ze bleef staan, liet hem dichterbij komen. Ze gaf hem een ongenadige schop onder zijn kaak, dacht tegelijk 'toch zal een andere hem nog wel eens wreken!' en duwde hem omver, doof voor het gejank. De hond leek haar nu erg oud en versleten. Was hij er echt op uit geweest haar te bedreigen, of had ze zich vergist? Misschien zou hij een zekerder en betrouwbaarder metgezel zijn geweest dan Eugène, die allerlei bijgedachten had gekoesterd. Ze maakte de hond af door met haar hak vol in zijn buik te trappen, uitgeput van al het geweld waarmee ze hem al had bestookt, en schoof het kadaver dat zwaar was van de regen met de punt van haar schoen vanaf het trottoir de goot in, waar het slap meedreef met het omlaag stromende water. Beduusd ging ze ervandoor; toch was ze opgelucht tegen zichzelf te kunnen zeggen dat ze voortaan zonder angst kon opkijken naar het raampje, dat gemene beest had haar zware werk in de keuken nog akeliger gemaakt! Trouwens, had ze niet gezien hoe oom Georges een keer 's zomers, achter het huis, koelbloedig had geschoten op zijn trouwste jachthond die zojuist drie van zijn kippen had opgevreten, en hoe hij het kadaver op een mesthoop had gegooid? Zijn middagmaal had hem er niet minder goed om gesmaakt en de honden van grootmoeder, overwoog Fanny terwijl ze zich voorthaastte, likten wanneer hij kwam altijd zijn handen en maakten sprongen van vreugde zodra ze hem herkenden. Als haar oom Georges, die wist hoe hij met honden om moest gaan, niet terugdeinsde voor de doodstraf, zouden noch hij noch enig ander familielid het Fanny kwalijk hebben kunnen nemen dat ze dat ellendige dier van het leven had beroofd.

Het begon nog harder te regenen toen ze stilstond voor het huis van Leda, even buiten het dorp. Nu en dan passeerde een bulderende vrachtwagen, een eenzame personenauto die achter Fanny vaart minderde, haar nadrukkelijk uitnodigde en waar ze, als ze niet het nog grotere verlangen had gevoeld om eindelijk iemand te ontmoeten die de naam Leda droeg, misschien zelfs haar tante was (kon tante Leda zich niet overal bevinden?), schaamteloos in zou zijn gesprongen, zonder zich druk te maken over het uiterlijk van de chauffeur (het had evengoed Georges kunnen zijn!), zo koud had ze het nu.

Leda's huis stond in een nieuwbouwwijkje en had beige-gepleisterde muren, een paar tuinkabouters in de perken van haar tuin. Fel licht viel door het glas van de deur op de weg, en naderbij komend zag Fanny een overladen woonkamer, een vrouw in peignoir die televisie zat te kijken, een parkiet. Ze zocht beschutting onder het afdakje en drukte langdurig op de bel. In de verte huilde een hond. Hoeveel tijd, dacht Fanny, hoeveel tijd zal ik nodig hebben om mijn tante Leda te herkennen, als ze het is, en hoe zal ik weten of ik me niet vergis als ik beweer dat zij het is, maar een gevoel diep in me zal me waarschijnlijk helpen. Had Lucette dat fotootje maar niet gehouden! Had ik het maar durven terugvragen! Eindelijk werd er opengedaan. Fanny, trillend, ontroerd en verkleumd, was bijna neergezonken op de boezem van de vrouw die met één hand haar peignoir dichthield, maar ze beheerste zich en groette bedaard. En ter geruststelling stopte ze haar vuisten diep in haar zakken; toen kreeg ze spijt dat ze niet de capuchon had afgedaan die haar voorhoofd tot aan de wenkbrauwen bedekte.

'Kan het zijn', vroeg ze moeizaam, verkrampt van de kou maar met een poging tot een glimlach, 'dat u Leda zelf bent, mijn tante? Mijn naam is Fanny.'

'Ik ken geen Fanny', mompelde de vrouw, in wier stem ergernis doorklonk.

Ze was rond de veertig, had kroeshaar en leek noch op Fanny's moeder noch op tante Colette, iets waar Fanny zich ondanks alles nauwelijks ongerust over maakte.

'Ik heb nichtjes, dat wel', deed de vrouw nog haar best.

'O,' riep Fanny uit, 'alleen al op grond daarvan kunt u mijn tante zijn, want ik heb niet mijn echte voornaam gezegd, misschien is dat de naam van een van uw nichtjes en dat ben ik dan misschien zelf. U moet weten, mijn tante Leda kan evengoed hier als ergens anders zijn, het is dus heel goed mogelijk.'

In hevige opwinding deed Fanny met een wat bruusk gebaar haar capuchon af, ze strekte haar handen uit als om die van de vrouw te pakken, haar wangen kleurden rood van emotie. Haar warrige kapsel rees in puntige lokjes omhoog; en zonder het zich te realiseren stond ze licht te trappelen, hoopvol als ze was, er nu naar verlangend om naar binnen te gaan.

'Hoe heet je dan echt?' vroeg de vrouw geïntrigeerd.

'Dat mag ik niet zeggen! Ik mag alleen Fanny zijn, begrijpt u? Houdt u zichzelf maar gewoon voor dat die naam een gegeven feit is zoals in een boek of een tv-serie, en blijft u er net zomin bij stilstaan als u daarnet voor uw toestel deed.'

Ze boog zich voorover en prevelde met een wat schuldbewust gezicht: 'Mijn echte voornaam is trouwens zo eigenaardig dat het u de grootste moeite zou kosten hem goed te verstaan en uit te spreken.'

'In dat geval', zuchtte de vrouw, 'kan ik niet weten of ik al dan niet je tante ben.' En ze maakte aanstalten de deur weer dicht te doen maar Fanny riep:

'Als grootmoeder uw moeder is...'

'Mijn moeder is onlangs gestorven.'

'Grote God, stel dat grootmoeder is gestorven zonder dat ik erbij was!' kermde Fanny, volkomen van haar stuk, zich plotseling beschaamd en berouwvol herinnerend, iets waar ze vergeten was zich ongerust over te maken, hoe op grootmoeders verjaardag haar einde nabij leek. Het idee dat grootmoeder misschien al was begraven, zonder dat zij het had geweten, zonder dat ze er, nalatig en verstrooid als ze was geweest, ook maar aan had gedacht daar beducht voor te zijn, maakte nu dat ze stond te trillen op haar benen. Ze wilde de vrouw smeken haar binnen te laten, maar die werd het zat en sloeg de deur dicht. Half in elkaar gezakt leunde Fanny ertegenaan. Grootmoeder had haar plaats op het dorpskerkhof al gereserveerd, een schraal stukje grond in een hoek, tegen de muur van betonblokken, waar geen schaduw van loof of cipres overheen viel maar wel die van een groot granieten kruis dat je overal in de omtrek kon zien, geen enkele struik of haag, wat karige bloemen. Nooit had Fanny geloofd dat grootmoeder eeuwig zou leven en de laatste keer was de schrik in grootmoeders ogen haar niet ontgaan, maar op een duistere manier had ze gedacht dat ze zou wachten met sterven tot zij tante Leda mee teruggebracht had en Fanny, toch uiteindelijk haar kleindochter, er was om haar met haar gesloten ogen en gevouwen handen te aanschouwen, om waardig, ten overstaan van een aandachtige en droevige tante Colette, een kus op haar voorhoofd te drukken, precies zoals het hoort. Maar als grootmoeder nu in de aarde rustte, was het voor tante Colette natuurlijk kinderspel om de aandacht te vestigen op Fanny's afwezigheid, en met reden! Gehurkt naast de deur wrong Fanny haar ijskoude handen, en haar schaamte was zo verpletterend dat ze zonder het te beseffen zacht zat te kermen. Op die manier was ze jegens grootmoeder misschien wel dubbel te kort geschoten, op haar verjaardag en daarna op het moment van haar sterven: en zij was verbaasd, gegriefd geweest dat grootmoeder geen foto van haar in de slaapkamer had staan! Trouwens, mocht grootmoeder niet zijn gestorven dan was Fanny net zo goed te laken omdat ze was vergeten zich er zorgen over te maken. Toch hield ze van grootmoeder meer dan van wie ook! Wie in het dorp zou, zonder haar, Fanny niet als buitenstaander beschouwen, wanneer ze niet meer naar het huis kon wijzen en kon zeggen 'hier woont mijn grootmoeder, al heel lang'?

Moeizaam kwam ze overeind. Door het glas in de deur zag ze de vrouw weer voor de televisie zitten, en dat ze had geweigerd haar binnen te laten kwam haar voor als een bewijs dat zij haar tante Leda niet kon zijn, in combinatie met iets onbekends in haar voorkomen dat ze toch echt wel in te sterke mate had, een bepaald soort gezicht dat niet leek op het streektype. Fanny liep weer de regen in, het verlaten dorp door. Plotseling kwam haar een man tegemoet die liep te sjouwen met het kadaver van de gele hond. Verrast sprong Fanny opzij, ze voelde zich opgelaten. Hij wilde iets tegen haar zeggen, maar zij boog haar hoofd en ging er met grote passen vandoor.

Zodra de bazin naar bed was, schoot Fanny in haar regenjas en trok ze de grote, zwarte rubberlaarzen aan van Lucette, met wie ze een beetje gekheid maakte, en om haar in een goede stemming te krijgen, haar te bedanken voor haar stilzwijgen en het lenen van de laarzen, deed ze of ze het oerkomisch vond dat Lucette kronkelend van het lachen praatte over een handelsreiziger met een hangsnor, een vaste klant van het café met wie Fanny zogenaamd iedere avond zonder het te durven zeggen een ontmoeting had, in het huisje bij de bushalte dat voorzien was van een bank. De handelsreiziger die Lucette zo graag als Fanny's minnaar zag was, naar haar ten slotte duidelijk werd, oom Georges. 'Kom nou toch, je hoeft niet net te doen of hij je oom is,' zei Lucette geamuseerd en minachtend, 'ik weet heus wel hoe die dingen in elkaar zitten!' Fanny maakte zichzelf het verwijt dat ze misschien een ongelukkige opmerking had gemaakt, iets ongewild dubbelzinnigs had gezegd dat de schalkse geest van haar vriendin Lucette naar die stuitende maar voor haar vaag vleiende hypothese had gevoerd. In gedachten verontschuldigde ze zich dan ook bij tante Colette (maar voortaan ontbrak het onbarmhartige gezicht van haar tante in vrijwel geen enkele droom meer).

Ze glipte de deur uit, wierp een blik op het grote, witte gezicht van Eugène dat nog steeds intact was, en liep de straat door. In dit jaargetijde regende het de hele dag. Als ik navraag doe bij iedere bewoner van dit dorp, dat er zo'n tweehonderd zal omvatten, kom ik uiteindelijk wel terecht bij tante Leda, wie dat ook moge zijn en als het waar is dat ze hier woont, of bij iemand die mij verder kan helpen, peinsde Fanny vol vertrouwen. Ze vorderde snel, maakte met haar rubberlaarzen veel lawaai. Het getemperde licht van de lantaarns wierp vlekken op de grijzige muren, de bruine deuren, smal en laag, zonken weg in het duister. Zodra ze door de spleten van een luik een oranje of blauwachtig schijnsel zag bleef Fanny staan en bonsde krachtig op het hout. Vaak begon binnen dreigend een hond te blaffen.

Fanny stoort bij een tv-uitzending

Een ongeduldig gezicht vertoonde zich achter het glas, een wantrouwige hand duwde het luik een klein stukje open. Fanny stak haar hoofd met capuchon naar voren en zag een groot kleurenscherm waar de persoon binnen zich veelvuldig naar omdraaide terwijl zij uitleg stond te geven, zonder nog te luisteren en intussen het luik weer naar zich toe halend, zodat Fanny achteruit moest springen om een botsing te voorkomen. Daarna had men dan weer, geërgerd over de onderbreking, aandacht voor Fanny, zij bleef dapper herhalen ('Als u mijn tante Leda niet bent, kent u haar dan, of iemand hier die me over haar kan vertellen? Ikzelf word Fanny genoemd...'), zonder succes. Men prevelde woorden van ongelovige ontkenning, raam en luik klapten dicht, ijlings trok Fanny zich terug.

Fanny mag naar binnen

Omdat ze licht had gezien duwde Fanny het hek van een boerderij open. Een wat oudere jongen liep onder de beschutting van een paraplu over het erf. Hij haastte zich voorbij zonder haar op te merken en schrok toen Fanny aan zijn mouw trok. 'Ken jij...' begon ze. De jongen bleef doorlopen, huppelend ging Fanny achter hem aan, de baleinen van de paraplu ontwijkend en niet in staat iets te zeggen door het hoge tempo van de jongen die, het hoofd naar voren gestrekt, doordraafde in de richting van het huis met de verlichte ramen. Plotseling pakte hij Fanny bij een elleboog en duwde haar naar een soort berghok ergens opzij. 'Blijf daar maar wachten,' zei hij, 'ik ga iemand halen.' Fanny was blij met die belofte en met het feit dat ze voor het eerst ergens naar binnen mocht, al was het dan een donkere, stinkende schuur. Achterin lagen aan de ketting drie grote honden te slapen. Fanny hurkte dicht bij de deur neer en hield hen vanuit een ooghoek in de gaten. Maar ze werden blijkbaar wakker van haar strakke blik. Ze begonnen te grommen en liepen zover op Fanny af als de korte ketting toeliet, raakten haar toch nog bijna aan. Fanny verroerde zich niet, te zeer doordrongen als ze was van het onverhoopte dat gelegen was in de uitnodiging om in dit hok enig geduld te oefenen, dan dat ze het zou wagen het lot of een boerderijbewoner te tarten door naar elders te vluchten of te blijven wachten in de regen. Ze drukte zich tegen de wand, haar handen op haar rug, haar gezicht angstvallig omhoog. Een van de honden jankte en probeerde in haar laars te bijten; Fanny bleef onbeweeglijk staan, te vergenoegd dat ze hier was. En ze kromde haar tenen om verwondingen te voorkomen ingeval de honden zo hard zouden trekken en hun keel dichtsnoeren dat het hun zou lukken de punt van een van Lucettes rubberlaarzen te pakken te krijgen. Ze hadden het inmiddels op een huilen gezet, alsof Fanny's onverwachte, opvallende aanwezigheid een oude haat in hen had gewekt. Net zo hadden de vertrouwde honden van grootmoeder tegen Fanny geblaft op het verjaardagsfeest, ook al hadden ze haar ooit graag gemogen en was ze die dag niet anders dan toen geweest.

Lange uren verstreken, de honden raakten uitgeput, grauw brak de morgen aan. Niemand had zich vertoond en Fanny zag het moment naderen waarop ze weer terug zou moeten naar de keuken van de Dappere Haan. Zonder nog hoop te koesteren sloop ze de loods uit, de kille, vale motregen van de vroege morgen in. Met een emmer aan de hand liep de jongen over het geasfalteerde erf. Fanny rende naar hem toe en greep hem bij zijn jack.

'O ja,' zei de jongen, 'ik heb niet meer aan je gedacht, gisteravond.'

'En Leda?' prevelde Fanny nederig.

'Leda, zo heet onze hond', zei de jongen op belerende toon.

'Maar verder?' smeekte Fanny.

'Tja, een andere ken ik niet.' De jongen bekeek haar aandachtig, met een flauwe glimlach, terwijl hij met zijn tong langs zijn lippen ging om duidelijk te laten merken dat Fanny, onder haar capuchon, hem niet onverschillig liet, hij stond te wiegen, liet de emmer knarsen, probeerde het met knipoogjes.

Fanny ontmoet een andere tante

Het luik waarop Fanny al een paar minuten zo stond te trommelen dat haar vuist er bijna van gekneusd raakte, ging op een kier en daar verscheen het zure gezichtje van tante Clémence, achterdochtig, omlijst door de roze tierelantijnen van een ouderwetse nachtmuts. Fanny slaakte een kreet van verrassing. Tante Clémence van haar kant herkende bedaard haar niet, al vermeed ze het haar bij de voornaam te noemen. Ze keek Fanny aan met een uiterst gereserveerde zij het beleefde blik, maar tante Clémence was nooit erg hartelijk geweest en gaf de voorkeur aan Eugène, die echter weigerde haar te kussen omdat ze een zweem van een snor had.

'Het is wel laat om op bezoek te komen', zei tante Clémence afkeurend.

'Bent u dan verhuisd?' riep Fanny.

'Toe nou, ik woon hier al twintig jaar.' Ze lachte een beetje, zo merkwaardig leek haar de hypothese dat ze naar een ander dorp had kunnen gaan.

'Ik was het vergeten,' zei Fanny verlegen, 'alles lijkt hier zo op elkaar. Maar stelt u mij vlug gerust: leeft grootmoeder nog?'

'Natuurlijk!' Tante Clémence was geschokt, haar dunne lippen knepen zich samen.

'Mag ik binnenkomen?' vroeg Fanny.

'Het is na middernacht, je oom slaapt.'

Fanny verontschuldigde zich uitvoerig waarna tante Clémence, fijn en bleek als een verschijning, onder het voorwendsel dat het in de huiskamer inregende het luik dichtdeed, zonder Fanny uit te nodigen voor de volgende dag.

Fanny stuit op Lucette

Slechts gekleed in een hemd met schouderbandjes, haar kapsel in de war maar met volle wangen en een hoogrode kleur, leunde Lucette op haar ellebogen uit het raam, ondanks de kou, verbaasd dat Fanny daar stond te kloppen op het luik van haar eigen verloofde, die zij niet kende, en dan op een tijdstip als dit.

'Waar heb je die vertegenwoordiger van je gelaten?' zei ze met een brede glimlach. Fanny brabbelde wat, ze wist niet dat hier een verloofde van Lucette woonde. Achter haar in de felverlichte kamer lag de jongeman met ontbloot bovenlijf op een divan te kijken naar zwijgende beelden op een televisiescherm. 'Is dat een jongen uit het dorp?' kon Fanny niet nalaten te vragen. Dat was hij, en een prettige, rustige jongeman, Lucette mocht hem graag. Afgunstig ging Fanny weg, denkend aan haar neef Eugène. Hij kon zo goed zonder haar dat hij in het dorp waar hij bij zijn ouders woonde misschien al een of andere Lucette had gevonden, die door tante Colette glunderend zou worden onthaald!

De kerstnacht

Ofschoon het een heel speciale avond was en Lucette haar per se nette kleren wilde lenen, hield Fanny het toch bij haar oude regenjas en de zwarte rubberlaarzen, want het sneeuwde en de trottoirs waren modderig. In de hele straat, tot aan het eind van het dorp toe, waren de luiken wijdopen gebleven en alle namaakkaarsen op de grove kroonluchters brandden. Achter de gordijnen bewogen tal van figuren en Fanny zag hoe opgedirkte gedaanten vrolijk omhoogsprongen, hoe kinderen in glanzende kleren van kamer naar kamer huppelden. In de lege straat schalden de kreten. Hoog tilde Fanny haar laarzen op, in een lichte roes door de vreugde om haar heen. Toen zag ze, eerst naar een raam toe lopend en zich er vervolgens van afwendend, de handen op de heupen, in een wijde, blauwe jurk vol zilveren maantjes, sierlijk bewegend, het kapsel in een ongewone vlecht, tante Colette in hoogsteigen persoon, of een forse vrouw die sterk op haar leek. Fanny drukte haar voorhoofd tegen de ruit en riep, maar de vrouw liep alweer weg uit het vertrek, een huiskamer waar het een gedrang was van bedrijvige en vrolijke mensen. Dit was de feestjurk van tante Colette en diezelfde zware, haastige loop! Fanny zag geen tante Clémence of welke andere bekende dan ook; ze herinnerde zich echter hoe ze, die laatste keer bij grootmoeder, verbaasd was geweest over nieuwe kindergezichten, de familie was zo omvangrijk dat er altijd wel een vage neef uit een verre tak was die nog bij geen enkele gelegenheid was ontmoet. Ook tante Clémence kon op dit moment elders in huis bezig zijn, in de keuken waar ze op drukke dagen altijd gretig assisteerde. Maar aangezien ze zich niet vertoonde en tante Colette evenmin meer iets van zich liet zien begon Fanny, van top tot teen bevangen door de kou, op het raam te kloppen, eerst schuchter en daarna heftig, al kwam tot haar grote teleurstelling geen van haar twee tantes tevoorschijn. Geïntrigeerde gezichten wendden zich naar het raam; een strenge man liep op Fanny af en schikte onderwijl de knoop in zijn das, zonder zijn uitpuilende buik had hij best oom Georges kunnen zijn. Net als de huiskamer van grootmoeder en van bijna al Fanny's familieleden was ook deze behangen met benauwende, donkere rankenmotieven die in stompzinnige gecompliceerdheid omhoog reikten tot aan het zwaar drukkende plafond, en de muren waren getooid met beroemde taferelen, patronen die naarstig waren volgeborduurd, naast sierborden waar grote schelpen en gerverniste zeesterren uit staken. Ik vind dit toch wel het mooiste dat er is, peinsde Fanny. In het huis van grootmoeder hangt ook een kroon gemaakt van een echt juk met acht lampjes in de vorm van vlammen!

De man veegde de wasem van de ruit. Zonder open te maken schreeuwde hij met een ontevreden gezicht kortaf een mededeling waar Fanny het woord 'familiefeest' uit haalde, daarna deed hij de gordijnen dicht, en ofschoon ze deze keer niet het risico liep te worden neergekwakt, trok Fanny zich rap terug. Toen begonnen de kerkklokken te luiden voor de mis. Meteen stroomde de verlichte straat vol, een plotseling uit de huizen opgedoken mensenmenigte verspreidde zich over het modderige wegdek; Fanny zag Lucette, met roze pailletten in het haar, aan de arm van haar jonge vriend. Ze drukte zich stijf tegen een deur aan uit angst omver te worden gelopen en de bazin, die onverwachts in vol ornaat passeerde, wierp haar een afkeurende blik toe. Het hele dorp trok in de richting van de kerk; de kinderen sleepten hun speelgoed met zich mee; een paar loslopende honden dartelden door de grauwe sneeuw; op Fanny werd niet gelet. Hoe fijn had ze het vroeger niet gevonden om met grootmoeder mee naar de nachtmis te gaan! De hele familie vertrok gezamenlijk, oom Georges liep onderweg te schimpen op de oude pastoor, daarna bleef Fanny die niet ter communie kon in haar bank zitten wachten, enigszins jaloers maar dankbaar dat het kerkje haar met discrete mildheid binnen zijn muren wilde ontvangen, dat Eugène zich met gevouwen handen en gesloten ogen weer bij haar voegde, zijn wangen gebold en op zijn gezicht een uitdrukking van geveinsde boetvaardigheid.

Fanny kwam uit haar nis en haastte zich, inmiddels alleen, naar de kerk. De deuren waren dicht, het plein verlaten. Ze trok aan de klink en bracht bijna een jongeman die er aan de andere kant tegenaan leunde ten val. 'Niet binnenkomen, er is geen plaats meer, het is hier veel te benauwd', fluisterde hij gebiedend. Hij deed eigenhandig de deur weer dicht en liet Fanny buiten staan.

De volgende dag

In de vroege morgen, na een tocht door het dorp dat er log van slaperigheid en van bedaard, familiaal welbehagen bij lag, onder de met sneeuw bevrachte hemel die nog donkerder was dan de grijze, monotone gevels, klopte Fanny aan bij de mensen waar ze gisteren had gemeend een glimp op te vangen van tante Colette die door de huiskamer was gelopen, en ze moest lang geduld oefenen voordat een meisje in pyjama met een resoluut gezicht eindelijk opendeed. Op de vragen die Fanny stelde, met een strenge blik om het kind te imponeren, kreeg ze een bereidwillig antwoord; de vrouw in de koningsblauwe japon bleek een zekere tante Paulette op wie het meisje, haar nichtje, bijzonder gesteld was; ze was bij het aanbreken van de dag teruggegaan naar het nabijgelegen dorp waar ze woonde met haar zoon en haar man, wier respectieve namen de kleine meid niet kende omdat ze hen wegens een oud conflict met haar vader nooit had ontmoet. 'Zou het kunnen', riep Fanny uit terwijl ze het tere hoofdje van het kind beetgreep, 'dat je je een heel klein beetje vergist en dat die tante de naam Colette draagt in plaats van Paulette? Ach, je begrijpt het niet', ging ze geïrriteerd voort, toen ze de verbijsterde blik van het meisje zag. 'Maar het zou toch best kunnen, op jouw leeftijd haal je zoveel dingen door elkaar. Kom op, zeg dat je een tante Colette hebt, denk toch na!' Het gezicht van de kleine verstrakte en ineens schreeuwde ze, haar hoofd fier naar Fanny omhoog: 'Paulette, Paulette, Paulette!' Toen knalde ze uit alle macht de deur dicht. Fanny ging. Hoe dan ook, ik ben op zoek naar tante Leda, overwoog ze. En zou ze niet eerder verschrikt dan blij zijn geweest als ze op dit moment tante Colette was tegengekomen, nu ze zich enkel kon beroemen op een beroerd baantje als kokkin in de Dappere Haan en niets meer wist van de familie, zelfs niet hoe het ging met grootmoeder die ze op haar sterfbed had achtergelaten om te kunnen vertoeven in dit dorp, waar ze nog onverschilliger werd behandeld dan ze tot nu toe waar dan ook had meegemaakt, waar ze niemand zag die net zo was als zij? Ten overstaan van zoveel inconsequentie zou tante Colette beslist vervuld zijn geraakt van een duurzame verachting en zich gelukkig hebben geprezen dat Eugène afstand had genomen, al was hij ontegenzeglijk Fanny's volle neef.

3

In de slaapkamer

Dit was een lang en smal vertrek, grenzend aan het straatlawaai, net breed genoeg om er een tweepersoonsbed kwijt te kunnen dat alleen vanaf het voeteneinde bereikbaar was. Daarin sliepen getweeën Fanny en Lucette; een ander bed had er niet bij gepast; in het begin had Fanny zich een beetje gegeneerd gevoeld. Een felroze plastic stoel, een vurehouten commode, een hoogpolig Grieks tapijt dat nu geplet en smoezelig was, met meer was de kamer niet gemeubileerd en desondanks stootte je bij elke stap ergens tegenaan. Het oude behang, met bruine ruiten en oranje cirkels, vormde blaasjes aan het plafond. Het raam was hoog, vanwege het lawaai stond het nooit open. Op de eerste dag had Lucette Fanny's koffer gegrepen en hem, omdat ze er helemaal geen zin in had de krappe commode te delen, onder het bed geschoven, waar Fanny hem er iedere keer als ze een kledingstuk wilde pakken moeizaam onder vandaan trok. Als er maar een beetje op de matras werd gedrukt, was het al niet meer mogelijk de koffer tevoorschijn te halen; Fanny kon er dus niet bij als Lucette sliep, en omdat ze niet durfde te vragen of ze even mocht storen kon ze er evenmin bij als Lucette, zonder enig vermoeden te hebben van Fanny's ongemakkelijke situatie, gewoon op bed zat. Het kwam zelden voor dat Fanny, met haar veel langere werktijden, zonder Lucette in de kamer was; bovendien zat Lucette in de kamer vrijwel uitsluitend op bed; zo kwam het dat de koffer bijna nooit toegankelijk was voor Fanny, die weinig geld uitgaf aan kleren en iedere dag dezelfde oude broek van grijze katoen aantrok en een trui met een hardnekkige vetlucht, wat Lucette haar vanaf hun bed duchtig verweet. Op grond van haar eerbiedige affectie jegens Lucette durfde Fanny niet te vermoeden dat ze een boosaardig genoegen schepte in haar getob, of zelfs maar te overwegen dat Lucette, die nooit eens merkte dat ze het gebruik van de koffer belette, misschien niet zo gewetensvol en attent was als Fanny probeerde te geloven.

Lucette leek trouwens de kamer nog steeds te beschouwen als haar domein, en ze liet Fanny het beetje plaats waarover ze vergat zich te bekommeren of dat niet aansloot op haar behoefte aan comfort. Wanneer ze elkaar hier in de stille middaguren troffen om even uit te rusten, was het een vanzelfsprekende zaak dat Lucette in haar eentje het tweepersoonsbed in beslag nam, want ze vond het prettig om breeduit te liggen, te bewegen zoveel ze wilde, en dat Fanny genoegen nam met het kleed tussen de stoel en de commode, langs de muur waar de draden nog het dikste waren. Ze beweerde zo goed aan dat plekje gewend te raken dat Lucette zuchten slaakte als ze haar daar zag gaan liggen, alsof ze Fanny dat voorrecht misgunde. Fanny raakte ervan in de war, want ze was er niet op uit Lucette afgunstig te maken. Maar wanneer ze 's nachts naast Lucette mocht slapen, was dat zo'n beproeving dat Fanny de voorkeur zou hebben gegeven aan haar tapijtstrookje, als ze niet zo bang was geweest dat Lucette dan beledigd zou zijn, haar voortaan zowel het bed als het kleed zou ontzeggen en haar bij wijze van straf zou verplichten zich op de stoel te nestelen. Want in haar slaap vergat Lucette zelfs dat Fanny bestond; ze omklemde Fanny, duwde, stootte, kieperde haar om naar de wand, verpletterde haar daar onder haar volle gewicht, smoorde haar met een elleboog, drukte haar wang tegen de muur tot haar schedel bijna brak; en ze deelde schoppen uit, plofte plotseling met haar onbarmhartige heupen op Fanny's buik, en als ze droomde slaakte ze kreten die Fanny nog lang wakker hielden. Fanny stikte bijna in het bed van Lucette. Het vlees van haar vriendin Lucette nam alle ruimte in beslag en leek overal voorzien van ledematen, zodat Fanny in bed niet meer wist waar haar eigen lichaam was gebleven, verdwenen als het was in, onder dat van Lucette, dat geen grenzen had en een krachtige geur verspreidde. Verscheidene malen dacht Fanny dat ze zou sterven, gesmoord tegen de muur. Toch was ze Lucette vagelijk dankbaar dat die geen weerzin toonde, dat het haar niet kon schelen of dat lichaam wel of niet uit het dorp was: nooit kende Lucette enige aarzeling als ze boven op Fanny rolde, en alleen daarom al hield Fanny van haar, ondanks alles wat ze te verduren kreeg.

Lucette was niet ordelijk. Sinds de komst van Fanny was ze nog nonchalanter geworden. Iedere avond bleven haar kleren liggen waar het haar beliefde ze heen te gooien. Soms kostte het Fanny ondanks de lachwekkende afmetingen van de kamer moeite om Lucettes haarlint terug te vinden, haar slipje of b.h., die Lucette naar de meest onwaarschijnlijke plaatsen slingerde, waarna ze niet in staat bleek Fanny bij haar speurwerk te gidsen. Ze lag op bed te zwaaien met haar handen en zei op goed geluk, met vermoeide stem: 'Kijk hier eens... of misschien daar...' en vond het grappig Fanny onder het bed te zien kruipen of haar het kleed in alle richtingen te zien uitschudden. Met plezier bewees Fanny haar dit soort kleine diensten, die Lucette in een goed humeur brachten en er toch wel voor zouden zorgen, al was Fanny daar nooit zeker van, dat ze er geen seconde spijt van zou krijgen haar in het dorp te hebben gehaald. Ze waste ook Lucettes goed, wreef onder de douche haar rug en benen, maakte haar ogen op terwijl ze haar intussen complimenteerde.

4

De minachting van Lucette

Nog steeds was het Lucette onmogelijk om in te zien dat er enige waarde gelegen was in de onderneming van Fanny, die zich erbij neer moest leggen dat ze voor haar vriendin slechts de ongelukkige kokkin van de Dappere Haan was en door haar behandeld werd met een neerbuigendheid die noodzakelijkerwijs hoorde bij een situatie waar Lucette vroeger zo'n hartgrondige hekel aan had gehad. Wat kon Fanny zeggen?

DERDE DEEL

I

Lucette gaat heen

Op een avond merkte Fanny dat haar plaats in bed bezet was door Lucettes verloofde. Hij stak zijn verrukte hoofd boven de lakens uit terwijl Lucette, behaaglijk weggekropen zodat alleen haar gezicht nog zichtbaar was, knipoogde naar de zwijgende Fanny. Wat zou tante Colette van haar nichtje hebben gedacht, peinsde Fanny, als ze had kunnen zien hoe vol vertrouwen Lucette haar nu met allerlei expressieve gebaren verzocht zich bij hen te voegen, en gebiedend de deken terugsloeg opdat Fanny naast haar zou komen liggen? De jongen zelf, geboren in het dorp, draaide zich glimlachend naar Fanny toe, bood haar met een bemoedigende blik hun gastvrijheid. Maar toch, haar angst voor Lucette en de vriendelijke uitnodiging van de kant van de jongeman moesten het in haar binnenste afleggen tegen het beeld van tante Colette die afkeurend zei: 'En wat moet ik daar nu mee aan?' terwijl ze de ontstelde grootmoeder erbij haalde, de complete familie. Fanny wendde haar blik af van het bed en ging op het kleed liggen, razend op tante Colette, die vast niet met de herinnering aan haar strengheid het intieme samenzijn kwam verstoren van Eugène en een of ander meisje dat hij in zijn dorp had opgedaan. Natuurlijk viel tante Colette niemand anders lastig dan Fanny! Toch had tante Colette haar niet herkend, zich vergist in haar voornaam, er als een bezetene aan gewerkt om haar buiten te sluiten!

Het bed begon heftig te bewegen, plotseling waren Lucette en de jongen overeind, Lucette naakt, bleek, scheldend, ze deed het raam open en begon, niet erg doeltreffend gehinderd door de jongeman, diens spullen naar buiten te gooien, zich in haar kwaadheid heel ver de kou in buigend. De broek vloog door de lucht, een schoen, de verloofde probeerde Lucette om haar middel te grijpen. Fanny zag een kans haar vriendin ter wille te zijn. Ze kwam op haar beurt overeind en wierp zich uit alle macht op de jongen, gaf hem een dreun in zijn rug waar hij van kermde. Hij stortte neer op Lucette, Fanny verpletterde hem; er ontstond een verwarde situatie. Fanny timmerde op de lendenen van de verloofde, duwde als wilde ze hem vermorzelen, en toen tuimelde Lucette gillend over de vensterbank.

2

Fanny wordt serveerster

Na de dood van haar vriendin Lucette, die in het middaguur ter aarde werd besteld op de dorre, troosteloze begraafplaats aan de rand van het dorp, inmiddels ingesloten door nieuwbouw zoals een pas geopend supermarktje met een uithangbord dat aan- en uitflitste, nam Fanny haar taak over, nu ook tegen betaling, en daarnaast kwam op haar aandringen in de keuken een meisje werken dat onlangs vanuit een verre streek in het dorp was beland, en dat zou gaan trouwen met iemand uit de omgeving, een familielid van de bazin. Fanny trad tegen haar nauwelijks minder autoritair op dan Lucette had gedaan, ze was weinig geïnteresseerd in deze buitenstaander. En het stond haar al helemaal niet aan de jonge vrouw te horen beweren dat ze Fanny's vader kende, omdat ze in dezelfde provincie als hij was geboren en had gewoond. In de veronderstelling haar te vleien, was ze zelfs zo tactloos Fanny toe te vertrouwen dat ze bij de eerste oogopslag al een vermoeden had gekregen van Fanny's band met de voortreffelijke man die haar rijke vader in de opvatting van deze nederige jonge vrouw was. Ze zou nooit op het idee zijn gekomen dat Fanny afkomstig was uit een naburig dorp precies als dit, en dat ze daar een lieve grootmoeder had, met honden! Fanny vond haar verbazing kwetsend en beangstigend en stelde zich bruusk, hooghartig op, zonder dat het haar lukte de ander die er niets van begreep de mond te snoeren, en de jonge vrouw bleef haar bestoken met ontroerde toespelingen. Zou ze in het hele dorp rondvertellen wat voor eigenaardige struiken, schrale en vette, er in de tuin van Fanny's vader stonden, of over de merkwaardige, roodachtige kleur van de grond daar, waar men zich omzichtig maar hevig over zou verbazen? De jonge vrouw was er best toe in staat om, in de veronderstelling dat ze daarmee de belangen van haar nieuwe vriendin diende, en vanwege het genoegen te kunnen praten over een streek die ze nu al miste, een gedetailleerde beschrijving te geven van de hier onbekende kleren die Fanny's vader droeg, hetgeen reacties zou oproepen van afgemeten nieuwsgierigheid, beleefde aandacht, en al haar pogingen om voor een meiske uit de streek te worden versleten weer grondig teniet zou doen. Want die jonge vrouw kende geen enkele schaamte! Ze wilde juist, vol trots, dat de mensen wisten uit wat voor geheimzinnig oord ze kwam, en dat Fanny daar via haar vermaarde vader ook uit afkomstig was. In een poging haar in te tomen, verbood Fanny haar dan ook zich in de zaak op te houden; en als de jonge vrouw 's avonds, na het werk, door het café liep om naar huis te gaan, volgde Fanny haar op de hielen tot bij de deur, met haar onverzettelijke blik weerhield ze haar ervan ook maar iets te zeggen, waarna ze zich op luchtige toon een paar misprijzende opmerkingen over het meisje liet ontvallen waar geen acht op werd geslagen, zo weinig bekommerde men zich om de kokkin van de Dappere Haan.

Het serveren beviel Fanny goed. Ze had Lucettes beige overhemdblouse aangetrokken en, na wat vermaakwerk, de groengele rok met de talrijke plooien die Lucette op haar verheven stoel altijd zo graag om zich heen had gespreid. Fanny wist van aanpakken, ze kende de vaste klanten bij hun voornaam, ze was gedwee en gelijkmatig.

Twee maal per maand kwam oom Georges tussen de middag eten, na zijn vertegenwoordigersautootje voor het raam te hebben geparkeerd. Hij ging aan zijn vaste tafel zitten en bestelde een kalfsragoût; in zijn staalgrijze kostuum zag hij er wat anders uit dan Fanny die hem altijd op feestdagen had gezien zich herinnerde, en uit zijn valies haalde hij zeepmonstertjes die hij goedmoedig uitdeelde. Nooit liet oom Georges merken dat hij zijn nichtje Fanny had herkend. Hij neemt het me vast nog kwalijk, dacht Fanny, dat ik Eugène heb meegesleept, dit is zijn manier om mij te straffen. Maar wat kijkt hij onverschillig en passief als zijn blik toevallig op mij rust! Waar vindt hij toch de kracht om zijn eigen nicht zo kil te bezien? Ze draaide om Georges heen, beroerde hem met haar mouw, drukte voor de grap stukjes zeep achterover die ze hem schaterlachend teruggaf, op een keer noemde ze hem oom, zonder dat hij een spier vertrok. Toen hij haar een keer Lucette noemde riep ze uit: 'Ik ben Fanny, Lucette is er niet meer!' 'Och ja', knikte Georges hoffelijk. Was hij echt wel, vroeg Fanny zich af, haar oom Georges? Van alle kanten observeerde ze hem, en ondanks de onberispelijke ernst die ze onder alle omstandigheden aan de dag probeerde te leggen, werd als Georges kwam eten de bediening van de andere klanten sterk afhankelijk gemaakt van de wensen van haar oom, het ritme van zijn maaltijd. Fanny hield haar ogen nauwelijks van hem af en verwijderde zich pas na langdurig aarzelen van zijn tafel. Zelfs al deed hij om zijn misnoegen te laten blijken of hij Fanny niet kende, thuis hoefde hij zich in ieder geval niet in te houden en kon hij voldaan beweren dat zijn nichtje hem met voorbeeldig respect behandelde, waardoor tante Colette zich misschien zou herinneren dat zo altijd de houding was geweest van Fanny die, zich al zeer lang bewust van de onvolmaaktheid van haar geboorte, steeds haar best had gedaan om vergiffenis te krijgen en in eerbiedige nederigheid boete te doen voor de nalatigheid van haar ouders.

Gaandeweg werd Fanny zo stoutmoedig dat ze Georges nog uitsluitend aansprak met 'oom', of heel demonstratief met 'oom Georges', wat hem scheen te ontgaan want wanneer hij niet at, wijdde hij zijn volle aandacht aan de bontgekleurde stukjes zeep die hij op de tafel ordende, waar hij volgens een nauwkeurige rangschikking stapels van maakte, zijn hoofd zo diep over dat karwei gebogen dat alleen nog de bovenkant van zijn kalende schedel zichtbaar was. Sinds de laatste keer was oom Georges weer een flinke pluk haar kwijt! Tegenover de bazin en de kokkin kon Fanny niet nalaten de verdiensten van haar oom Georges te prijzen, tot grote verbazing van de jonge vrouw, die Fanny's vader imposanter vond dan deze onopvallende handelsreiziger. Uiteindelijk wilden ze geen van beiden geloven dat die klant Fanny's oom was, de een omdat ze nooit merkte dat hij een blijk van speciale belangstelling gaf, de ander omdat ze gewoonweg niet kon bevatten dat Fanny familie was van een zo onbeduidend personage, dat zoveel leek op andere mannen uit de streek.

Er barstte een onweer los, de TL-buizen die in dit seizoen om twaalf uur 's middags al brandden gingen uit, oom Georges was bijna klaar met zijn crème caramel. Hij profiteerde van het donker door een hand uit te steken naar Fanny die naast hem stond en zij, in de veronderstelling dat hij eindelijk iets zou zeggen, huiverde van vreugde. Ze boog zich naar haar oom die mompelde: 'In mijn auto, nu.' Ze gingen naar buiten, terwijl Fanny in verrukking voelde hoe Georges haar elleboog drukte. Ze liepen om het restaurant heen, het binnenplaatsje op waar hij die dag zijn auto had geparkeerd, en op aandringen van Georges gingen ze getweeën op de achterbank zitten, waar nog een paar kapotte stukjes zeep slingerden. Oom Georges zei niets meer maar drukte Fanny hijgend tegen zich aan. Hij omknelde haar zo stevig dat ze er last van begon te krijgen. Haar neus, diep in de hals van oom Georges met zijn onbekende geur, ging pijnlijk steken. Toch liet ze hem verbijsterd begaan. Oom Georges mocht toch geen enkele reden hebben om zich bij tante Colette over haar te kunnen beklagen? Hij moest toch ooit bereid zijn haar te erkennen, iets waartoe hij des te meer genegen zou zijn als Fanny in elk opzicht voortdurend blijk gaf van haar goede wil? Zwijgend plette Georges haar botten, en ten slotte kwijlde hij een beetje op Fanny's schouder, waarna ze zich zachtjes losmaakte terwijl hij op adem kwam, een hand ter hoogte van zijn hart. 'Als u mijn tante spreekt,' zei Fanny, 'vertel er dan wel bij dat ik, om u hiernaar toe te volgen, mijn werk in de steek heb gelaten.' 'Zeker, zeker', antwoordde Georges met afwezige blik.

Oom Georges ging waarschijnlijk een andere route rijden, want tot haar grote spijt zag Fanny hem niet meer. Ze troostte zich met de gedachte dat hij tante Colette vast en zeker een uitstekend verslag over haar had uitgebracht. Maar evenmin als ze erin slaagde ook maar enige informatie bij elkaar te sprokkelen over tante Leda, was geen van de vaste klanten van de Dappere Haan, door Georges toch zo royaal met stukjes zeep bedeeld, bij machte haar te vertellen wat er van hem was geworden, of wat dan ook hem betreffende. Haar nieuwe positie als serveerster bracht Fanny dus niet al het profijt dat ze ervan had verwacht.

3

Fanny heeft omgang

De jongeman die Fanny op een regenachtige avond in de schuur met de honden had gelaten en haar daarna nog indringend had aangekeken, ofschoon hij de hele nacht niet meer aan haar had gedacht, herinnerde zich opnieuw haar bestaan, en omdat hij in deze tijd van het jaar niet veel te doen had ging hij haar opzoeken in de Dappere Haan, waar hij uiteindelijk hele middagen bleef zitten. Hij nam achterin plaats, bestelde een biertje en hield zijn blik gericht op Fanny, die het steeds leuker vond hem terug te zien, al was ze niet zo weg van zijn barse trekken. Hij moest haar de verzekering geven dat hij echt in het dorp woonde, al zolang hij leefde. Hij had een wat rood gezicht en leek ouder dan hij was met zijn lange, dunne bakkebaarden die zijn wangen overwoekerden en waaraan hij voortdurend zat te plukken. Zelden wist hij iets te zeggen. Maar dat hij uit het dorp was, woog voor Fanny tegen al het andere op. Van wat voor nut zou voor haar iemand van buiten zijn geweest, hoe voortreffelijk ook? Die haar voorgoed weg van de dorpen zou hebben gehaald, bij de andere familieleden natuurlijk een beleefd onthaal zou hebben gevonden maar hen daarmee nog niet Fanny's mankement had kunnen doen vergeten. Fanny lachte de jongen toe zo vaak ze durfde. Ze meende zijn verdienste te zien oplichten in zijn doffe blik. Ze voelde zich gevleid dat ze ondanks alles bij hem in de smaak viel, en was hem daar dankbaar voor. Omdat het hem lange tijd genoeg was in het café te komen zitten en bedaard naar haar te blijven kijken, besloot ze de loop der zaken te versnellen. Onbeholpen maar vastberaden legde Fanny haar hand op het bovenbeen van de jongeman, ervoor zorgend dat de andere klanten het niet zagen en tegelijk voor hem een veelzeggende mimiek reserverend, al leek zijn gezicht haar van dichtbij nog minder aantrekkelijk en stonden zijn verdiensten niet meer zo duidelijk te lezen in zijn fletse pupillen waar nu een traag verlangen in ontwaakte.

'Neem me toch eens mee naar je ouders', fluisterde Fanny.

'Ze verwachten ons niet', zei hij verbaasd.

'Ik kan onmogelijk met je uitgaan of zelfs maar met je praten als je me niet aan je ouders voorstelt, als je me niet onmiddellijk meeneemt naar je huis', zei Fanny resoluut.

Ze stond alweer op het punt haar hand terug te trekken, terwijl de jongen onthutst nadacht.

'Het is zo', vervolgde Fanny, 'dat het gezicht van je ouders, hun manier van doen, de algehele uitstraling van jullie interieur, voor mij net zo belangrijk zijn als de charme van jouw persoon, die me onverschillig zou worden als aan bepaalde voorwaarden eromheen niet werd voldaan. Het is een noodzaak, begrijp me goed, dat je ouders net zo met me ingenomen zijn als jijzelf.'

'Wat doet dat ertoe?' riep de jongeman uit, en hij keek lichtelijk gekwetst.

'Mensen als jullie zijn in de beste positie om te oordelen over wat ik van mijn familie mag verwachten, in dit land dat het mijne is al wordt dat niet toegegeven. Val ik bij je ouders in de smaak, dan zal ik om dezelfde redenen bij tante Colette in de smaak vallen. Mag jij mij graag, dan kan ik ook mijn neef Eugène verleiden! Misschien', zei Fanny nog met schrille stem, 'valt de vergissing van mijn geboorte ongedaan te maken. En als ik tante Leda nu nooit meer vind? Zijn er andere mogelijkheden? Ik moet alles beproeven.'

Ze trakteerde de jongen op een hardhandige liefkozing, bang dat ze te veel had doorgedraafd en dat hij zou schrikken.

'Onze hond heet Leda', mompelde hij werktuiglijk.

'Maar die kan mijn tante niet zijn', zei Fanny met een lach.

'Ik zou best willen dat onze honden op je gesteld raken,' hernam de jongeman, serieus, 'want het zijn brave beesten, dat zul je zien.'

'Ach, honden zijn veel te ondankbaar', verzuchtte Fanny.

Omdat er mensen binnenkwamen stoof ze vervolgens door de zaak, met de nadrukkelijke glimlach die ze van Lucette had geleerd en tot de hare had gemaakt, net als de rok en de overhemdblouse; het was geen zeldzaamheid dat een verstrooide klant nog Lulu tegen haar zei, waarschijnlijk misleid, overwoog Fanny scherpzinnig, door het geelgroene rankenmotief: toch was zij Fanny, anders niet.

Wat later zorgde ze ervoor dat ze tegelijk met de jongen het café verliet. Ze pakte zijn arm, drukte zich tegen hem aan en liep mee naar de boerderij. Als alle dorpsbewoners haar zo eens konden zien! Fanny was zo trots dat ze opzettelijk een beetje moeizaam ging lopen en haar hoofd naar alle kanten draaide.

De ouders zaten in de keuken. Hun handen lagen werkeloos op tafel en kalm leken ze te wachten op de komst van hun zoon met Fanny, die zwijgend plaatsnam. De jongeman haalde glazen voor de dag en een fles zoete wijn. De ouders kwamen tot in de kleinste details overeen met het beeld dat Fanny zich van hen had gevormd op grond van de herinnering aan haar eigen familie, waar deze mensen deel van hadden kunnen uitmaken zonder dat daarmee iets zou zijn veranderd. In hun regelmatige gezichten, die wat nors en wantrouwig stonden, zag ze de vertrouwde trekken van ooms en tantes, en ze moest zich zelfs tot de orde roepen om zich weer te realiseren wie ze werkelijk waren en om haar genegenheid in bedwang te houden. De moeder droeg een bloemenschort waarvan Fanny het motief kende, de vader een blauwkatoenen tuinbroek met op een van de galgen de naam van de winkel waar Eugène, op de gevel van de Dappere Haan, nog steeds met een uitnodigende vinger naar wees. En op het gewelfde dressoir stond een met jonge katjes versierde kalender, en in een vergulde lijst de foto van de jongeman als stralende militair, en een barometertje dat was geschonken door een uitvaartonderneming, dit alles op gehaakte kleedjes. In grootmoeders keuken zou Fanny zich niet meer thuis en meer op haar gemak hebben gevoeld. Onderuitgezakt op haar stoel glimlachte ze de ouders overvloedig toe. Zo vlug mogelijk, overwoog ze, moest ze met deze jongen trouwen! De twee ouwelui, die nog steeds niets hadden gezegd en alleen een afwijzend gebaar hadden gemaakt toen de zoon wijn aan hen had aangeboden, zaten ieder om de beurt in zijn richting opmerkingen te mompelen waar hij zich ongemakkelijk van leek te gaan voelen en die Fanny ondanks haar inspanningen niet begreep. Ze spitste haar oren maar door hun sterke accent, specifieker dan dat van grootmoeder, kon ze de woorden niet apart onderscheiden. Bovendien kreeg ze de indruk dat ze hun best deden alleen voor de jongeman verstaanbaar te zijn, en op haar nadrukkelijk geglimlach kwam geen reactie, haar vriendelijke blikken stuitten op een en dezelfde uitdrukking van reserve en vooringenomenheid.

'Ze willen weten', kwam de jongeman enigszins abrupt, 'waarom je een hond van ons hebt doodgemaakt, op een nacht. Mijn vader heeft je gezien.'

'Ach,' riep Fanny, 'als ik had geweten dat het een hond van jullie was, had ik me liever laten verscheuren!'

Onthutst wilde ze haar verontschuldigingen aanbieden. Maar de moeder had haar armen over haar schort geslagen en de vader krabde aan zijn elleboog, zijn ogen strak op de tafel gericht.

'Ze willen ook weten', vervolgde de jongen met starende blik, 'waarom je dezelfde kleren draagt als de vorige serveerster, want ze vinden het vreemd dat je op die manier doet of je haar bent. Wanneer mijn moeder je door de caféramen ziet denkt ze altijd heel even dat het Lucette is, dat maakt haar in de war en kwaad op jou.'

'Het ging erom dat alles bij het oude zou blijven', murmelde Fanny.

De moeder siste afkeurend en schudde langzaam het hoofd, haar lippen samengeknepen, haar oordeel bepaald. De vader strekte een hand uit naar de tafel om de fles een paar millimeter te verschuiven, de zoon stond op en stelde voor dat hij Fanny naar huis zou brengen.

In het inmiddels gesloten café trok ze hem dicht naar zich toe; alles was misschien nog niet verloren; en zou de gele hond, afgejakkerd als hij was, intussen niet toch al een natuurlijke dood zijn gestorven en vergeten zijn? Al voelde ze zijn reserve, toch trok Fanny de jongen mee, niet naar haar kamertje, waar het geluid naar ze vreesde de bazin wakker zou maken, maar de keuken in, die nog warm was van alles wat er in de loop van de dag was gekookt. Ze zorgde dat hij op de tegels ging liggen en drukte zich tegen hem aan, een geur van frituurvet zweefde door de lucht en nestelde zich in de huid van de jongeman. Er krabde iets aan het raam. Fanny meende het silhouet te ontwaren van een grote, roerloze hond die haar strak aankeek, zijn tong uit zijn bek. Ze sloot haar ogen, deed ze weer open en zag zoals ze had gehoopt geen hond meer, alleen het kille schijnsel van de straatlantaarns, wat regendruppels op het glas. Ze trok en duwde aan de jongeman, die door de benauwde warmte in haar armen in slaap was gevallen. Beschaamd werd hij wakker en Fanny kon hem er niet toe brengen nog langer te blijven. Hij vertrok zonder haar zelfs een zoen te geven, afkerig van de vuilsporen op zijn kleren, met een rug vol uievelletjes en vetvlekken.

In het café vertoonde hij zich niet meer. Fanny hing rond in de buurt van de boerderij, niet dat ze de jongen miste maar ze raakte zwaar van streek bij de gedachte aan wat haar allemaal was ontglipt, zonder dat ze naar binnen durfde vanwege de ouders. Ze zag hem, rende naar hem toe en ging om zijn hals hangen.

'Nee nee,' zei de ander en maakte zich los, 'je begrijpt toch wel dat dit niet kan, na wat je hebt gedaan.'

'Mijn oom Georges doet hetzelfde!' riep Fanny.

De jongeman antwoordde dat oom Georges hem niet bar veel kon schelen, waarna hij kalm zijn weg vervolgde.

4

Georges

Juist op het moment dat Fanny zich herinnerde een verloofde te hebben gehad, met wie ze voor haar vertrek niet echt had gebroken maar die ze simpelweg was vergeten, kwam hij binnen in dezelfde kleren als de laatste keer, precies eender als in Fanny's gedachten waarin hij zojuist zonder duidelijke reden weer was opgedoken. Hij heette Georges en was even oud als Fanny. Ze bloosde hevig toen hij met een blije, trotse glimlach op haar toe liep. Hij had een brede borst, een knap, zelfverzekerd gezicht en hij leek zo sterk op Fanny dat men hen vaak voor broer en zus had aangezien, waar ze nu moeilijk tegen zou hebben gekund, en bij de vernederende herinnering daaraan fluisterde ze met schrille stem en afgewend gezicht, omdat hij daar maar bleef staan en zij er niet langs kon: 'En, wat wil je?'

'Maar ik ben het, herken je me niet?'

En hij noemde haar bij haar vroegere voornaam, langdurig en teder op iedere medeklinker zuigend. 'Die wil ik niet meer horen!' schreeuwde Fanny ontsteld. Behoedzaam keek ze om zich heen; in het geroezemoes en de drukte van het middagmaal waren Georges' woorden waarschijnlijk tot niemand anders doorgedrongen dan tot haar. 'Tegenwoordig ben ik Fanny, doe je best je niet te vergissen', zei ze bitter. Georges knikte welwillend waarna hij, omdat ze erop had gewezen dat ze het druk had, onopvallend naar een vrij tafeltje wilde, maar zij hield hem tegen en verklaarde dat hij in geen geval in de zaak kon gaan zitten omdat zijn aanwezigheid haar te veel zou hinderen. Reeds wendde de bazin haar onverschillige blik naar hen toe. Een paar klanten sloegen hen kalm gade, in afwachting van hun eten. Hoe zouden zij allen zich opstellen als ze te weten kwamen dat die jongen Fanny's verloofde was geweest en zich waarschijnlijk nog steeds als zodanig beschouwde? Zouden ze bereid zijn nog één seconde langer geloof te hechten aan al wat Fanny beweerde over het dorp van grootmoeder en over haar eigen familie? Tussen hem en oom Georges bestonden verschillen waarvoor geen rechtvaardiging mogelijk was. Waar Georges precies vandaan kwam had Fanny trouwens nooit geweten en ze durfde het hem nu niet meer te vragen, uit angst dat ze hem een of ander absurd en ver oord zou horen noemen. Georges, haar verloofde, kwam nergens vandaan! Niet wetend wat ze voor het moment met hem moest, bracht ze hem naar haar kamer. Om er helemaal zeker van te zijn dat hij zich niet beneden zou vertonen sloot ze hem op, ondanks zijn betuigingen van gehoorzaamheid.

Georges legde uit dat hij haar was komen halen. Hij was bij Fanny's vader geweest en diens huisknecht had hem naar het dorp van de ansichtkaart gestuurd; vandaar was hij rechtstreeks hiernaar toe gekomen, nadat hij onderweg dezelfde mensen had ontmoet als Eugène en Fanny, alleen was hij een beetje verbaasd dat zo'n lange tocht hem uiteindelijk tot op enkele kilometers van het dorp van grootmoeder had gebracht, waar Fanny's reis naar hij wist was begonnen. En vervuld van de grootste onrust beende Georges door de kamer. Hij herinnerde Fanny aan de trouwplannen die ze hadden gemaakt voordat ze ervandoor was gegaan, aan allerlei beloften die ze had gedaan, blijken van liefde die ze had gegeven, waar haar niets meer van bij stond, waarvan het haar nu onvoorstelbaar leek dat ze ze ooit had geformuleerd. 'Toe nou zeg, je overdrijft', bleef Fanny met een toegeeflijk glimlachje herhalen. Al wat zij zich aangaande Georges herinnerde, was samengebald in een gedachte die tante Colette had verwoord toen Fanny haar een keer een foto van haar verloofde had laten zien: 'Als je me er niet bij had gezegd om wie het gaat,' had tante Colette uitgeroepen, 'had ik gedacht dat jij het was!'

Georges' gezicht boezemde Fanny nu alleen nog afkeer in. Maar hij wilde niet weg. Buiten zichzelf van teleurstelling vloog hij op Fanny af terwijl hij haar uitmaakte voor onbetrouwbaar schepsel, en hij noemde haar bij haar echte voornaam, schudde haar heen en weer en duwde ruw tegen haar aan. Wat stonden Georges z'n omgangsvormen en zijn manier van spreken ver van haar af, constateerde Fanny verrukt! Niettemin weigerde

Georges om nu meteen al weg te gaan, hij koesterde nog enige hoop. Hij sliep op het kleed aan het voeteneinde van Fanny's bed, en liet zich in de kamer opsluiten wanneer Fanny 's ochtends vertrok, want zij had ook liever niet dat hij zou worden gezien in de straten van het dorp, waar de mensen een vermoeden hadden kunnen krijgen van zijn relatie met haar of zich misschien in hun hoofd hadden gehaald dat hij familie van haar was, als ze hem al niet gewoonweg voor Fanny zelf hadden aangezien. Had ze tijd genoeg dan kwam ze hem de restanten van het middagmaal brengen; ze snauwde hem af, tergde hem met haar voet als ze hem liggend aantrof, en zonder dat Fanny hem zag vertrekken verdween Georges ten slotte, tot haar grote opluchting. Aangezien niets er meer op duidde dat hij langs was geweest, was Fanny hem weldra weer zo volkomen vergeten alsof ze nooit iets met hem te maken had gehad.

5

In het dorp van tante Colette

Sinds Fanny's komst in de Dappere Haan was de regen alleen gestopt om gedurende een aantal dagen plaats te maken voor schamele sneeuwvlokken die een kortstondig leven hadden, en opnieuw regende en regende het, opnieuw leek het toch al zo karige licht nog gedempter te worden, leken de dagen nog verder te slinken.

Een vrachtwagen parkeerde voor het café, er kwam een Fanny onbekende chauffeur binnen, ze groette. Op weg naar zijn tafeltje wierp ze een blik door het raam. Op de wagen stond in grote bruine letters: LEDA Transporten. Fanny schoof een stoel bij en ging tegenover de man zitten terwijl ze hem op haar meest innemende glimlach vergastte waar hij met verrast, gevleid plezier op reageerde. Lag er op zijn hoogrode gezicht niet iets, peinsde Fanny vol verlangen, van de baatzuchtige, begerige, vaderlijke uitdrukking van oom Georges toen hij Fanny had overmeesterd op de achterbank van zijn autootje, waar haar voor het eerst enig uitzicht was geboden op de mogelijkheid dat ze misschien ooit, ondanks alles, zijn nichtje zou zijn – dat er, kortom, vergeving voor haar in het verschiet lag? Want, zo zei Fanny nu in zichzelf, hij had haar niet zonder een soort huiselijke tederheid omhelsd.

Nadat zij haar vragen over hem had uitgestort, vernam Fanny van de man dat het hoofdkantoor van LEDA Transporten was gevestigd in het dorp waar nog altijd tante Colette en oom Georges woonden! Hij ging er net naar terug en vond het geen probleem om Fanny, die het hem vroeg met een stem vol emotie, nu meteen mee te laten rijden.

'Hoe zit het met die LEDA Transporten?' vroeg Fanny terwijl ze de man bij zijn mouw greep. 'Vanwaar die naam?'

'Dat is de naam van mijn baas.'

'Zou uw baas mijn tante Leda kunnen zijn?' riep Fanny uit.

'Ik denk het niet', zei de man zonder het te begrijpen.

Om de voldoening te smaken iets te kunnen beweren waarvan hij zeker was, voegde hij eraan toe dat een bijfiguur uit een tv-serie die hij op dit moment volgde, 'Witte Jassen', de naam Leda droeg, een mooie, rijpe vrouw met rood haar. Toen stond hij op en haastig ging Fanny haar koffer halen. Op haar gemak liep ze naar buiten – de bazin was niet in de buurt – en ze nam plaats naast de trucker voor wie ze nu al een diepe dankbaarheid voelde en ook de specifieke sympathie die de brede, purperkleurige gezichten uit deze streek (zo heel anders dan het fijne, smalle gezicht van Georges) bij haar opriepen.

Onderweg naar het dorp van tante Colette voelde ze zich blij dat ze dat andere dorp achter zich had gelaten. Ze hadden haar daar over tante Leda niets verteld dat haar niet nog een beetje meer in de war had gebracht, bijvoorbeeld door haar in te lichten over een hond die zo heette, en zowel tante Clémence als oom Georges, wier aanwezigheid daar verwarrend voor haar was geweest, waren uiteindelijk een teleurstelling gebleken en hadden weinig respect getoond, wat Fanny verdrietiger maakte dan wanneer ze openlijk vijandig waren geweest. Ze was wel van plan om na haar aankomst, als oom Georges het nog niet had gedaan, tante Colette op de hoogte te stellen van de toewijding die zij jegens haar echtgenoot had getoond door voor hem haar werk in de steek te laten terwijl het middagmaal in volle gang was. Bij haar eerstvolgende bezoek aan grootmoeder zou ze trouwens niet nalaten haar onbarmhartig te informeren over de slechte manieren van tante Clémence. Fanny verheugde zich over alles wat ze tegen iedereen te zeggen zou hebben. Dat ze zo'n warme belangstelling had voor het doen en laten van de familie en dat ze grootmoeder en tante Colette van een en ander op de hoogte stelde, kon haar alleen maar tot voordeel strekken. Eugène was er zo een die de familie uitsluitend gebruikte en haar niet eens de eerbied betuigde waar ze recht op had.

Fanny zat er comfortabel bij, haar koffer op haar knieën, de kraag van haar regenjas omhoog. De man was druk aan het woord terwijl hij intussen door de felle regen heen de weg in het oog hield en Fanny, die niet luisterde, reageerde met wat uitroepen en kreetjes. Op een bepaald moment hield hij halt op een onverharde weg en met een brede, welwillende glimlach, een hartelijke blik, wendde hij zich naar Fanny. Daardoor ging hij zo'n sterke gelijkenis met oom Georges vertonen dat Fanny ervan in de war raakte. Onbeholpen pakte hij haar vast, Fanny vroeg zich vliegensvlug af wat ze uit dit onverwachte contact zou kunnen halen, connecties misschien met de baas die Leda heette. Hij drukte haar tegen de ruit net als oom Georges had gedaan, net als Lucette haar tegen de muur van de kamer had gedrukt, en duwde haar alle kanten uit met grote, onhandige gebaren die Fanny opzettelijk niet afzwakte. Iedereen in deze omgeving kan me van nut zijn, overwoog ze, en ook al hoor ik hier, ik moet niet gaan voorschrijven hoe anderen zich dienen te gedragen maar me onderwerpen en bescheiden opstellen, al blij als ik geen irritatie wek. De lucht was zo grijs, de regen zo dicht dat je nauwelijks iets kon zien. De gelaatstrekken van de man vervaagden, en toen hij weer rechtop ging zitten en Fanny eindelijk losliet, kon ze niet meer onderscheiden wie hij werkelijk was en vermengden zich in haar geheugen allerlei gezichten die erop gespitst waren haar een loer te draaien. Om niet het risico te lopen dat ze zich de naam van oom Georges of van haar eigen vader zou laten ontvallen, of die van haar neef Eugène, deed Fanny er het zwijgen toe. De man zat tevreden een verhandeling te houden. Hij reed snel en keek zorgeloos. Ze kwamen door het dorp van grootmoeder, langs het huis waarvan de luiken waren gesloten en dat op de ongeruste Fanny een verlaten indruk maakte, als woonde er niemand meer. Ze nam zichzelf voor zo gauw mogelijk te informeren hoe het met grootmoeder ging. Maar voor het moment wachtte haar een dringender missie, moest ze ongemakkelijk toegeven, want ze was op weg naar het dorp van tante Colette waar LEDA Transporten was gevestigd, een zo bemoedigende samenloop van omstandigheden dat het niet veel scheelde of Fanny zag zichzelf al uit de zorgen.

Ze reden het dorp in een paar minuten nadat ze dat van grootmoeder hadden gehad. Het lag midden tussen de kale velden, omgeven door silo's. De van haar windwijzer beroofde kerk stond hoog naast de rijweg die de trottoirs had opgeslokt. Het dorp van tante Colette leek zo sterk op de naburige plaatsjes dat Fanny ging geloven zich in feite helemaal nooit te hebben verroerd, totdat ze aan de grijsblauwe muren het huis van haar oom en tante herkende, waar ze als kind vaak was geweest. Niet veel verder zette de chauffeur haar af, en Fanny vond het jammer dat hij alweer weg was voor hij had kunnen zien dat ze aanklopte en daarmee het bewijs leverde dat ze overal waar ze zei echt wel familie had! Ze rende naar het afdakje boven de deur om zich tegen de regen te beschermen. De straat was stil en leeg: de auto's die in een lang spoor van opspattend water voorbijreden verbraken niet de eindeloze verdoving die eeuwig en verstard bleef hangen, als afkomstig uit de wijde, tot rechthoeken gesneden velden waarvan de aanwezigheid rondom zich liet vermoeden en waar tegenwoordig alleen nog de eenzame maaidorsbindmachines doorheen trokken. Ze drukte op de bel; de deur van tante Colette ging open en een meisje, Fanny onbekend, groette terug.

'Ik ben het nichtje van tante Colette!' riep Fanny meteen.

'Ze is er niet', zei het meisje met het aardige, gewone gezicht. 'En Georges en Eugène ook niet.'

'Waar zijn ze dan?'

Fanny leek zo teleurgesteld dat het meisje ongerust werd. Zou zij de verloofde van Eugène zijn? vroeg Fanny zich af terwijl ze een nauwkeurige studie maakte van haar manier van doen en de uitdrukkingen op haar innemende gezicht. Kan het zijn dat ze hier haar intrek al heeft genomen? Want het meisje droeg pantoffels en grove krulspelden in allerlei kleuren. Vriendelijk legde ze uit dat tante Colette de vorige dag was vertrokken naar de hoofdstad en daar logeerde bij haar zus, Fanny's moeder. 'Niemand heeft me van al die dingen op de hoogte gesteld!' riep Fanny bitter. Wat oom Georges betrof, die doorkruiste de streek zoals zijn beroep vereiste, de eerstkomende dagen werd hij niet thuis verwacht. En Eugène zwierf rond op zoek naar een baantje: zijn contract met de doe-het-zelfzaak, vertelde het meisje, dat in haar teleurstelling niet kon nalaten haar lippen opeen te persen en haar wenkbrauwen te fronsen, was niet verlengd. 'Had hij maar naar mij geluisterd,' zei Fanny, 'was hij toch maar bij me gebleven!' Het meisje echter haalde onverschillig haar schouders op en liet daarmee op zo'n wrede manier merken hoe weinig druk ze zich maakte over het vooruitzicht van een concurrentiestrijd met Fanny die daar stond in haar oude, krappe regenjas (en zou ze over haar al niet meermalen genoeg hebben gehoord dat haar gerust kon stellen?) dat Fanny zich uit het veld geslagen voelde. Ze bekeek de ander, die vast en zeker bij tante Colette in de smaak was gevallen, met bewonderende eerbied en plotselinge sympathie, vervuld van nederigheid. Ze werd naar binnen gevraagd. Het meisje bood haar thee aan, ongedwongen rondsloffend. Fanny nam plaats in de keuken, voor de tafel waarop een zeiltje lag, en onder de degelijke slijtage ontdekte ze het motief met de bladeren, eikels en paddestoelen dat ze samen met Eugène zo genoeglijk had ontrafeld, vroeger, toen ze van tijd tot tijd werd meegenomen om 's zondags bij haar neefje te gaan spelen.

Het meisje was zwijgend in de weer. Elk voorwerp hanteerde ze zoals ook tante Colette het had kunnen doen, met ongedwongen nonchalance. Fanny durfde zich niet te verroeren, al brandde ze van verlangen om te gaan kijken of in de zitkamer van tante Colette de collectie folkloristische poppetjes, elk gevangen in hun plastic koker, nog in de glazen kast stond; of boven het dressoir met het zondagse servies, lang geleden aangeboden als huwelijksgeschenk, nog steeds de drie geweren van oom Georges hingen, tegen het behang met het landlevenmotief; en vooral, of op de televisie nog steeds een foto stond van Fanny als kind terwijl ze lachend een van grootmoeders honden omarmde. Maar het meisje kwam niet met het voorstel om ergens anders dan in de keuken te gaan zitten. Ze zou zich waarschijnlijk hebben geërgerd, en misschien zou ze het grinnikend aan tante Colette hebben gemeld, als Fanny was opgestaan en zonder haar toestemming was gaan rondneuzen. Ze schonk de thee in een kopje met een hulstmotief, schoof het Fanny toe en begon hevig zuchtend haar krulspelden uit te halen. De ene na de andere speld legde ze op het tafelzeiltje, en de kroeskrullen gaven haar plotseling een volwassen, vermoeid gezicht. Was dit niet tante Colette zelf, in de naderende schemering? Hoe juist was het toch, mijmerde Fanny afgunstig en ontmoedigd, dat in plaats van Fanny, ook al was die familie, dit meisje verloofd was met Eugène en de sympathie had van tante Colette! Want was zij niet tante Colette in eigen persoon?

Na het meisje, dat hoffelijk deed of het haar interesseerde, ervan te hebben verwittigd dat ze op haar beurt naar haar moeder zou gaan, in de stad, en zich daar bij tante Colette zou voegen, nam Fanny afscheid en ging op zoek naar LEDA Transporten, waarvan het kantoor zich volgens de aanwijzingen van de trucker aan de rand van het dorp zou bevinden. Fanny moest ruim een kilometer door de regen voordat ze er was. Tussen een maïsveld en de tweebaansweg bevond zich een soort bouwvallige loods, met daarnaast een barak die als secretariaat diende. Ervoor stonden een paar vrachtwagens, maar mensen zag Fanny niet. In het houten gebouwtje zat alleen een vrouw te typen, in het schijnsel van een gloeilamp die aan het plafond hing. Ze ging helemaal op in haar werk en gunde Fanny nauwelijks een blik.

'Ik zou graag uw baas spreken,' begon Fanny, onzeker door het stilzwijgen, 'er is me verteld dat hij Leda heet.'

'Ach welnee.'

Geërgerd dat ze uit haar werk werd gehaald, zei de vrouw snel en beslist: 'Hij wordt zo genoemd maar Leda is de naam van de firma en niet van de baas. Het zijn beginletters. Leda betekent: Loyaal, Enthousiast, Deugdzaam, Actief. U zult verkeerd zijn voorgelicht.'

'Dus Leda is niet iets of iemand?' vroeg Fanny verbaasd.

'Iets noch iemand', antwoordde de vrouw voldaan.

'En toch bestaat er een Leda, zelfs al kunt u me niets over haar vertellen!' protesteerde Fanny.

'Wat voor Leda? In de dertig jaar dat ik hier woon, heb ik nog nooit van een Leda gehoord.'

En abrupt kapte de vrouw af, zich weer verdiepend in haar werk, naar het leek totaal niet meer denkend aan Fanny, die naar buiten ging en in de reeds invallende duisternis langzaam terugliep naar het dorp. Verkleumd, uitgeput, passeerde ze het huis van tante Colette waarin een blauwachtig licht glansde. En nog steeds waren de trottoirs verlaten, en gesloten het enige café en het kruidenierswinkeltje waarvan de etalageruit besmeurd was met onleesbare graffiti.

6

Fanny gaat weg

Ze kwam bij het station, kocht een reep chocola, een kaartje, en wachtte op het uitgestorven perron tot de eerstvolgende trein kwam die op weg was naar de hoofdstad, waar ze samen met haar moeder haar hele tienertijd had gewoond. Fanny vond het des te moeilijker zich daar tante Colette voor te stellen omdat ze zich niet herinnerde dat iemand van de familie ooit bij hen op bezoek was geweest. Bovendien had tante Colette er een hekel aan om te reizen, haar huis in de steek te laten en overbodige kosten te maken. Fanny durfde niet te hopen dat ze op reis was gegaan om haar, Fanny, tegen te komen: dat vergde de veronderstelling dat oom Georges geen melding had gemaakt van hun weerzien in de Dappere Haan en dat tante Colette zo naar haar nichtje smachtte dat ze zich ertoe had gezet de trein te nemen om haar te ontmoeten, hetgeen niet waarschijnlijk was. En verder sprak tante Colette weliswaar niet hardop haar afkeuring uit over de levenswandel van haar zuster, maar dat ze zich om het genoegen van haar gezelschap zou verplaatsen leek toch evenmin aannemelijk. Fanny kon nauwelijks wachten tot ze zou weten welk motief tante Colette ertoe had gebracht haar reis te ondernemen. En ze stelde zich voor dat er een noodlottige samenhang was tussen tante Leda, naar wie ze alles terugvoerde, en de expeditie van Colette.

Ze was de enige die in de trein stapte. Op het plastic van de oranjekleurige banken dommelden een paar mensen. Uit angst dat hij zou worden gestolen ging Fanny op haar koffer zitten, en ze dutte in. Maar toen ze kort voor het aanbreken van de dag wakker werd lag ze languit op de grond, midden tussen de klokhuizen, stukjes papier, platgetrapte kauwgum, en was haar koffer verdwenen, evenals haar regenjas die ze niet eens had uitgetrokken. Ze had gedroomd dat Eugène haar er teder van ontdeed! Ze liep de drie rijtuigen door, inmiddels leeg omdat alle reizigers vóór de hoofdstad waren uitgestapt, en ze moest door zo veel gevarieerde viezigheid waden dat haar schoenen besmeurd raakten. Door de groezelige raampjes gloorde een zwak licht boven de eindeloze voorsteden. De lucht trilde en huiverde in de motregen. Nieuwbouwtorens leken heen en weer te zwenken, hijskranen waren al in actie, achter een venster langs de spoorbaan ging het licht aan en in een flits zag Fanny gestalten, een man in zijn keuken, terwijl de trein een fluittoon produceerde en overal langs de beroete gevels gordijnen deed opfladderen van de wind. Onthutst zat Fanny te bibberen. En al was Eugène haar regenjas komen uittrekken, zoals ze in haar droom voor zich had gezien, en al had hij zich in één moeite door haar koffer toegeëigend om er vervolgens vandoor te gaan, had ze ook maar enige aanleiding dat te veronderstellen en de achtervolging in te zetten? Zware rookwolken verduisterden de dageraad, opstijgend van een stortplaats waar vuil werd verbrand. Nu reed de trein boven een autoweg en Fanny boog zich voorover in de hoop dat ze in de stroom grauwe wagens misschien die van oom Georges zou ontdekken. Van boven af leken ze traag en in stilte te vorderen, als in een droom! Er kwamen nog saaie, rechthoekige huizen, keurige tuintjes met dichte heggen, ongewone, onverhoedse steden verhieven zich met al hun disparate bouwsels nieuw en ver de lucht in, en een volumineus betonnen standbeeld, voorstellende iemand die gevangenzat en pijn leed, maskeerde een kort moment het licht – en raadselachtige loodsen, onveranderlijk van golfplaten, op kale landjes langs de rivier, schaars begroeid met gras. Voor de supermarkten die geleidelijk opengingen stonden lange rijen in elkaar geschoven wagentjes, auto's kwamen al aanrijden, de kofferbakken stonden wijdopen en werden methodisch volgeladen. Na een oorverdovende tunnel reed de trein in de druilerige regen het station binnen, onder de glazen overkapping vol galmende geluiden. Fanny sprong op het perron, waar het wemelde van reizigers uit de voorsteden die op weg waren naar hun werk. Meegesleept door de stroom deed ze een paar passen in de richting van de uitgang en botste plotseling tegen haar moeder op. Niemand meer of minder dan

Fanny's moeder, in een nieuwe mantel, een bruine bontjas! Het duurde even voor ze elkaar herkenden en ze waren zo verrast dat ze er niet aan dachten elkaar ook meteen te kussen. Fanny vond dat haar moeder in die jas, die ze nooit eerder had gezien en waar ze hogelijk verbaasd over was, veel weg had van een elegante berin.

'Helaas, meisje van me,' riep de moeder en ze zwaaide met een koffer in Schotse ruiten, 'ik moet er snel vandoor, over een uur stap ik in het vliegtuig!'

'Maar je hebt nog nooit gevlogen', zei Fanny verbluft.

'Ja toch is het zo, vandaag pak ik het vliegtuig.'

Ze haalde een sleutel uit haar zak en stopte die in Fanny's hand, 'Ga naar huis, daar tref je tante Colette. Ik weet nog niet wanneer ik terugkom. Tot ziens, kleine meid. Wie had gedacht dat ik je hier zou ontmoeten!'

7

Thuis

Het station ontvluchtend, terwijl ze intussen in zichzelf zei dat ze graag als vroeger met haar moeder zou zijn meegegaan waar dan ook naar toe, maar dat het normaal was dat die het haar niet had voorgesteld, misschien, trouwens, via tante Colette wist dat Fanny op zoek was naar Leda en voor een dergelijk plan alleen maar respect kon opbrengen, begaf Fanny zich zonder aarzelen noordwaarts waar haar moeder woonde, naast de ringweg, in een uitgedijde wijk vol kakelbonte en verweerde muren, op de eerste verdieping van een hoog flatgebouw, niet ver van een automobielfabriek: een wijk die van alle gemakken was voorzien, zoals ze graag benadrukte. En dat had grootmoeder vaak met voldoening herhaald, al was ze er zelf nooit geweest. Maar dat Fanny's moeder het onderscheidingsvermogen had gehad zo'n praktische plek uit te kiezen, waar ze helemaal niet ver weg hoefde om boodschappen te doen, naar de film te gaan of naar haar werk in een charmante kapsalon, droeg in niet geringe mate bij tot de knorrige grootmoedigheid die de familie haar betoonde, want zoveel inventiviteit, zoveel vernuft, een zo flatteuze gewiekstheid (werd niet trots, met toch een blik of er geen belang aan werd gehecht, verteld dat Fanny's moeder een uitgeslapen type was en haar zaakjes goed wist te regelen?) wogen tegen heel wat fouten uit het verleden op. Wat was Fanny als ze vroeger in het dorp kwam trots geweest dat ze in deze ideale wijk woonde! Want in die tijd zweefde om haar heen de glorie van haar moeder, die zich een positie had veroverd in de mysterieuze stad – al was ze er soms wel even van de wijs geraakt, had ze er nu en dan iets van haar volmaakt gezonde verstand verloren.

Fanny repte zich door de brede straten van de buurt, verrukt bij de gedachte aan het naderende weerzien met tante Colette. Ze holde bijna, en voelde zich nu volstrekt niet moe of ongerust. Maar de flat bleek leeg. In haar eigen kamer, door haar moeder waarschijnlijk aan tante Colette beschikbaar gesteld, stond alleen nog een karbies, die ze herkende omdat ze die al eens aan tantes arm had gezien. Meteen trok Fanny de tas open maar tot haar teleurstelling vond ze niets anders dan een gekreukelde foto. Vaag was daarop tante Colette te zien, met een eigenaardig verjongd gezicht half liggend op een divan, in een dikke bontmantel die leek op de jas van Fanny's moeder en waarvan ze de twee slippen tussen duim en wijsvinger bijeenhield. Ofschoon de afbeelding haar niet aanstond borg Fanny de foto in de achterzak van haar broek. Moest ze er nu niet van uitgaan dat tante Leda noodzakelijkerwijs slechts via tante Colette kon worden benaderd, dat ze niet hoefde te hopen Leda te kunnen opsporen zolang ze niet wist waar tante Colette, wier onvoorziene afwezigheid haar trouwens niet gemakkelijk viel, ergens ronddwaalde? En zelfs al zou ze erin slagen de hand te leggen op welke tante Leda dan ook (Fanny grinnikte bitter bij de gedachte dat ze evengoed met een hond bij de familie had kunnen aankomen en zeggen 'Dit is Leda', zonder dat men daar veel aanstoot aan zou hebben genomen, als het beest maar volgzaam was en goed kon jagen), wat had ze aan een overwinning die tante Colette bij gebrek aan aanwezigheid niet op de juiste waarde zou kunnen schatten? Fanny wist niet meer waar ze heen moest om Leda te zoeken; uit haar dromen van de afgelopen nachten kon ze zich geen enkele aanwijzing herinneren. Misschien zou tante Colette haar helpen, want zij was Fanny nu waarschijnlijk gunstiger gezind dan destijds bij de verjaarsdagsmaaltijd van grootmoeder. Maar tegelijkertijd vroeg Fanny zich angstig af of tante Colette wel terug zou komen, want ze had geen kleren achtergelaten, niets dat erop duidde dat ze hier was geweest, op de oude karbies en de foto na. Fanny's moeder had haar zoals gewoonlijk weer eens misleid, of ze had uit nonchalance en haast de plank misgeslagen. Wat haar moeder zelf betrof, Fanny zou er niet onder gebukt gaan als ze nooit meer terugkwam: ongewild had haar moeder haar tot nu toe minder goed gedaan dan last bezorgd, zo eindeloos groot was haar onverschilligheid. Toch zou Fanny's schaamte geen grenzen meer hebben gekend als haar moeder had besloten niet van haar reis terug te keren en elk contact met de familie te verbreken. Gelukkig maar dat de familie ondanks alles meer overwicht over haar had dan Fanny's moeder dacht!

Fanny stelde zich erop in op tante Colette te gaan wachten; ze liet haar eigen kamer vrij en verplaatste haar bed naar de woonkamer.

8

De wijk

De flat. – Tot de voldoening van Fanny's moeder dat ze op deze plek woonde droeg in niet geringe mate bij het feit dat ze voor dit privilege veel meer moest betalen dan wat maandelijks werd neergeteld door haar verwanten in de dorpen, waar ze zelfs in de categorie van de ruime huizen niets zou hebben kunnen vinden met een even hoge huur als haar lawaaierige, donkere flatje. Grootmoeder schepte soms nog weleens op dat haar dochter voor zo'n onderkomen haar halve salaris kwijt was. Zijzelf zou niet tot zo'n offer hebben kunnen besluiten, net zomin als de rest van de familie, die perplex stond en zichzelf gelukkig prees maar er toch een situatie in zag die bewondering zo niet afgunst verdiende, omdat hiermee het bewijs geleverd leek dat het niet iedereen was gegeven op deze plek te wonen, dat je dat moest verdienen of over eigenschappen moest beschikken die bijzonder genoeg waren om er, in het verborgene, voor te zorgen dat je deze situatie boven elke andere verkoos. En natuurlijk, als er familieleden op bezoek waren gekomen, zouden ze het aan hun eigen onkunde en lompheid hebben geweten dat ze geen enkel voordeel zagen in het bewonen van zo'n gebouw, deel uitmakend van een aftandse, uitgestrekte wijk, te midden van het niet aflatende gegrom en de dampen van het verkeer. De woonkamer zag uit op de ringweg; om die reden vond Fanny's moeder het ondanks het rumoer de aantrekkelijkste kamer van de flat, want ze lag graag op de canapé te kijken naar de auto's die zich de stad in haastten en zag dan soms een spectaculair ongeluk: in deze moderne woonkamer met de diepe, zachte stoelen in lichte kleuren, met de wandrekjes vol naïeve snuisterijen uit exotische landen, konden de ramen weliswaar niet open maar hoefde je je nooit te vervelen.

De supermarkt. – Beneden aan de flat, en dit had de keuze van Fanny's moeder voor juist deze behuizing beïnvloed en wekte dan toch wel de afgunst van alle vrouwen in de familie, vormden zich bij de langgerekte, onuitputtelijke supermarkt vanaf de dageraad geduldige groepjes die voor de gesloten deuren stonden te wachten, verstard bij de etalage in de kilte van de winterochtenden alsof ze zich, ook al wisten ze heel goed, iedere dag weer, dat ze te vroeg zouden zijn en dat de winkel onmetelijk groot was (wie kon beweren dat hij de hele zaak rond was geweest?), desondanks wilden verzekeren van een plaats, of het heel specifieke, opwindende, intense genot wilden smaken om vóór alle anderen over de koele, schone, bijna weer nieuwe tegelvloer te glijden, om ongeremd, iets te hard, door de enerverende uitgestrektheid van de gangen, tussen de schappen die sinds de vorige dag weer op geheimzinnige wijze waren verrijkt, de grote, nog lege kar met de gedraaide wieltjes te duwen – alsof ze, en dat leek waarschijnlijker, tegen alle ondervinding in hoopten dat ze als een van de eersten bij de kassa's zouden zijn, voordat zich daar de eindeloze rijen hadden gevormd die zich altijd, los van het tijdstip, los van het aantal personen die men had gemeend naar binnen te zien gaan, door de hele winkel slingerden of in gecompliceerde krullen voortkronkelden, zonder dat duidelijk was waar al die mensen, al die verschillende gezichten vandaan kwamen, krachtens welk merkwaardig feit ze daar plotseling, nog maar nauwelijks na zonsopgang, bijeen waren, en altijd eerder dan jij een plek vonden bij de kassa's, die toch zo talrijk waren dat je blik ze niet allemaal kon omvatten en een heel leven in deze wijk te kort was om te kunnen stellen dat je bij elk van die kassa's minstens één keer had betaald. Voor Fanny was er geen groter genoegen geweest dan haar moeder naar de supermarkt te vergezellen. Ze gingen erheen zodra de zaak open was en bleven tot 's avonds, aten tussen de middag boven in de cafetaria: het was niets meer of minder dan een feest (zou Fanny trouwens in staat zijn geweest te zeggen welk van de twee, het supermarktfeest of grootmoeders verjaardag, het kostelijkste was?).

De kapsalon. – Een bijna even groot genoegen was het vroeger voor Fanny wanneer ze aan het eind van de dag haar moeder ging afhalen bij de kapsalon. Op het uitgestrekte, onverharde terrein van de supermarkt stond ook die salon, onder een bovengronds stuk metrolijn, en had Fanny's moeder zin in een verzetje dan gingen ze weleens vanuit de kapsalon naar de supermarkt, louter om het plezier een nieuw produkt, een nieuw voorwerp te bekijken en er daarna te blijven eten, al was het niet veel bijzonders (maar ook Fanny's moeder was enorm gesteld op de vrolijke achtergrondmuziek in de cafetaria).

In de kapsalon was het altijd vol. In feite waren er voortdurend zoveel mensen, van alle leeftijden en allerlei slag, dat het noodzakelijk was gebleken om vanaf de buitendeur een gang te maken, smal genoeg om te voorkomen dat er twee personen naast elkaar in pasten en bedoeld voor het indammen, het in toom houden van een menigte die zich, opeengepakt in de vestibule, zou kunnen laten meeslepen in kwalijke uitspattingen. Aan het eind van de gang bevond zich een klep, die de moeder van Fanny zo oordeelkundig mogelijk moest bedienen: dat was haar werk. Als ze zag dat een kapster bijna klaar was met haar klant, duwde ze een hendel omlaag en liet zo veel personen vrij als er kapsters beschikbaar waren, die zich uitsluitend met hun eigen taak moesten bezighouden, en niet geacht werden zelfs maar opzij te kijken. Van Fanny's moeder werden voortdurende aandacht en een scherpe blik gevergd, want in de salon werkten meer dan vijftig kapsters. En acht uur lang bleef ze daar bij de klep staan, een hand op de hendel, in een elegant, bleekgroen uniform, zonder dat er, tot haar eigen trots en tot trots van grootmoeder die van de kleinste details op de hoogte was, enig spoor van vermoeidheid te bespeuren viel op haar glimlachende, plezierige gezicht, dat zich onmerkbaar bij wijze van groet toeneigde naar iedere persoon die enigszins wankelend uit de gang tevoorschijn schoot, na het openen van de klep voortgestuwd door de druk van de in de pijplijn samengeballde mensendrom, die steevast een ontevreden gemompel liet horen als de klep zich met een strenge klap weer sloot.

De bioscoop. – Net als voor de supermarkt en de kapsalon, hoefden Fanny en haar moeder alleen maar de weg over te steken om op zaterdagavond nu en dan naar de film te gaan. Ze keken er het programma niet op na want al wisten ze niet precies welke, ze wisten wel welk soort films er in Eldorado werden gedraaid en hielden gelukkig allebei van ruwe verhalen over karatevechters en dappere politiemannen met harde, scherp getekende gezichten. Ze waren er ruim op tijd om de beste plaatsen te bemachtigen, in het midden; en Fanny's geluk was compleet als haar moeder, na voor de vorm wat te hebben getalmd, de ouvreuse riep en Fanny luisterrijk een notenijsje cadeau deed, vergezeld van de raad om er lang mee te doen. De stoelen, bekleed met versleten oranje, waren verfraaid met gelige vlekjes en er was met onuitwisbare inkt zorgvuldig op geschreven. Soms werden de dialogen overstemd door de schelle, krachtige stemmen van de jongelui die zich achterin zaten op te winden of geheimzinnig en onophoudelijk lachten, dus Fanny en haar moeder hadden er nooit iets op tegen om de ene na de andere zaterdag dezelfde film te zien en te proberen de betekenis ervan volledig te doorgronden. Ze vonden het reuze komisch als ze in staat waren gebleken drie keer achter elkaar naar een film te kijken zonder zich te realiseren dat het nog steeds dezelfde was!

Het park. – Wat grootmoeder echter niet wist was dat het lang geleden aangekondigde plan om tussen de supermarkt en de bovengrondse lijn een fraaie groenvoorziening aan te leggen, om ingewikkelde redenen niet bleek te kunnen worden gerealiseerd. Fanny's moeder beklaagde zich daar nauwelijks over, zij zou geen tijd hebben gehad om in het park te gaan wandelen, zelfs niet op zondag want dan moest ze strijken en keek ze naar een heel grappig tv-programma.

9

Tante Colette komt niet terug

Fanny bleef op tante Colette wachten totdat de levensmiddelen-voorraad in de koelkast en in de keukenkastjes op was. Uit voorzorg verliet ze de flat geen moment: mocht tante Colette terugkomen zonder dat zij er was, bijvoorbeeld om de foto op te halen waarop ze een verrassende bontmantel droeg, en weer vertrekken voordat zij was teruggekeerd, dan zou Fanny dat zichzelf niet vergeven. Ze zou trouwens zonder spijt, zonder zelfs om enige uitleg te vragen, die foto aan tante Colette hebben teruggegeven, zo verlegen was ze met dat beeld van haar tante, gezeten op een onbekende divan. Maar voorlopig hield Fanny de foto; en ze voelde zich er zo verantwoordelijk voor dat ze die nergens anders wilde bewaren dan op haar eigen lichaam, in een broekzak.

Noch tante Colette noch Fanny's moeder liet iets van zich horen. Haar moeder moest haar baan in de kapsalon hebben opgegeven. Het was nog een geluk dat Fanny haar op haar weg uit het station tegen het lijf was gelopen en op die manier iets van haar had kunnen vernemen – van haar moeder, die zo vrij zou zijn geweest het vliegtuig te nemen, ertussenuit te knijpen zonder nog één gedachte aan haar dochter te wijden, want terwijl ze niet eens wist dat Fanny van plan was geweest een hele tijd niet naar huis te komen, had ze nog geen minimaal berichtje op de keukentafel achtergelaten, iets waar Fanny gebelgd over was, volgens haar het resultaat van steeds verdergaande zorge-loosheid. Wat moest tante Colette hebben gedacht toen ze zag hoe haar zus leefde? Had het haar milder gestemd tegenover Fanny? Maar Fanny wist dat haar moeder vergiffenis kon krijgen terwijl haarzelf niets vergund was, ondanks haar smartelijk stre-ven naar een onberispelijk gedrag jegens de familie, en een respectvolle liefde. Fanny was in alles dubbel zo schuldig als haar eigen moeder ofschoon ze zelden iets verkeerds had gedaan, zo luidde de harde familiewet.

10

Een baan

Fanny had geen geld meer en vond werk in de hamburgerzaak van de wijk. Onder in een pasgebouwde toren, op een weids plein waar de wind over de grote tegels joeg, maakte het etablissement zich kenbaar door middel van roze letters die, tot in het centrum van de stad zichtbaar, hoog aan- en uitflitsten, en ook door een reusachtige ballon die licht en grillig, voorzien van dezelfde gezwollen letters, hing te zweven aan de top van de ranke toren, alsof die uitsluitend gebouwd leek om zo'n verheven vlucht mogelijk te maken. De ballon was voor Fanny altijd al een herkenningspunt geweest, en toen ze werk zocht was ze als vanzelf die kant uitgegaan, vol vertrouwen omdat hij er zo vrolijk en roze uitzag, zo sierlijk en boordevol beloften heen en weer deinde. Maar met tegenzin verwijderde Fanny zich van de flat, want volgens haar stond vast dat tante Colette precies dit moment zou uitkiezen om terug te komen, alvorens weer opnieuw te vertrekken. Of de hardnekkige kou moest haar ertoe brengen even te blijven. Maar zou tante Colette, als ze zag dat Fanny er woonde, haar niet liever ontlopen, kon ze ook maar enige animo koesteren om Fanny te ontmoeten als ze haar niet iets te verwijten had? Fanny zag overigens niet wat tante Colette haar had kunnen aanrekenen, na de attenties waarmee ze oom Georges had overladen en na de terugkeer van Eugène in de schoot van het gezin (nog afgezien van het feit dat Eugène haar misschien, zoals Fanny maar steeds bleef denken, in de trein haar koffer en regenjas had ontstolen, al had ze dat niet echt gezien en was ze evenmin bij machte een plausibele reden voor die vermetele daad te bedenken). Er bleef haar niets anders over dan te proberen iedere avond vroeg naar huis te gaan, desnoods de hele weg hard te lopen door de allemaal eendere straten, waar ze tussen de groezelige gebouwen nogal eens de weg kwijtraakte. Maar haar dienst, die tegen elf uur 's ochtends begon, duurde tot laat in de avond, niet dat dit contractueel was vastgelegd maar het zou niet terecht zou zijn geweest om als er nog steeds mensen binnenkwamen zomaar ineens te stoppen op basis van louter schriftelijke en trouwens al oude bepalingen, en op die manier een goede voortgang van het werk te dwarsbomen. Fanny begreep dat de zaak, dat was haar duidelijk te verstaan gegeven, offers vergde. Ze was ingezet bij de vervaardiging van de hamburgers, waarvoor al een dertigtal jongelui in de weer was. Ze kreeg een wit met roze gestreept jasschort aan en een kalotje op met wippende oren voorzien van haar naam, Fanny, en de naam van het restaurant. Staande achter een lange toonbank, net voorbij de kassa's die bijna even talrijk waren als in de supermarkt, op een plaats die het haar als ze opkeek mogelijk maakte de hele zaal in ogenschouw te nemen en die de klanten op hun beurt alle gelegenheid gaf haar aan het werk te zien, een afleiding die ze zich zelden lieten ontgaan waarbij sommigen langzaam doorkauwend zelfs op hun stoel klommen, ondanks het verbod om ten eerste je voeten op het stevige meubilair van roze plastic te zetten en, ten tweede, de tijd die je voor je maaltijd nodig had onrechtmatig te verlengen, garneerde Fanny met tomaten en augurken de broodjes waar haar buurvrouw een plak gemalen vlees in had gestopt, te midden van zo'n geroezemoes, aangevuld met de schallende, niet aflatende deunen (Fanny kon ze 's avonds niet uit haar hoofd krijgen, haar dromen werden ermee opgesmukt) van een door het restaurant in het leven geroepen radiozender, dat elk gesprek onmogelijk was, wat het werk overigens ten goede kwam. Een jonge vrouw in donkerder roze volgde ijverig en streng de bereiding van de hamburgers; en op een zware lei die om haar hals hing noteerde ze met wit krijt de voornaam van de personeelsleden wier vlijt, efficiëntie, netheid, goede manieren en glimlach door haar het positiefst werden beoordeeld, met het risico dat de inzet maar even hoefde te verflauwen of ze haalde er een grote spons overheen die ze in haar andere hand heen en weer zwaaide en 'mijn zieltje' noemde. De aldus onderscheiden medewerkers hadden de kans om op een goede ochtend hun gezicht boven iedere kassa te zien prijken, in een vergulde lijst versierd met zogenaamde lauweren, plus de voldoening om voor een tiental dagen speciale kleding te mogen dragen: een zilverkleurig jasschort met een ceintuur waarvan de gesp bestond uit twee engelenvleugels. Bovenal mochten ze dan de hoop koesteren sneller achter de kassa te belanden, een positie die iedereen ambieerde en waarin, zo meende men, een hogere waardigheid gelegen was. Iedereen deed dan ook vleierig en zoetsappig tegen de jonge vrouw. Op het grote feest dat het restaurant iedere zomer organiseerde en waarop kwistig met buttons en T-shirts werd gestrooid was er geen enkele bediende, geen enkele medewerkster die er niet voor vocht haar een arm te mogen geven of een ijshoorntje te offreren, haar met een anekdote of roddelpraatje aan het lachen te maken.

II

Tante Colette?

Opkijkend van haar werk, wat ze één of twee keer per uur deed om uit te rusten, zag Fanny opeens wie er de zaak binnenkwam en zich naar de kassa's begaf, tante Colette in bontmantel, waaronder nu en dan, als de jas van voren uiteenweek, het onwaarschijnlijke blauw glinsterde van haar feestjapon. Fanny kon een kreet niet onderdrukken. Ondanks de verbaasde protesten van haar collega's liet ze broodje, tomaat en ui in de steek en ondernam een poging om aan de andere kant van de eindeloos lijkende toonbank te komen. Voortdurend hield ze tante Colette in het oog. Bestelde haar tante daar niet een hamburger, terwijl haar ene hand de kraag van haar jas dichthield met een gebaar dat Fanny nog nooit van haar had gezien en er op haar vlezige, ontevreden gezicht een ongeduldige uitdrukking lag die Fanny weer heel goed kende? Maar Fanny mocht rennen wat ze wilde, ze kwam nauwelijks vooruit. Steeds weer dook er een obstakel op dat haar afremde: een groep medewerkers versperde voor de grap de weg, haar kalotje viel en schoot onder haar voet, steeds verder strekte de toonbank zich uit en tante Colette werd steeds kleiner, verwijderde zich bij elke stap! Weldra zag Fanny haar niet meer. Toen ze eindelijk de andere kant had bereikt was tante Colette verdwenen, haar maaltijd had ze waarschijnlijk meegenomen want Fanny zag haar aan geen enkel tafeltje zitten. In wanhoop liep ze langzaam terug naar haar post. Haar escapade kwam haar op een strenge berisping te staan, en ze werd van de lci geveegd. Maar hoe was het te verklaren dat Fanny voortaan, iedere keer als ze opkeek, tante Colette binnen zag komen en meteen weer naar buiten zag gaan, steeds in dezelfde kleren, zo snel dat Fanny zelfs geen tijd meer had het op een rennen te zetten, en altijd met een chagrijnige, misnoegde blik, alsof ze kwaad was dat ze zich in een zaak als deze moest vertonen maar niet anders kon? En al dook ze constant in de snackbar op, nooit vertoonde tante Colette zich in de flat van Fanny's moeder, evenmin trouwens als Fanny's moeder zelf. Toch moest tante Colette ergens in de buurt wonen, anders had ze niet zo vaak op dezelfde plaats kunnen verschijnen, gedreven door bedoelingen die Fanny, al dacht ze er voortdurend over na, niet bij machte was te raden. Want stel dat tante Colette te weten was gekomen wat Fanny tegenwoordig deed, was het dan denkbaar dat ze het nu leuk vond haar zo te kwellen? Dat ze haar geen tekens gaf, veinsde haar niet te kennen, ervandoor ging voordat Fanny haar kon bereiken? Tien, twintig keer per dag liep tante Colette naar binnen en naar buiten, schielijk, breed en zwaar in de lange mantel die ze koppig dicht bleef houden. Fanny was bang dat het gedrag van haar tante, die inmiddels de aandacht moest hebben getrokken, op den duur een verdachte indruk zou maken, en dat de smaad van een terechtwijzing zich uiteindelijk tegen haarzelf zou keren. Maar wat was het moeilijk om niet op te kijken!

12

Fanny en haar collega's

Toen Fanny hier verzeild was geraakt had ze geen speciale nieuwsgierigheid gewekt omdat de meeste personeelsleden, woonachtig in de wijk, in veel opzichten op haar leken, zo zelfs dat ze vaak de illusie had in een willekeurige collega Georges of zichzelf te herkennen, en dan met haar ogen moest knipperen of even moest nadenken om dat bedrieglijke spiegelbeeld te verjagen. Wel waren de anderen verbaasd dat ze Fanny heette; er werd veel gelachen toen ze probeerde grootmoeders dorp te beschrijven, en niemand wilde ooit geloven dat zo'n dorp bij haar hoorde en dat zo'n authentiek personage haar grootmoeder was. Onder gelach werd haar gesommeerd haar echte voornaam op te biechten. 'Ik ben Fanny en anders niet!' schreeuwde ze, rood van machteloosheid. Dat tal van meisjes om haar heen de voornaam droegen die zij verborgen hield, die haar onbezonnen ouders voor haar hadden uitgekozen en die tante Colette zich niet meer kon herinneren, zou al reden genoeg zijn geweest om die naam weg te moffelen, want de gezichten van die meisjes verschilden naar Fanny's gevoel zo weinig van haar eigen gezicht dat ze, als ze bij die naam was genoemd, onvermijdelijk, zonder het zelf te merken, in de groep zou zijn opgegaan, niet meer zou hebben geweten dat ze krachtens haar ware aard Fanny was, met een tante Colette en een neef Eugène. Want door stug te blijven volhouden dat het niet waar was, wilden ze per se dat zij dat vergat! En met een schalks gezicht stelden de meisjes allerlei hamburgers samen terwijl ze intussen de draak staken met die Fanny, die zo'n extravagante herkomst had verzonnen. Ze spraken haar aan met 'zuster' en weigerden aan te nemen dat Fanny niet één van hen was. Nooit had Eugène 'nicht' gezegd! Ze hadden het idee dat Fanny al die fabels en aanstellerijen te berde bracht uit stompzinnige verwaandheid, uit een niet erg verheffende afkeer van zichzelf. Het geïrriteerde medelijden dat haar welwillendste collega's nog voor haar wisten op te brengen zwol aan wanneer Fanny de gevouwen, gekreukelde foto van tante Colette in bontmantel uit haar zak haalde en die liet zien als pover bewijs van wat ze vertelde.

13

Kortstondige terugkeer

Omstreeks het middaguur zag Fanny plotseling haar moeder binnenkomen, in dezelfde kleren als op het station, nonchalant haar mooie koffer met de Schotse ruit heen en weer zwaaiend. Ze sloot aan bij een rij die voor een kassa stond, haar blik gevestigd op het lichtgevende bord waarop alle hamburgers uit het assortiment waren afgebeeld, en het lukte Fanny om, na toestemming te hebben gevraagd, haar moeder te bereiken voordat die haar bestelling had opgegeven. 'Daar heb je mijn kleine meid!' riep Fanny's moeder uit, nauwelijks onder de indruk. Ze wilde haar omarmen maar werd gehinderd door de koffer en de wijde, harige mouwen van de nieuwe mantel. Glimlachend zoende ze een paar keer in de lucht.

'Wie had gedacht dat ik je hier zou treffen!'

'Waar is tante Colette?' vroeg Fanny, haar armen gekruist over haar schort.

'Ja hoor eens, dat weet ik toch niet! Ik kom net van het vliegveld en ben over twee uur weer weg.'

'Ga je niet naar grootmoeder?'

'Geen tijd! Waarom zou ik? Is er soms iets bij haar veranderd?'

'Dat wil zeggen ze gaat dood!' hijgde Fanny met knieën die trilden van woede.

'Je overdrijft!'

Fanny's moeder bestelde twee flinke hamburgers en twee porties friet, waarna ze op haar horloge keek en haar koffer neerzette om op Fanny's wang een kleine, spitse kus te drukken, haar hand met de papieren zak intussen in de hoogte houdend; ze wendde zich af en liep naar de uitgang waar een man die Fanny niet kende en die een beetje op haar vader leek haar bij de arm nam; ze vertrokken, terwijl de krullen van Fanny's moeder vrolijk tegen haar kraag sprongen. Toen kwam, vluch-

tig, tante Colette binnen. De twee zusters leken elkaar niet te
zien. Fanny was weer terug achter haar toonbank, en omdat ze
wist dat tante Colette er al vandoor zou zijn als het haarzelf nog
maar nauwelijks zou zijn gelukt in een draf de kassa's te bereiken verroerde ze zich niet maar probeerde ze, vervuld van pijn,
met een gloeiende huid, niet meer naar haar te kijken.

14

Fanny wordt caissière

Omdat Fanny's houding en werk alle reden gaven tot tevredenheid, en ook op grond van de stilzwijgende regel dat voor de
hamburgerproduktie nooit een langdurig beroep mocht worden gedaan op de jongelui met de prettigste gezichten, zelfs al
was een prettig voorkomen hoe dan ook een noodzakelijke
voorwaarde om te worden aangenomen en werden lelijkerds
onherroepelijk afgewezen, schoof Fanny door naar kassa nummer tien, met een hoger mutsje op en een extra portie vriendelijkheid en voorkomendheid in haar takenpakket. Het was
verboden te glimlachen zonder anderen een blik te gunnen op
je tanden, die er opaalkleurig en argeloos uit moesten zien; in
welke omstandigheid dan ook het woord nee te gebruiken; ter
ontspanning tegen de kassa te leunen; en, ten slotte, welke
opmerking dan ook te maken die ertoe zou leiden dat de klant,
die recht had op maximaal vijfenveertig seconden, een seconde
langer dan noodzakelijk bleef talmen. Gretig aanvaardde Fanny
haar nieuwe functie. Maar een schrijnend toeval wilde dat vanaf
de dag dat ze zich fris en beleefd achter haar kassa posteerde,
tante Colette nooit meer in welke gedaante dan ook het restaurant binnenkwam, terwijl Fanny de dag ervoor nog zo'n dertig
keer had gezien dat ze in haar jas of simpelweg in haar blauwe
japon zonder reden naar binnen was gelopen, een paar stappen
had gezet en haastig was verdwenen. Nu Fanny de mogelijkheid
had met haar te praten was ze in rook opgegaan! Ofschoon haar
moeder niet meer was gekomen, kon Fanny niet nalaten een
verband te leggen tussen dat korte bezoek en de plotselinge
afwezigheid van tante Colette, die daar overigens niet meteen
op was gevolgd, dat moest Fanny toegeven. Maar dat haar
moeder op dit punt in staat was geweest haar schade te berokkenen dacht Fanny toch wel, hetzij dat ze haar zus uit vage
voorzichtigheid had geadviseerd niet meer in Fanny's buurt te

komen, misschien omdat ze had gehoord hoe Fanny zich op grootmoeders verjaardag had gedragen, met het idee, misschien, dat Fanny haar tante vervelende vragen zou stellen, hetzij haar had verboden Fanny nog langer te achtervolgen, mocht dat het streven van tante Colette zijn geweest. 'Mijn kleine meid heeft niets meer uit te boeten!' had Fanny's moeder misschien naïef gezegd. 'Ze heeft veel meer liefde en respect voor de familie dan ik, zij maakt zich ongerust over grootmoeder terwijl ik, zonder iemand iets te zeggen, er met de eerste de beste vandoor vlieg!' 'Zeker, zeker, wie maakt zich meer zorgen over de familie dan Fanny', zou tante Colette hebben geantwoord.

Omdat ze hardnekkig wegbleef begon Fanny, moe van het vergeefse uitkijken, er een gewoonte van te maken om, eerst terughoudend maar vervolgens bij iedere klant, navraag te doen naar haar twee tantes, Leda en Colette, zichzelf voorhoudend dat het dom zou zijn al die mensen langs zich heen te laten gaan zonder te proberen er haar voordeel mee te doen. 'Kent u tante Leda? En waar is op dit moment tante Colette?' fluisterde ze met snelle stem en nauwelijks bewegende lippen terwijl ze het wisselgeld teruggaf. Maar er was zo veel geroezemoes dat ze het zelden hoorden, meestal niet eens merkten dat Fanny iets had gezegd. Wie het had verstaan schudde het hoofd, blies zijn wangen bol: ze hadden zelfs nog nooit iemand ontmoet die zo heette. 'Zelfs geen dier?' hield Fanny aan, ontmoedigd. 'Zelfs geen hond, reu of teef?' Haar woorden vervlogen in de stampende muziek, of in een opgewekte, geestige reclame voor het restaurant waar iedereen om moest glimlachen. 'Zelfs geen teef?' zei Fanny nog eens, maar beide namen bleven iedereen onbekend. Als ze durfde liet ze tevens de foto van tante Colette zien. Een man meende haar divan te herkennen; hij maakte een schunnige opmerking; voortaan hield Fanny de foto verborgen. De afbeelding was trouwens onduidelijk, kon het in feite niet evengoed haar moeder zijn, wier gelaatstrekken weliswaar fijner waren maar toch niet zo verschillend van die van tante Colette? Fanny's moeder had het goedmoedige, vriendelijke, brede familiegezicht geërfd terwijl Fanny zelf, in de woorden van grootmoeder, sprekend haar vader was, en nooit hadden tante Colette of tante Clémence haar net zo aardig om te zien gevonden als een bepaald nichtje met smalle bleke wangen en een trots neusje, dat recht en brutaal op haar gezicht stond en voortdurend leek te zeggen: 'Nou wat zou dat!' In aanwezigheid van tante Colette had Fanny een dergelijke onbeschoftheid niet eens durven fluisteren!

15

Weerzien

Zich stevig vastgrijpend aan de kassa stond daar ineens Georges voor Fanny, met een vastberaden blik. 'Ben je daar alweer!' riep Fanny die net aanstalten maakte om over haar tantes te beginnen en ontstemd op Georges' vingers trommelde.

'Welke informatie kun jij me geven?' siste ze misprijzend.

'Ik kom je halen', zei Georges kalm.

Zijn vertrouwde, resolute gezicht maakte Fanny woedend. Hij fronste zijn wenkbrauwen precies zo als Fanny! Ze boog zich naar hem toe en gaf hem een oorvijg, werd toen rood omdat de directie het misschien had gezien. Ze negeerde Georges, die niet had geprotesteerd, en ging zich bezighouden met de bestelling van de volgende klant. Haar eigen wang gloeide! 'Wil je maken dat je wegkomt?' mompelde ze zodra ze kon. Maar Georges, iets meer naar achteren nu, verroerde zich niet. Beschaamd deed Fanny of ze hem niet meer zag, bang als ze was dat de mensen zouden denken dat ze samen iets hadden.

Bij de uitgang greep Georges haar bij een arm en trok haar opzij. Ze voelde zich inmiddels milder, want het was donker; niemand zou haar hebben herkend of zelfs Georges van haar hebben kunnen onderscheiden.

'Kom mee naar mij thuis,' zei hij terwijl hij zachtjes aan haar bleef rukken, 'mijn moeder en mijn zussen wachten op ons.'

'Maar m'n beste Georges, jij zult me over tante Colette niets kunnen vertellen!'

'Toch wel, juist wel.'

Hij glimlachte zelfverzekerd, zonder Fanny los te laten. Hij droeg dezelfde kleren als vroeger, een helblauw nylon jack, gesloten tot onder zijn kin en strak om zijn slanke middel, een fluwelen pofbroek tot op de knie en laarzen als die van Eugène, met spitse punten die naar boven staken. Fanny aarzelde, zuchtte en liep toen met hem mee, terwijl de hand van Georges zich stevig om haar arm klemde.

16

Lieve familie?

Georges woonde aan de rand van de wijk in een groot langwerpig flatgebouw, op iedere verdieping afgelijnd met smalle galerijen die zo lang waren dat als twee personen elk aan een uiteinde stonden ze elkaar nauwelijks konden zien. In die donkere gangen waar al in de ochtend het licht brandde hadden de kinderen hun speelplaats ingericht, want buiten spelen was onmogelijk doordat zich aan de voorkant van de flat een parkeerterrein uitstrekte waar voortdurend honderden auto's stonden, terwijl aan de achterkant de ringweg liep. Georges voerde Fanny tot aan de vijfde galerij. Ondanks het late uur hingen er in de doorgang nog wat jochies rond; ze stonden daar wijdbeens en vol bravoure, knipperden met hun ogen en namen Fanny arrogant, geniepig en afwachtend op.

De vier zusjes van Georges, die flink waren veranderd sinds Fanny hen de laatste keer had gezien, vielen haar om de hals. Georges' moeder omhelsde haar ontroerd. 'Goeienavond, meisjelief', zei ze, en ze noemde Fanny bij haar echte voornaam. Fanny zweeg. Opgetogen liet Georges haar zien wat er in de flat veranderd was, en hij deed losjes en vrolijk alsof ze pas de vorige dag van hem was weggegaan. De moeder van Georges gedroeg zich bijzonder hartelijk. Fanny hoefde maar even in beweging te komen of ze volgde haar op de voet, vol zorg dat het haar aan iets zou ontbreken. Om dichter bij haar te zijn nestelde ze zich op de leuning van de fauteuil waar ze Fanny in had neergezet, de mooiste van de huiskamer, en nu en dan streelde ze heel zacht over haar hoofd. Belangstellend informeerde ze naar haar ouders, zonder dat ze iets was vergeten van al wat met hen te maken had en vooral met veel plezier luisterend naar berichten over Fanny's vader, al had ze hem nooit ontmoet. De vier zusjes, bij het raam, neigden hun innemende snoetjes alsof die van hun vele geglimlach naar Fanny zwaar waren geworden.

Fanny at haar avondmaal, ter ere van haar bleven ze langer op.

'En tante Colette?' fluisterde ze Georges in het oor, profiterend van het feit dat zijn moeder in de keuken was.

'Ja, ja, later', zei hij met een soort grimas.

Ondanks haar weerzin bleef Fanny slapen in de kamer van Georges. Hij was bereid haar zijn bed af te staan en ging zelf bij zijn moeder liggen, maar eerst wilde hij Fanny per se een paar keer zoenen, waar ze misselijk van werd. Wat was ze vroeger trots geweest dat een van de aantrekkelijkste jongens van de wijk haar kuste, want Georges was bijzonder populair! Haar afkeer dateerde van het moment dat ze had ingezien dat ze voor de familie een buitenstaander was in wier aanwezigheid maar ternauwernood was berust, en het besluit had genomen op zoek te gaan naar tante Leda. Tegen Georges had ze er met geen woord van gerept: hij zou hebben geprobeerd haar tegen te houden, niet omdat hij van haar hield, ook al was dat waarschijnlijk het geval ofschoon het Fanny niet veel kon schelen, maar omdat hij misschien beducht geweest zou zijn dat ze toegang kreeg tot een wereld waarin hijzelf, hoe mooi ook om te zien, in het nadeel zou zijn geweest. Wat betekende voor Fanny Georges vergeleken bij Eugène, die niet alleen de zoon van tante Colette was maar ook, ooit, in het huis van grootmoeder zou wonen?

Niettemin had Fanny in lange tijd niet zo goed geslapen. Iedere avond stond Georges haar op te wachten bij de uitgang van het restaurant en liep ze welwillend met hem mee naar zijn moeder, waar ze omringd door goede zorgen en vriendschap de avondmaaltijd gebruikte. Alle vier de meisjes wilden bij haar in de buurt zijn. Fanny omarmde en liefkoosde hen graag, ze hadden zo'n gladde huid en zagen er zo leuk uit. Maar tot haar grote ongerustheid stelde Georges voortdurend het moment uit waarop hij haar zou onthullen wat hij over tante Colette wist. Georges eiste steeds langduriger zoenen!

Toen Fanny op een avond over de dorpen en over grootmoeder begon, had de moeder van Georges niet zoveel aandacht voor haar als gewoonlijk en volstond ze ermee een paar keer beleefd in te stemmen, vragen stelde ze niet en weldra viel ze haar zonder het zich te realiseren in de rede om te vragen of Fanny onlangs haar vader nog had gezien en of het goed met hem ging. 'Al lag hij op sterven!' zei Fanny ongeduldig. 'Voor mij is belangrijk dat grootmoeder het volhoudt.' Georges' moeder ergerde zich stilzwijgend. Haar mond verstrakte een beetje. Het was overduidelijk dat Fanny naar haar idee verraad pleegde. Maar waaraan kon Fanny verraad plegen? De moeder van Georges pakte haar bij de schouders en drukte haar tegen haar boezem.

'Kom op, niet meer over die mensen praten', zei ze streng.

'Het is mijn enige familie!' zei Fanny verongelijkt.

'Wij zijn er', zei de moeder van Georges.

De vier zusjes vlogen op Fanny af, klampten zich vast aan haar kleren, hingen om haar hals, één sloeg haar benen om de benen van Fanny en monter, hun ronde voorhoofdjes tegen Fanny's wangen wrijvend, schreeuwden ze:

'Wij zijn er, wij zijn er, wij zijn er!'

'Mijn echte familie woont in de dorpen daarginds', hield Fanny vol, half gesmoord door de onstuimige tederheid van de meisjes.

'Zeker, zeker', zei de moeder van Georges, en ze verschool zich achter een afwezige blik.

'Hoe je echte familie over jou denkt weet ik,' zei Georges toen, terwijl hij fijntjes glimlachte, 'want je tante is bij mij op bezoek geweest.'

'Is tante Colette je komen opzoeken?' riep Fanny uit.

'Ze is er speciaal voor op reis gegaan.'

Nadat ze zich wat ruw uit de omhelzing van de kleine meiden had losgewerkt pakte Fanny, zoals ze vroeger vaak voor de grap had gedaan, Georges bij zijn oren en schudde hem heen en weer, haar neus stijf tegen de zijne.

'En wat heeft ze gezegd?' gebood ze met een stem die van klank was veranderd.

'Ze wil dat je met mij trouwt, zoals de bedoeling was, en dat je niet meer achter haar zoon aan zit.'

'Maar Eugène is mijn neef!' kermde Fanny.

'Dat is zo', zei Georges kil.

VIERDE DEEL

De beschuldigingen van tante Colette

Over het grote meer dat er in dit seizoen verlaten bij lag, en dat omringd werd door hoge flatgebouwen van blauw glas en deftige oude huizen, voeren tante Colette en Fanny in een bootje onder een ijle zon. Tante Colette had de riemen gepakt; met krachtige slagen creëerde ze een vermetele afstand tussen de loods waar ze werden verhuurd en de aftandse roeiboot die enigszins water maakte. Ze had haar bontjas opgetrokken en haar voeten, in zware, korte laarsjes, op de dwarsplank gezet, zodat er weinig ruimte overbleef voor Fanny wier schoenen in de plas rustten. Maar ofschoon Fanny zat te bibberen bekommerde ze zich op dit moment nauwelijks om de vraag of ze ziek zou worden, zelfs de dood zou haar onverschillig hebben gelaten. Gewikkeld in haar pels waarvan de haren hier en daar samenklonterden kreeg tante Colette het al gauw warm en ze gaf de riemen over aan Fanny. Toen ze midden op het meer waren moest Fanny van haar stoppen. Ze waren alleen, het meer zag er kaal uit, zwanen en eenden werden 's winters naar een beschutte plaats gebracht. Achter de ramen van de huizen aan de oever vertoonde zich geen enkel gezicht; de nieuwe glazen gevels fonkelden waterkleurig, ontnamen het zicht op de kantoorbedienden van wie je wist dat ze daar waren, zich door de gangen haastend, stijgend en dalend in de liften, krioelend achter de spiegelende, glanzende wand, een ver familielid, meende tante Colette zich te herinneren, speelde in een van die torens voor secretaresse. Ze boog zich naar achteren, legde haar armen op de boorden van het bootje en monsterde Fanny met een strenge blik.

'Ik moet je de motieven uiteenzetten', begon tante Colette, 'die hebben geleid tot een besluit dat ik met betrekking tot jou heb genomen en dat ik je straks, aan het eind, zal mededelen. Nee nee, nu niet vragen waar het om gaat: je moet je fouten inzien zodat je mijn beslissing alleen maar juist zult kunnen vinden. In het andere geval heb je me slecht begrepen. Maar het besluit is onherroepelijk; alleen, ik probeer het tegenover jou te rechtvaardigen om te voorkomen dat je gaat klagen over een slechte behandeling, kort gezegd om je de mond te snoeren. Er valt hoe dan ook niets te discussiëren.

De noodzaak om definitieve maatregelen ten aanzien van jou te overwegen, is voortgekomen uit het overduidelijke gegeven dat jij onenigheid zaait in onze familie, en dat hoeft zoals je weet geen enkele familie te accepteren. Wij achten onszelf ontslagen van elke verantwoordelijkheid voor je buitenissige gedrag, en wel hierom: van meet af aan hebben we je, heel vanzelfsprekend, je bent immers de dochter van mijn zus, als een van de onzen beschouwd, als een volwaardig lid van de familie, niet omdat we een verschil bij jou hadden gemerkt en hadden afgesproken daar overheen te stappen maar gewoon, omdat we aan jou niets verschillends hadden gemerkt. Jij was voor ons allen de dochter van je moeder, en nog een knap kind om te zien ook, in ieder geval precies hetzelfde als je nichtjes. Kijk, ik heb hier een opname als bewijs.'

Tante Colette liet Fanny een foto zien waarop ze tussen andere meisjes zichzelf herkende, aan de rand van een put, met dezelfde haardracht als de anderen en, zoals tante Colette zojuist had opgemerkt, zo sprekend op hen lijkend dat ze hun zusje had kunnen zijn, al was het een onscherpe foto en zou waarschijnlijk welk meisje dan ook met dat kapsel en die kleding een soortgelijke indruk hebben gemaakt.

'Inderdaad, in die tijd was er bijna geen verschil!' riep Fanny opgetogen.

'Voor vreugde is het te laat', zei tante Colette terwijl ze de foto wegborg. 'Maar je hebt me begrepen: we hadden geen enkele reden om je als een vreemde te beschouwen, omdat niets ons op de gedachte bracht dat je dat kon zijn. Of we niet hebben gezien wat er aan de hand was of dat er in die tijd werkelijk niets bijzonders met je was, doet niet veel ter zake. Ik zou het nu nog niet kunnen zeggen, al neig ik naar het eerste. We hebben van je gehouden, je in ons midden opgenomen, overeenkomstig onze plicht. Maar merkwaardig genoeg ben jij je blijkbaar naarmate je opgroeide steeds meer bewust geworden van het bijzondere dat wij niet in jou zagen, waardoor je ons dwong het tegen wil en dank te ontdekken. Jij hebt ons met allerlei middelen genoodzaakt je anders te gaan zien! Terwijl wij niets liever wilden dan je zonder vooringenomenheid blijven benaderen, eigenlijk niet eens op het idee kwamen onze houding te veranderen omdat we daar geen enkel motief voor konden bedenken! Ik weet niet wat er voor het eerst toe geleid heeft dat je je schaamde om wat je was – of moet ik misschien zeggen om wat je meende te zijn, om wat je begon te geloven dat je was? Want wie was je werkelijk, in die tijd? Wie weet dat nog? Je eigen moeder zou het niet precies kunnen zeggen! Je hebt ons in verwarring en verlegenheid gebracht door je overdreven nederig te gedragen. Je zorgde ervoor dat je op foto's maar half te zien was. Je wilde de laatste zijn die te eten of te drinken kreeg en voortdurend leek je je te verontschuldigen voor de last die je ons bezorgde, voor het feit dat je ons onder ogen kwam, dat ik je mijn nichtje noemde, kortom voor je aanwezigheid in de familiekring, ook al was daar niets speciaals aan, terwijl je er heimelijk naar leek te verlangen te worden buitengesloten al was je tegelijk beducht voor een dergelijke mogelijkheid, maar in die tijd zou je dat toch gewoon een gerechtvaardigde maatregel hebben gevonden. Jouw opstelling gaf ons een ongemakkelijk gevoel; we wisten niet meer wat we moesten denken: wat ons vroeger was ontgaan begon ons op te vallen doordat je het ons zo nadrukkelijk liet zien. En hoe viel te verhinderen dat jouw schaamte ons geleidelijk overtuigde? We gingen ons tegenover jou stroever gedragen. Heeft ze gelijk, is ze echt anders, vroegen we ons noodgedwongen af, prompt overtuigd door je houding. Misschien zijn we toen zelfs een zweem van minachting gaan voelen, omdat je jezelf voortdurend omlaaghaalde, omdat je als we je een zoen wilden geven een lachwekkend soort methode had om, voor onze bestwil, alleen met tegenzin te zwichten, als schrok je van het gevaar dat wij liepen door onze lippen op jouw huid te drukken. Je hebt, kortom, ons oordeel vertekend: wij zijn eraan gewend geraakt aan jou te denken als aan iemand die ons wezenlijk vreemd is en die, moet ik bekennen, niet veel achting verdient. Kijk hier eens naar!'

Op de foto die tante Colette haar aanreikte stond Fanny met spichtige staartjes ver achter Eugène en haar drie nichtjes met hun lange, steile haar, en ze boog haar hoofd, zag er ontredderd en lomp uit. Het zou nooit bij iemand zijn opgekomen dat ze familie was van de andere kinderen en dat ze in dezelfde streek was opgegroeid.

Fanny zuchtte zonder iets te zeggen en tante Colette vervolgde: 'Toen je ons eenmaal zover had dat we je in gedachten apart gingen zetten en geringschattend over je deden, kreeg je plotseling een aanval van trots en verdroeg je niet langer de argwanende neerbuigendheid waarmee we tegen je praatten. Nadat je er alles aan had gedaan om je aan onze sympathie te onttrekken, nam je het ons kwalijk dat we niet meer zo vanzelfsprekend van je hielden als vroeger en je gingen zien als een indringster, wat je onherroepelijk bent geworden. Stilzwijgend verweet je ons dat we je hadden laten vallen! Je hebt pogingen gedaan om grootmoeder die zwakker en milder was aan jouw kant te krijgen. Met allerlei gefleem heb je getracht haar lievelingetje te worden. Tegelijkertijd probeerde je ons te imiteren, want je wilde dat je weer een plaats kreeg in de familie en dat we datgene wat je ondanks jezelf van ons onderscheidde zouden vergeten. Ach wat een illusies! Arm nichtje, wat heb je ons zielig nageaapt! Van je oudste nicht heb je de stembuigingen overgenomen, van de ander haar manie om aan haar neus te krabben; je hebt gevloekt als je oom; je wilde de afgedragen kleren van Eugène, die je verschrikkelijk plomp maakten. En dan ook nog lichtgeraakt en hooghartig! Wie trapte daar nu eigenlijk in? Grootmoeder misschien, die dat overigens nauwelijks nodig had. Maar de rest van de familie werd door deze buitensporigheden nog meer in verlegenheid gebracht dan door die van daarvóór. We zagen alleen nog maar alles wat jou van ons scheidde. En soms, als we naar je keken terwijl je bij ons aan tafel zat, vroegen we ons verrast af wat je in ons midden deed, tot we ons weer herinnerden dat je de dochter was van mijn zus, wat weliswaar niet te loochenen viel maar voor ons steeds meer een mysterie werd. Jij, ongelukkig meisje, was begonnen als abnormaliteit; je hebt je omgevormd tot fout, waar wij allemaal min of meer de schande van droegen. Weet jij dat we zo vaak we konden je bestaan hebben verheimelijkt? Zeker, je wandelde met grootmoeder door het dorp. Maar wat zij vertelde over je banden met haar, weet je dat? Ach nee, ik zal het niet zeggen. Ben ik wreed? Ik wil je slechts opheldering geven. Dus daarover zwijg ik.'

'Er is niets waarvoor ik meer achting heb dan voor de familie', mompelde Fanny werktuiglijk, haar handen op kniehoogte om de roeispanen geklemd.

'Maar dat is niet genoeg, dat zal van jouw kant nooit genoeg zijn!' schreeuwde tante Colette die ongeduldig werd. 'Kijk wat er van je is geworden, kijk hoe je juist dat wat de afstand tussen jou en de familie steeds groter maakte heb gestimuleerd!'

Een nieuwe foto toonde Fanny in de volle glans van haar bijzonderheid, als jong meisje nu naast haar tengere bleke nicht, die in het niet zonk bij haar lange gestalte, haar krachtige huidkleur en aparte gelaatstrekken. Tante Colette ontvlamde en liet het bootje dansen.

'Je zult begrijpen, denk ik, dat we in ruil voor wat we gerust onze offervaardigheid mogen noemen, want we hebben je in ons midden gehouden, je altijd hoffelijk ontvangen – ah, ga je dat nu ontkennen? – dat we als beloning voor die inspanningen toch minstens een soort terughoudendheid, een soort discretie van je verwachtten – mag ik het zeggen: volstrekte onopvallendheid, zodat we je in ieder geval enigszins konden vergeten. Die vorm van perfectie zou veel hebben goedgemaakt. Misschien zouden we je er zelfs dankbaar voor zijn geweest, wie weet. Waren er voor jou andere aspiraties denkbaar? Maar voor jouw blinde arrogantie bestonden geen grenzen. Met je schoolprestaties heb je mijn Eugène, zo mogen we het toch wel noemen, verpletterd. Wat dacht je daarmee te bereiken? Dat de familie weer achting voor je zou krijgen? We verlangden van jou juist het tegenovergestelde! In plaats van je neef nederig vóór te laten gaan, maakte je hem belachelijk met hoogstandjes waarin hij je niet kon volgen en die onze verbittering alleen maar extra voedsel gaven. De mensen vonden je aantrekkelijk. Je nichtjes kregen nauwelijks complimenten. Ajajaai, zeiden ze over jou, waarschijnlijk was je zogenaamd pikant. De ware schoonheid van je nichtjes viel minder op. Was het aan jou om de knapste te zijn? Voor ons had je gezicht niets dat we konden begrijpen of waarderen. Op ons leek je vrijwel niet, dat alleen wisten we zeker. Je bent stiekem jacht gaan maken op Eugène. Je wierp je boven op hem om hem te zoenen; tegenstribbelen was er niet bij, ik heb jullie heus wel gezien. Bedoelingen met mijn Eugène! Je laten meeëten was nog tot daar aan toe, maar jou onze zoon afstaan, was dat denkbaar? Je mag er prat op gaan dat je me flink hebt gekweld!'

'Zonder het te weten', waagde Fanny.

'Dat doet er niet toe, de zorgen die ik door jouw toedoen heb gehad zijn niet gunstig geweest voor mijn gezondheid. Wat was ik bang dat je mijn Eugène veel verder mee zou slepen dan zijn liefde voor mij en zijn eerbied voor de familie hem toestaan! Nou ja, je bent al gauw met een jongeman uit je eigen kring aan komen zetten, Georges, die verbazend veel op je leek en duidelijk geknipt voor je was, een aardige jongen trouwens. Eerst koos je hem uit en toen keek je op hem neer. Je schaamde je voor hem zoals wij ons in het dorp voor jou schaamden, maar dat jij je zo ongemakkelijk voelde kwam alleen door je zotte zelfgenoegzaamheid: de aanwezigheid van Georges was bepaald geen duidelijk teken dat je bij de familie hoorde terwijl je dat toch, beeldde je je in, voortdurend moest bewijzen. Je maakte je niet druk om wat wij wilden, namelijk dat je bij Georges bleef, waar je plaats was; want waar is het goed voor om tegengestelden met elkaar te vermengen? Het ging je er niet om dat je Georges beneden je waardigheid achtte, je had het idee dat hij je schaadde terwijl Eugène, je neef, je van nut kon zijn.'

'Hoe zou ik Eugène kunnen opgeven?' fluisterde Fanny in een vlaag van stoutmoedigheid. Opnieuw een en al woede boog tante Colette bruusk naar voren, uit haar schedel staken een paar zwarte lokken die aan haar knot waren ontsnapt.

'Onbeschaamde meid! Wat ben jij dan wel? Wat ben jij, op

dit moment? Hoe valt duidelijk te omschrijven wat jij bent? Ben jij iets? Kan van jou zelfs wel nauwkeurig worden gezegd: zij is zo iemand, uit die en die streek, met die en die achtergrond? Moeten we niet aannemen dat jij iets bent waarover niets kan worden gezegd? Zo, dus jij wilt mijn Eugène? Maar je weet, op de verjaardag heb ik je niet eens herkend, en de eerste de beste naam die me te binnen schoot, die ik de vorige dag in een waardeloos romannetje had gelezen, die heb ik je toen maar gegeven, en misschien ben jij niets méér, besta jij net zo weinig als de bijfiguur Fanny in dat flutboek, dat ik trouwens niet heb uitgelezen en dat ergens onder mijn bed moet slingeren, tussen de stofvlokken en de bladen van je oom! Hoe jij vroeger heette? Ik kan het me niet eens meer herinneren. Had je een naam? Je ziet, zelfs daar ben ik niet van overtuigd.'

'Ik ben hem ook vergeten', zei Fanny snel, om tante Colette te plezieren.

'Arme meid!'

Tante Colette, gegriefd, leek niet meer te weten waar ze moest kijken. Met een handgebaar gebood ze Fanny de riemen weer op te pakken.

'Je hebt een laatste en mijns inziens onvergeeflijke fout gemaakt', vervolgde ze kalm, 'door per se op zoek te willen naar Leda, mijn zuster. Wat daar verkeerd aan was? Ach, ernstig is het eigenlijk alleen omdat het afkomstig was van jou, zo is het nu eenmaal. Wat wil je eraan doen? Ja meisje, zo gaat dat in het leven. Alles wat jij doet verdient de strengste beoordeling. Je had binnen de grenzen van een ongenaakbare neutraliteit moeten blijven. Hoor jij thuis in het dorp? Jij bent de enige die het zo ziet. Toen je op zoek wilde naar Leda, beschuldigde je je moeder van nalatigheid. Dat is nog tot daar aan toe. Impliciet beweerde je te weten wat voor iemand Leda is, want je hoopte dat je haar ergens op de wereld zou vinden en dat je haar zover zou krijgen naar je te luisteren. Maar waar haalde je die zekerheid vandaan? Wie had jou ooit iets over Leda verteld? Geef antwoord op mijn vraag alsjeblieft.'

'Niemand', prevelde Fanny.

'Kon je zeker weten dat wij Leda graag terug wilden zien en

dat je ons niet zou kwetsen, met je verlangen haar mee naar huis te nemen?'

'Nee, maar...'

'Wist je of we haar in feite misschien niet dagelijks zagen?'

'Nee.'

'Als wij verdriet hadden over Leda's stilzwijgen, aangenomen dat er sprake was van stilzwijgen, was het dan een natuurlijke zaak dat aan jou, de buitenstaander, de eer te beurt zou vallen haar in ons midden terug te voeren?'

'Ik weet het niet', zei Fanny.

'Was het niet misplaatst dat je jezelf opwierp als bemiddelaarster tussen Leda en haar familie?'

'Misschien.'

'Want als was gebleken dat Leda onze genegenheid niet verdiende, zou het dan aan jou zijn geweest dat kenbaar te maken?'

'Dat zou ik niet weten.'

'Kortom, heb je niet het idee dat je je met die zaak bent gaan bemoeien zonder dat je het recht daartoe had?'

'Leda is mijn tante en ik dacht dat...'

'Jij bent te zeker van jezelf', onderbrak tante Colette haar kortaf. 'Leda is je tante zolang wij het daarmee eens zijn en jij was mijn nichtje voordat ik anders besliste. En daar wilde ik heen: wij verbieden jou, Fanny, om je nog in onze familie te vertonen, uit zelfbehoud zijn wij tot de slotsom gekomen dat je er geen deel meer van uitmaakt.'

Fanny hikte gesmoord. Omdat ze niet durfde op te houden met roeien was ze niet in staat de tranen weg te vegen die naar haar kin druppelden, haar een gezwollen neus bezorgden en als hinderlijk werden ervaren door tante Colette, wier blik zich op de oever richtte.

'Die roman', zei ze nog, 'was getiteld Gelieven zonder vaderland.'

Toen Fanny en tante Colette de roeiboot hadden teruggebracht, na een tocht over het hele meer en een korte stop op een in het midden aangelegd eilandje, nam tante Colette, tevreden over het uitstapje, Fanny mee naar een uitspanning in de buurt, waar kinderen vergezeld van hun ouders chocolademelk zaten te drinken, ze bood Fanny ook chocolademelk aan en daarna, royaal, een slagroomtaartje. Gezeten aan het raam, bij haar tante, genoot Fanny van het moment. Dat verbaasde haar omdat ze daarnet nog in het water had willen springen.

VIJFDE DEEL

I

Terug naar het dorp

Toen Fanny aankwam in het dorp van grootmoeder, een nieuwe koffer bij zich waarin ze heel haar boeltje had opgeborgen, was het jaarlijkse sterrekersfestijn in volle gang. Dikke figuren van papier-maché stapten log door de straten, maakten de uitgelaten kinderen aan het lachen of joegen hen op de vlucht, kondigden met diepe stem het programma aan, kwamen met een paar reclamemededelingen over de supermarkt die eindelijk dicht in de buurt zou worden geopend. Vóór de kerk kon je in een bak op forellen vissen, en op het gemeenteterrein waren botsautootjes en een schiettent. Niet zonder emotie herkende Fanny op de gespannen gezichten van de mannen die hun schietkwaliteiten wilden testen – en alvorens het schot te lossen zo lang mikten dat de toeschouwers, door dit ceremonieel overigens toch wel overtuigd geraakt van hun talent, er moe van werden – de viriele uitdrukking van ernst vermengd met kalmte, flegma, en ook van ontevredenheid wanneer ze de roos hadden gemist en de schuld aan de matige kwaliteit van de buks gaven, een uitdrukking die ze hier ter plekke altijd op de gezichten van willekeurig welke man had gezien en die, nauwelijks veranderd doordat er minder op het spel stond, ook te vinden was op de hoogrode gezichten van de jonge knullen die half overeind en met achteloze hand hun botsautootje bestuurden, onverschillig over het platform reden, zo te zien louter gedreven door een verlangen de tijd te doden, maar die aan een frontale botsing met de wagen van een meisje een hevig plezier beleefden, dat ze om indruk te maken probeerden om te zetten in een sarcastisch gegrinnik. De meisjes, met hun geblondeerde kroeshaar, dribbelden op naaldhakken naar de autootjes, hun handen in de zakken van hun jack. Als er een jongen meeging plooiden ze zich naar zijn mannelijke verlangen om aan het stuur te zitten, en ze lieten zich schudden en slingeren terwijl ze om hem te vleien nu en dan een kreetje slaakten; want voor hem werden deze schermutselingen dan een absolute erezaak. Andere meisjes, met roze make-up, wachtten kauwgum kauwend langs de kant; verdoofd door de muziek stonden ze te genieten van het moment en ze leken daar voorgoed te willen blijven, sommigen namen er hun gemak van en trokken hun schoenen uit.

Fanny liep door de trage, verzadigde menigte, herkende nu en dan een hoofd dat zich onaangedaan of met een soort duffe, geheugenloze nieuwsgierigheid naar haar omdraaide. Toch herken ik ze wel, overwoog Fanny verbaasd, en zij hebben me nog niet zo lang geleden gezien! Er kwam een verlammende gedachte bij haar op: grootmoeder moest inmiddels zijn gestorven. Half hollend boog ze af naar het kerkhof. Dit deel van het dorp was verlaten en Fanny hoorde net als vroeger vanuit grootmoeders tuin, altijd als de zon warm stond te schijnen, op het drukkende uur van de beginnende middag, het geheimzinnige gekoer van de tortelduiven die ze nooit zag. Dat vertrouwde geluid ontnam haar volledig de moed. Want het leed geen twijfel of grootmoeder was dood, en daarmee was Fanny eigenlijk uit het dorp geloosd. Overtuigd van wat ze zou gaan zien hield Fanny dan ook bruusk halt en nam weer dezelfde weg terug. Ze begaf zich naar grootmoeders huis. Het hek wilde niet open. Ze belde; er blafte geen enkele hond. Plotseling stond daar aan het andere eind van de voortuin in de deuropening tante Colette, haar armen gekruist over een bloemetjesschort.

'En, wat is er?' riep ze.

'Ik ben het, Fanny.'

'O ja! Maar tegenwoordig woont hier Eugène', zei tante Colette trots.

'Ik zou graag binnenkomen', zei Fanny.

'Daar stellen we geen prijs op.'

Tante Colette ging weer het huis in en sloot met een klap de deur. In een hoek ontdekte Fanny een mooi splinternieuw hondehok, met een schuin dakje van zogenaamde dakpannen, verfraaid met namaakklimop. Omdat ze de hond zelf niet zag ging ze ervan uit dat die in huis was, een gunst die grootmoeder haar eigen dieren altijd had onthouden. 'Eugène is hier heer en meester', murmelde Fanny. Was het te laat? Was hij al getrouwd? Terwijl ze met haar blik de ramen afzocht, zich op het smalle trottoir zo ver mogelijk uitrekkend, werd ze bijna aangereden door een wielrenner die voorbij kwam stuiven, gevolgd door tientallen andere mannen die zwetend en geconcentreerd op de fiets zaten, en in een oogwenk was Fanny omringd door de mensenmassa die vanaf de kermis kwam aangerend om te aanschouwen hoe net als vorig jaar de rondewinnaar zou finishen en uit handen van de burgemeester een fles prima wijn en vijf kilo suiker zou ontvangen, weer dezelfde op die slanke fiets die er ijl, broos, onstoffelijk bijna uitzag tussen de brede, gespierde dijbenen van deze kampioen, slager van beroep. Heen en weer geduwd alsof ze onzichtbaar voor hen was, poogde Fanny zich los te wringen uit de groep geestdriftigen (zo welbekend en zo weinig veranderd!) die voor het hek stonden te schreeuwen. Niemand die haar zag en riep 'Hé daar heb je Fanny!' of welke andere voornaam ze haar ook hadden kunnen geven. Ingeklemd tussen twee van grootmoeders buren hapte Fanny naar lucht. Eén kneep hard in haar arm zonder het zelfs te merken! 'Meneer Lagneau, alstublieft', klaagde Fanny. Hij keek op haar neer, fronste zijn wenkbrauwen, scheen zich af te vragen wat zij dan wel voor iemand kon zijn; hij gromde, kwaad dat hij moest opschuiven, en verplaatste zich net genoeg om Fanny de gelegenheid te geven zich moeizaam te bevrijden. 'Toen ik samen met grootmoeder door het dorp liep,' mompelde Fanny, 'stonden jullie niet zo naar me te loeren, niets leek jullie in die tijd vanzelfsprekender dan mij hier te zien.' Ze pakte weer haar koffer, waar een paar keer op getrapt was en die aan één kant was ingedeukt. Was niet zelfs de kruidenierster, een minzame, voorname dame bij wie grootmoeder altijd haar boodschappen had gedaan, zojuist met twee voeten tegelijk op haar koffer gesprongen, zonder reden, zonder er ook maar enig specifiek genoegen aan te hebben beleefd, want ze leek het niet eens te hebben gemerkt. Fanny ging recht voor haar staan maar de ogen van de kruidenierster gleden passief en beleefd over haar voorhoofd, over haar wangen. Te welopgevoed om zich een opdringerige nieuwsgierigheid te veroorloven gaf de vriendelijke winkelierster, bij wie Fanny's gezicht geen enkele herinnering naar boven bracht ofschoon ze haar vorig jaar nog had gegroet, er de voorkeur aan haar niet te zien. Ze hoorde niet eens dat Fanny een paar woorden van verontschuldiging tot haar richtte omdat ze haar het zicht had benomen.

Voor het raam van de eerste verdieping verschenen tante Colette, Eugène en oom Georges, hun drie gezichten dicht bij elkaar, hun blik gevestigd op het podium waar de prijzen werden uitgereikt. 'Eugène!' riep Fanny vrolijk. Verrast schonk hij haar een knipoog en een kortstondige glimlach, waardoor een ontroerde vreugde zich van Fanny meester maakte. Maar tante Colette riep met bitse stem: 'Ben je daar nu nog? Kom, vort!' Fanny deed of ze het niet begreep. Ze keerde zich van het huis af en richtte haar aandacht op het podium. Plotseling klapte een rotte pruim tegen haar nek, gevolgd door een pruim in haar haren. 'Kst, kst', deed tante Colette als om een vals beest te verjagen, terwijl ze Fanny met oude pruimen bleef bekogelen. Eugène moest zo hard lachen dat hij de hik kreeg. Oom Georges glimlachte toegeeflijk en streek intussen langs zijn snor – zijn blik kruiste zonder enige verlegenheid die van Fanny. Ook de omstanders vermaakten zich kostelijk. Ze hadden genoeg vertrouwen in tante Colette om zeker te weten dat ze zich niet vrolijk maakten ten koste van iemand die het niet had verdiend. Men week een eindje terug van Fanny, die naar rechts en naar links sprong om de pruimen te ontwijken, maar tante Colette was behendig en miste zelden, en Fanny's gezicht droop inmiddels van het zoetige vocht. Meneer Lagneau lachte het hardst van allemaal. Het leek of hij nu eindelijk zag wat Fanny was en welk gebruik van haar kon worden gemaakt. Had meneer Lagneau vroeger niet een boog en een koker met pijlen voor haar in elkaar geknutseld, blij dat hij haar dat genoegen kon doen en grootmoeder, zijn buurvrouw, aan zich kon verplichten?

'Meneer Lagneau, ik ben Fanny!' zei ze hijgend, toen een sprong haar in zijn nabijheid had gebracht.

'Ik ken geen Fanny!' Hij schaterde het uit, in de veronderstelling dat het een grap was.

Op het laatst begon het tante Colette te vervelen, of ze had geen pruimen meer in voorraad, en lichtelijk gebogen sloop Fanny een stil steegje in, haar koffer waarvan het handvat had losgelaten tegen zich aan dragend. Weldra bleef ze staan om haar gezicht en blote armen af te vegen. En op haar plakkerige huid hechtten zich reeds de vliegen, 's zomers nog in grote aantallen present ofschoon er in het dorp al lang geen vee meer was. Zou ik nu nooit meer in dat huis kunnen? peinsde Fanny. Zou het voor me gesloten blijven nu grootmoeder dood is, alsof mijn familiebanden met iedereen zijn verdwenen? En hoe zit het met mamma?

Juist op dat moment zag Fanny, opkijkend, aan het eind van het steegje haar moeder door de hoofdstraat lopen, haastig als altijd, in een frisse witte jurk bedrukt met grote boeketten, haar geruite koffer in de hand. Onbeholpen begon Fanny te rennen, en toen ze de straat had bereikt ging haar moeder net grootmoeders huis in. Ze durfde haar niet te roepen uit angst dat tante Colette tevoorschijn zou komen. Toch stelde het Fanny gerust dat haar moeder naar binnen was gegaan want zou ze het niet, wetend dat Fanny in het dorp was, als haar plicht beschouwen om voor haar te pleiten, zelfs al zou ze daarmee zus en zwager tegen zich in het harnas jagen? Tenzij het haar beter leek erin te berusten dat Fanny buiten bleef om 'trammelant', zoals ze het met afkeer noemde, te voorkomen, of ze aan Fanny's entree in het huis minder belang hechtte dan Fanny zelf, zich verbeeldde dat de huidige situatie de eigen keuze van haar dochter was en er niet eens met tante Colette over praatte – of tenzij, heel eenvoudig, niemand haar had verteld dat Fanny er was, ook terdege een mogelijkheid.

Fanny kwam bij het enige hotel van het dorp, Herberg de Wijde Blik. Daarnet over de kermis lopend had ze teruggedacht aan de geestdrift waarmee Eugène en zij vroeger, op vakantie bij grootmoeder, van de ene naar de andere attractie waren gestormd, nerveus van spanning dat ze niet alles tegelijk konden doen. Nu leek die kermis haar een pover festijn! En het dorp zelf had goed bezien niets aantrekkelijks.

In de donkere hal van het hotel meende Fanny achter de

balie een vertrouwde gestalte te ontwaren. 'Isabelle!' riep ze verrast. Isabelle glimlachte flauwtjes. 'Ik ben het, Fanny, je ouwe vriendin!' Ze gaven elkaar een zoen, zonder dat Isabelle blijk gaf van enige emotie, noch verbaasd leek dat Fanny van naam was veranderd. In hun kindertijd hadden Isabelle en Fanny samen gespeeld; voor zover Fanny zich kon herinneren was Isabelle nooit uit het dorp weg geweest. Nu was ze getrouwd met de zoon van het echtpaar dat vroeger deze zaak had gedreven en sleet ze haar dagen in dit matig bezette hotelletje dat ze nonchalant beheerde.

'Ik heb je niet gezien op de begrafenis van je grootmoeder', zei Isabelle met een ongewoon strenge stem. 'Ik dacht al dat jij misschien ook dood was.'

'Dat was ik!' riep Fanny uit, diep beschaamd.

Over de balie heen pakte ze Isabelle bij haar slanke koude handen.

'Heus, als ik niet bij de uitvaart ben geweest (maar weet je dat wel heel zeker?), als ik niet eens bericht heb gekregen dat grootmoeder is gestorven, dan komt dat vast en zeker omdat ik ook tijdelijk dood was, hoe is zoiets anders denkbaar? Jij weet toch hoeveel ik van grootmoeder hield en hoe hoog ik haar achtte? Zou ik haar niet zijn komen bijstaan in haar laatste ogenblikken? Jij die mij al zo lang kent, vind jij een dergelijke hypothese waarschijnlijk?'

'Je hing inderdaad enorm aan haar', gaf Isabelle toe.

'Zie je wel', zei Fanny en streelde haar handen.

En haar fouten begonnen in hun verpletterende omvang op haar te drukken. Grootmoeder was gestorven in het besef dat Fanny haar in de steek had gelaten! Maar was ze, zonder dat een foto op haar nachtkastje of op de commode haar daaraan kon herinneren, zich eigenlijk wel van Fanny's bestaan bewust gebleven, was ze haar niet vergeten zoals zo veel mensen in het dorp, of had ze haar verward met figuren uit haar dromen en had ze haar beeld hoofdschuddend verjaagd met de woorden: 'Wat een nonsens!'? Als het haar niet mogelijk geweest was de feitelijkheid van Fanny's bestaan met eigen ogen vast te stellen, zou er voor haar dan nog enige reden zijn geweest erin te geloven, omringd als ze was door Eugène en haar vele kleinkinderen die zo volmaakt op haar leken? Misschien had tante Colette, profiterend van een zwak moment, haar in het oor gefluisterd: 'Fanny is niets dan een hersenschim!' en was grootmoeder in die overtuiging heengegaan. Tenzij ze het bittere gevoel had gehad dat zij, Fanny, haar was vergeten, een nog angstaanjagender veronderstelling.

'Ik zal je kamer laten zien, de prijs is honderdvijftig franc', zei Isabelle tegen Fanny, die haar ogen had neergeslagen en haar hoofd geknakt hield. Ze volgde haar vriendin over een donkere trap en daarna door eindeloze kronkelgangen, verbijsterd dat ze zo'n eind weg werd gebracht terwijl het hotel leeg leek. Bij het zien van de kamer riep Fanny uit: 'Maar dat zijn de meubels van grootmoeder, en haar gestikte deken!' Twee muren gingen volledig schuil achter de drie grote, vlak naast elkaar geplaatste kasten. 'Je familie heeft ze aan ons overgedaan,' zei Isabelle met voldoening, 'daar in huis stonden ze in de weg.' In een van de kasten hingen nog wat oude kleren, een cape van geel plastic die grootmoeder gebruikte voor de tuin, met opgedroogde modder aan de randen.

2

Een jeugdvriendin

Fanny bezichtigde de bescheiden behuizing van Isabelle, die met haar man twee kamers op de eerste verdieping van het hotel in gebruik had. Kort geleden had Isabelle zin gekregen om nieuw meubilair en nieuw behang te nemen en, zoals ze zelf zei, die onpraktische ouwe rommel van haar schoonouders weg te kieperen. Alleen een spinnewiel had ze gehouden, omgebouwd tot plantenstandaard, en verder was een karrewiel, glanzend geverfd, opgesierd met lampekapjes waar franjes aan hingen van veelkleurige kralen, veranderd in een imposante lichtkroon, net zo breed als de tafel eronder, waarvan het banale hout was afgedekt met een glasplaat voorzien van scherpe randen. De fluwelen fauteuils van de schoonmoeder hadden het veld moeten ruimen voor een rustiek ameublement dat Isabelle en haar man nog niet hadden afbetaald; maar het genoegen zichzelf te zien zitten op de dikke, met bloemen en arabesken geborduurde stof van de wat stugge canapé op de kunstig gevormde poten, die ze in de catalogus van een grootwinkelbedrijf hadden uitgezocht, was naar hun idee wel wat financiële beslommeringen en kleine offers waard, woog zelfs op tegen het feit dat ze alles bij elkaar het dubbele betaalden om er meteen van te kunnen profiteren.

Bovenal moest Fanny een lang dressoir van donker hout bewonderen, zo glanzend gelakt dat het gemaakt leek van merkwaardig materiaal, een soort hard, ordinair plastic, met deurtjes van geel vensterglas, onderverdeeld in rechthoekjes om er een soort glas-in-loodramen van te maken, waarachter zich een hele collectie bierpullen liet vermoeden, elk met een ander wapen. Bescheiden en trots verplaatste Isabelle zich van meubel naar meubel en steeds vertelde ze Fanny de beknopte geschiedenis, waar het gekocht was en voor hoeveel, steevast een verbazend hoge prijs. Dat ze een flink bedrag had neergeteld voor een lage tafel van rookglas met vier metalen poten, leek in de ogen van Isabelle een bewijs van de esthetische waarde van haar aankoop, en dit detail meende ze Fanny dan ook niet te mogen onthouden want anders zou die, net als zijzelf voordat ze naar de prijs had geïnformeerd, een te lage dunk hebben gehad van wat ze zag.

Isabelles pronkstuk was een fraaie keuken, imitatiegrenehout uitgevoerd in lichtgekleurd formica, die ze het allerlaatst liet zien terwijl ze zich erop toelegde zogenaamd losjes te doen. Ze liep er in alle richtingen doorheen, vanwege het genoegen haar muiltjes op de gecompliceerde tegelvloer te horen klepperen; haar schort wapperde, haar wangen kleurden terwijl ze een beschrijving gaf van de gevarieerde gemakken waarmee haar leven als huisvrouw werd opgeluisterd. Die boft maar! Wat een geluk heeft ze, bleef Fanny in zichzelf herhalen, met een kop koffie voor zich die Isabelle had ingeschonken.

De echtgenoot kwam aangesloft. Ofschoon hij inmiddels een buikje had en zijn nog jeugdige gezicht breed en rood was geworden, herkende Fanny hem onmiddellijk. Hij van zijn kant durfde zich niet uit te spreken, geen naam te noemen. Toen zijn geheugen eindelijk begon te werken ontglipte hem de uitdrukking waarmee Fanny vroeger in het dorp was aangeduid en die ze, onwetend als ze tot op dit moment was geweest, met ontstelde verbijstering hoorde. Isabelle, enigszins in verlegenheid gebracht, snauwde haar man af. Dus zelfs in de tijd van grootmoeder hadden ze haar stiekem opgetuigd met een kille omschrijving, veelbetekenend en praktisch, zonder dat ze het wist en terwijl die anderen toch van haar banden met grootmoeder op de hoogte waren! Het was en bleef zo, wat ze ook deed, welke genoegdoening ze ook mocht verschaffen! Diep boog Fanny zich over haar koffie, purperrood van schaamte. Isabelle liep af en aan en deed of ze Fanny's smartelijk zwijgen wilde respecteren door zich uitzonderlijk tactvol te gedragen. Maar toen ze een stofdoek had gegrepen waarmee ze behoedzaam over de schone, glanzende meubels wreef, vergat ze zichzelf en begon voor zich heen te neuriën. Soms bleef ze met haar handen op haar heupen staan om een kritische blik te laten gaan over de inrichting van haar woonruimte, en dan verlegde ze enigszins ontstemd de woestijnroos op de televisie een paar centimeter, of in een plotseling streven naar perfectie corrigeerde ze de stand van een hertepoot die aan de muur hing, maar altijd was ze slechts half tevreden, slechts half vervuld in haar artistieke verlangens, en haar wenkbrauwen bleven lang gefronst. De man, onderuitgezakt in een fauteuil, was in slaap gevallen. Opeens werd hij wakker; verrast Fanny te zien mompelde hij uit professionele hoffelijkheid vage vragen over de familie, over tante Colette die hij nauwelijks kende. 'Laat onze vriendin maar liever met rust', zei Isabelle behoedzaam, en Fanny begreep dat ze zich verbeeldde haar te helpen door haar te ontslaan van het geven van antwoorden die volgens Isabelle alleen maar pijnlijk konden zijn, overeenkomstig Fanny's deerniswekkende en onmogelijke situatie. De goedhartige Isabelle had met Fanny te doen en zou voor niets ter wereld met haar hebben willen ruilen. Bah! dacht Fanny met plotselinge walging. Maar het dorp hield haar vast, in zijn zelfvoldane dorpsigheid. O het zal me verslinden, het zal me verslinden, dacht Fanny terwijl ze toekeek hoe Isabelle met onuitsprekelijk genoegen rondmanoeuvreerde.

3

Op het kerkhof

Fanny kocht een bos afrikaantjes en besloot die op grootmoeders graf te gaan leggen, na uit schaamte en ontzetting langdurig te hebben geaarzeld. Terwijl de zon hoog aan de hemel stond liep ze het dorp uit tot aan het kerkhof langs de nieuw geasfalteerde autoweg. In de hoek waar grootmoeder begraven lag zat oom Georges op zijn hurken, een gieter in de hand. Toen hij Fanny zag schokte hij op. Maar hij keerde zich niet naar haar toe om haar een zoen te geven en volstond met een stijfjes gepreveld goedendag. Fanny knielde naast hem.

'Ik ben blij u weer te zien, oom', zei ze opgewekt.

'Eugène staat op het punt van trouwen, dus...'

'Trouwen!' riep Fanny. 'Met dat meisje dat ik bij jullie thuis heb ontmoet?'

'Jazeker!' zei hij op dreigende toon.

'Gaan ze dan in het huis van grootmoeder wonen?'

'In het huis van Eugène, inmiddels', corrigeerde oom Georges.

'Zou ik niet nog een laatste keer door het huis mogen lopen?'

'Daar stellen we geen prijs op', zei hij vastberaden.

Ten einde raad tilde Fanny als bij vergissing haar rok op en bood oom Georges zicht op een flink stuk bovenbeen, waarmee ze zachtjes tegen zijn heup zwaaide.

'Toch zou het nauwelijks kwaad kunnen', vervolgde Fanny, 'en jullie zouden er toch op kunnen letten wat ik doe.'

'We stellen er geen prijs op', herhaalde oom Georges.

En met demonstratieve afkeer week hij van Fanny terug.

'Ik ben niet gevaarlijk', mompelde Fanny.

'Maar jij weet je niet te gedragen!' barstte oom Georges met een knalrood gezicht los. 'Jij trekt je niets aan van regels en gewoonten, noch van de offers die een familie vergt of van de plicht tot zelfverloochening. Wie ben jij eigenlijk? In de ogen van de familie ben jij nu niets meer! Grootmoeder is dood, je moeder heeft berouw dat ze je het leven heeft geschonken en stemt in met onze verwijten, erkent kortom haar fout. Maar jij? Waar kun jij aanspraak op maken? Vooruit, verdwijn, daar doe je het beste aan!'

'Maar het dorp is toch mijn land!' protesteerde Fanny.

'Kunnen wij het helpen, dat je het zo ziet?'

In zijn overhemd met de korte mouwtjes onder zijn overall zag oom Georges er heel anders uit dan degene in wiens auto Fanny was gestapt, zelfs heel anders dan de oom Georges in de zondagse kleren die op grootmoeders verjaardag had gedaan of hij Fanny niet herkende. Toen hij klaar was met gieten stond hij op en vertrok, zonder iets te zeggen.

Fanny legde zich erop toe de afrikaantjes harmonieus te schikken. Een licht gedruis deed haar omkijken: aan het andere eind van het kerkhof, dat er binnen zijn omheining steriel en geordend bij lag, stonden roerloos, als verstard in de warmte, tante Colette, de moeder van Fanny en twee vrouwen uit het dorp, alle vier in vlotte zomerjurken, waarbij die van haar moeder zich onderscheidde door de wijde rok en de overvloed van witte stroken. Ze waren met elkaar in gesprek en hadden voor Fanny geen enkele aandacht. In die eigenaardige positie, vastgeprikt bij het hek, leken ze geduldig te wachten tot Fanny haar plaats bij grootmoeders graf afstond. Aan de hand van tante Colette bungelde een grote bos rozen. Fanny kwam overeind en ging op weg naar de uitgang. Ze liep rakelings langs tante Colette; haar angstige blik kruiste die van haar moeder, die vaag voor zich uit staarde en luchtig en beleefd bleef glimlachen. Toch hadden Fanny en haar moeder elkaar al een hele tijd niet gezien! Wat oom Georges zei is waar, dacht Fanny berustend. Want op het vriendelijke gezicht van Fanny's moeder was niet de geringste emotie te bespeuren en haar bleke ogen hadden Fanny's donkere blik ontmoet als was die een onbekende, met de afstandelijke minzaamheid die ze in de kapsalon had aangekweekt. In haar ontreddering struikelde Fanny, ze viel bijna. Noch haar moeder noch tante Colette stak een hand uit: en daar begaven ze zich met trage passen naar grootmoeders graf om het met nog meer bloemen op te sieren. Lui liep tante Colette met het boeket te zwaaien. De jurk van Fanny's moeder bolde op en onthulde knieholten waarin een paar aderen aan de oppervlakte kwamen. Zij aan zij gingen ze voort terwijl hun blote armen elkaar streelden, zoals ze ook hadden gelopen lang voor Fanny was geboren, toen de mogelijkheid van haar bestaan voor hen slechts aanleiding moest zijn geweest tot een ongelovige schaterlach, terwijl ze waarschijnlijk ontroerd waren geraakt bij de gedachte aan een toekomstige kleine Eugène, die in hun hoopvolle dromen natuurlijk al leek op hoe hij was geworden. 'Kon ik mezelf maar veranderen in Eugène!' verzuchtte Fanny en verliet het kerkhof. Aan de buitenkant waren de grauwe, uit holle bouwstenen opgetrokken muren overdekt met graffiti en woeste of obscene tekeningen. Het afgelegen kerkhof, dat grensde aan een akker, was net als een grote stortplaats aan de andere kant van het dorp en de binnenkort te openen supermarkt moeilijk te voet te bereiken, want tussen de autoweg en de bietenvelden was alleen maar een smalle berm. Fanny, die voor de gelegenheid pumps had aangetrokken, sprong steeds weer vanaf de weg, waar de onverschillige auto's pijlsnel voorbijschoten, naar de berm waar ze niet in vooruitkwam zonder haar enkels te verzwikken. Weldra fietsten haar moeder, tante Colette en de twee andere vrouwen haar voorbij. Tante Colette zat op de oude blauwe mobylette van grootmoeder, die nooit anders dan als fiets in gebruik was geweest; ze zwoegde. Niet één wierp een blik op Fanny, ook al was die op gevaar af zich te verwonden in de greppel gesprongen om hun de doortocht niet te versperren. Ze negeerden haar onnadrukkelijk, zelfs zonder dat er opzet in het spel leek, en Fanny's moeder was echt vrolijk!

4

Gesprek met Eugène

Op een nacht posteerde Fanny zich onder Eugènes slaapkamer die aan de straatkant lag, en ze floot zachtjes. Weldra verscheen hij aan het raam en trok dat behoedzaam open. Stijf tegen de muur aan, rekte Fanny zich zo ver mogelijk naar boven.

'Ben je me dan vergeten?' prevelde ze. 'Ik ben het, Fanny, je nicht.'

'Ik mag nog bijna niet eens met je praten', fluisterde Eugène.

'Waar zijn ze bang voor?'

'Dat je me met je meesleept, zoals de eerste keer.'

'Dat zou wel stom van me zijn, want je hebt me lelijk in de steek gelaten.'

'Maar je behandelde me ook zo slecht!'

'Nu sta je op het punt van trouwen, Eugène. Waarom niet met mij?'

'Dat is onmogelijk!' schreeuwde hij.

'Ik ben toch je nicht.'

'De mensen zouden ons bekijken. Dat jij mijn nicht bent zou gauw vergeten zijn, maar niet dat...'

'Wat dan?'

'Ach, je zeurt! En ik sliep trouwens. Zie jij eruit of je mijn nicht bent?'

'Dat is het dus!'

'Bij sommige situaties moet je je nu eenmaal neerleggen.'

En koppig zweeg hij. Fanny probeerde een opgewekte klank in haar stem te houden, uit angst dat ze Eugène zou grieven en dat hij terug in bed zou gaan.

'Je verloofde, daar hou je van, natuurlijk', hernam ze moeizaam.

'Vanzelf.'

'Je houdt dus meer van haar dan van mij.'

'Niet meer en niet minder dan van jou', zei hij vastberaden.

'Zie je wel!'

'Ik zie niks.'

'Dat je met me zou trouwen, als je de moed had.'

'Ach, misschien. Maar het is nu eenmaal niet zo dat ik het liever doe.'

'Arme Eugène toch, je stelt me teleur.'

En meteen, om te voorkomen dat hij weg zou gaan, voegde ze eraan toe: 'Vertel me eens of tante Leda op je bruiloft komt.'

'Hoe moet ik dat weten?'

'Maar is ze verwittigd?'

'Niemand weet waar ze zit', zei hij ongeduldig, met een geeuw.

'En mijn moeder? Heeft ze het weleens over mij?'

'Nooit.'

'Maar ze heeft me wel gezien.'

'Ze laat er niets van merken. Misschien is ze je vergeten.'

'Haar eigen dochter?'

'Zoals je misschien vergeet wat te maken heeft met een onprettige of schandelijke herinnering.'

'Eugène, wat een inzicht!' schertste Fanny die half en half bezwijmde.

'Nou, goeienavond.'

'Wacht!'

Maar Eugène had het raam gesloten en het gordijn weer dichtgetrokken. Fanny liep terug naar het hotel, waar Isabelle nog op was. Met een koele blik hield haar vriendin haar staande.

'We hadden graag dat je je kamer betaalt', begon ze, 'voor de periode dat je hier nu al bent.'

'Ja, ik zal het er met mijn familie over hebben', zei Fanny die op zwart zaad zat.

Toen ze aanstalten maakte de trap op te gaan, greep Isabelle haar bij een mouw.

'Iedereen weet dat je geen contact meer hebt met je familie. Wat zou je anders hier bij ons doen? En is het echt wel je familie? Die vragen spelen door het hoofd van de mensen in het dorp die zich jou nog herinneren, al zijn dat er niet veel, toegegeven. Waarom zou je echte familie je verstoten? Zoiets is toch onvoorstelbaar. Dus...'

'En al zou het zo zijn,' zei Fanny, 'zou er dan tussen ons iets moeten veranderen?'

'Als ik toch niet meer weet wie jij bent!' schreeuwde Isabelle beledigd.

En het was of ze plotseling tot de overtuiging kwam dat Fanny van het begin af aan haar vertrouwen had beschaamd. 'Het is uitgesloten dat je hier nog een nacht langer blijft', zei ze gebiedend, 'als je ons morgen niet hebt betaald.' Waarna de vriendin uit Fanny's kinderjaren haar armen over elkaar sloeg en het gesprek als geëindigd beschouwde.

5

Ter plekke

Kort na het middaguur arriveerde Fanny, haar koffer bij zich, met voorzichtige passen voor het huis van grootmoeder, waar ze langs de lage tuinmuur naar achteren liep tot aan de houten deur, die naar ze wist gemakkelijk openging als je op je tenen ging staan en aan de andere kant de grendel terugschoof. Ze haastte zich door de tuin naar de veranda en duwde de keukendeur open: een warme stilte, gedrenkt in een zware geur van gekookt fruit – een schaal dampende pruimen stond nog op tafel – stelde haar gerust. Ze ging naar binnen, verborg haar koffer tussen de koelkast en de muur. De keuken, eenvoudig gemeubileerd, verfraaid met reclamebarometers en beschilderde borden, was gestold in dezelfde buitensporige properheid als in de tijd van grootmoeder. Vermoeid cirkelden een paar dikke, trage vliegen rond de pruimen. Fanny wierp een blik in de huiskamer: op de oude canapé, die pluisde en naar honden rook, lag haar moeder te slapen voor de televisie, waarop zich gedempt de vertederende beelden bewogen van een onnozele serie die Fanny en grootmoeder vroeger geruime tijd hadden gevolgd, waarbij Fanny, dicht tegen grootmoeder aan op de toen al versleten en sterk ruikende canapé, de simpelste zaken over de onbehouwen drijfveren van de hoofdpersoon moest vragen om er nog iets van te kunnen begrijpen. De mond van Fanny's moeder stond halfopen, haar lippen glimlachten. Precies zo, lieflijk en kalm, glimlachte ze op een foto die op de televisie stond en die Fanny niet kende, al was het er een van vroeger. Dichterbij komend zag ze dat dit het kiekje was dat haar had toebehoord en dat door oom Georges op grootmoeders verjaardag was verscheurd. Het was weer geplakt; alleen ontbraken een stukje van de voet van Fanny's moeder en het gezicht van Fanny zelf, dat nog slechts een gat was, opengereten tegen de gewelfde boezem van haar moeder.

Onopgemerkt verliet Fanny de huiskamer, nadat ze werktuiglijk de televisie had uitgezet. Omdat haar vanuit grootmoeders slaapkamer een zwak geluid bereikte deed ze zachtjes de deur op een kier en daar zag ze tante Colette op de donzen deken liggen, een van haar stevige benen buiten bed. Zonder de kasten leek de kamer kaal en troosteloos. Met opengesperde ogen lag tante Colette vijandig naar Fanny te staren: in de hele familie was bekend dat tante Colette de eigenaardige gewoonte had om altijd te slapen met haar ogen wijdopen en even uitdrukkingsvol als wanneer ze wakker was. Van de wijs gebracht door deze specifieke eigenschap die haar was ontschoten durfde Fanny dan ook niet verder te gaan, al had ze heel veel zin om het grove gezicht van tante Colette eens van nabij te bestuderen in een poging te doorgronden waarom het zo kon imponeren. Grootmoeders geschilderde portret, dat ze altijd boven het bed had zien hangen, was naar ze constateerde weggehaald en vervangen door een opname van Eugène en zijn verloofde die bezig waren om getweeën, krom van het lachen, een enorme taart aan te snijden, hun verlovingstaart, vermoedde Fanny. En ze vroeg zich af wat er geworden was van het schilderij van grootmoeder, in haar jeugd bekwaam vervaardigd door een plaatselijke kunstenaar.

In de kamer op de begane grond waar Fanny vroeger altijd logeerde prijkte nu op bed de geruite koffer van haar moeder, waaronder achteloos een poppetje werd platgedrukt, gekleed in een jurkje dat grootmoeder nog voor haar plezier had gehaakt. Fanny zette het terug op de vertrouwde plaats, scheldend op de nonchalance van haar moeder. Ook schikte ze de antimakassars die verfrommeld op een zitting lagen, en trok ze de gestikte deken recht waarvan de grote bloemen pasten bij het behang, waarop hetzelfde motief in minder felroze doorging tot aan het plafond, zodat de kamer iets kreeg van een fraaie doos, gesloten en gecapitonneerd. In kalme droefenis en met een gevoel of het einde nabij was keek Fanny door het raam de fantasieloze tuin in die er nuttig en gedisciplineerd bij lag. In deze tijd van het jaar had ze vaak geholpen met aardbeien plukken. Grootmoeder lette er dan zorgvuldig op dat er niet één exemplaar onder een blad verborgen bleef, want ze had een hekel aan verspilling ook al wist ze zich iedere zomer opnieuw geen raad met al die aardbeien.

Daarna ging Fanny naar de kamer van Eugène: hij had de luiken gesloten en lag op bed te rusten in gezelschap van het meisje, dat een been over zijn naakte heup had geslagen waar in het schemerdonker een soort glans op leek te liggen: dat had Fanny's dijbeen kunnen zijn, aldus rustend op Eugènes inschikkelijke flank: wat een verrassing dat het niet zo was! Fanny kneep in haar eigen lijf, voor haar was het een groot mysterie dat ze daar in de deuropening stond terwijl haar naar het meisje starende ogen haar zeiden: ben ik dat niet ook? Naast het kruisbeeld was een borduursel van grootmoeder blijven hangen, voorstellende een vrouw verdiept in haar lectuur; en als erfstuk stond daar in Eugènes kamer de kleine boekenkast met glas ervoor waarin grootmoeder zorgvuldig, niet zozeer uit respect voor het voorwerp als wel om te voorkomen dat iets dat geld had gekost ook maar enigszins zou worden beschadigd, verpakt in doorzichtig papier dat je bij de slager kreeg, de boeken had gerangschikt die ze maandelijks ontving van een club waar ze ooit in een vlaag van buitensporigheid lid van was geworden. Ze had er trouwens spijt van gekregen want ze vond het vervelend iedere maand een roman te moeten lezen en, nog erger, een keus te moeten maken uit boeken waar ze niets van wist en waarin verhalen werden verteld die ver van haar af stonden, nooit haar uitermate beperkte belangstelling of nieuwsgierigheid prikkelden. Fanny constateerde dat in elk boek op ongeveer een derde een bladwijzer stak; want liever had grootmoeder zich moe gemaakt door het eerste stuk te lezen dan dat ze bereid zou zijn geweest iets op te bergen waarvoor ze had betaald en dat eigenlijk nergens voor had gediend, niet eens om haar het inslapen te vergemakkelijken. Er zorg voor dragend de jongelui niet te wekken pakte Fanny op goed geluk een boek, Gelieven zonder vaderland, en stopte dat onder haar ceintuur. De tijd voor het middagdutje was bijna voorbij; waarschijnlijk zou tante Colette het eerste wakker worden en als ze op Fanny zou stuiten, tot welk een bruutheid zou ze dan niet in staat zijn?

In de gang, vlak voor de keuken, zag Fanny onder de trap naar de zolder een nis met een gordijn ervoor, waar vroeger bij strenge vorst grootmoeders honden mochten slapen. Ze installeerde zich zo goed en zo kwaad als het ging, haar knieën tegen haar borst en haar kin omlaag, terwijl haar neus zich vulde met de hardnekkige geur van nat hondehaar die nog steeds opsteeg uit de in vieren gevouwen deken waar ze op zat. Na een minuut had ze het idee dat ze het in deze positie niet volhield. Maar vervolgens werden haar spieren gevoelloos, de geur leek haar minder sterk, Fanny voelde zich bijna prettig.

Op dat moment, Fanny zag het door een spleet tussen de muur en het gordijn, kwam tante Colette haar slaapkamer uit, ze ging aan de tafel met pruimen zitten en begon luidruchtig te eten, zo uit de schaal. Ze droeg haar mooie blauwe japon met de zilverkleurige maantjes, inmiddels omgedoopt tot huisjurk omdat ze hem waarschijnlijk te oud vond om er op hoogtijdagen nog effect mee te kunnen sorteren, en de gedegradeerde jurk werd nu met vruchtenmoes bespat terwijl datzelfde kledingstuk nog niet zo lang geleden twee keer per jaar uit een hoes werd gehaald en met stroeve omzichtigheid werd aangetrokken. Tante Colette legde haar lepel neer toen ze Fanny's moeder, Eugène en zijn verloofde hoorde komen, vlug veegde ze haar lippen af aan de mouw van haar jurk en ging voor ieder een bord pakken. Eugène zat nog maar net of hij begon tussen twee happen in over een hond die hij wilde aanschaffen: hij wilde een grote, die hard genoeg blafte om bezoekers af te schrikken: in een aldus bewaakt huis zouden ze rustig slapen. Tante Colette was het met de intentie eens. En ze zat elegant te treuzelen met eten, beweerde dat ze geen honger had, stond erop haar portie aan de anderen te geven. Fanny's moeder beschreef wat ze op de trouwdag zou dragen: ze zou zich, heel simpel, in zachtpaars hullen. De verloofde wilde beslist iets allereenvoudigst, dat ze gemakkelijk nog eens een andere keer zou kunnen aantrekken. Dus liever beige dan wit, geen kant en schoenen met niet al te hoge hakken. Als hoofddeksel was een baret voor haar genoeg. Voor Eugène zouden ze een grijs pak kopen, zo een waar hij zich dagelijks in zou moeten hijsen wanneer hij, zoals tante

Colette en de verloofde voor hem hadden uitgedacht, hetzelfde werk zou gaan doen als zijn vader. Het moest een goedkope bruiloft worden al was er voedsel in overvloed besteld, maar het kon dan ook met goed fatsoen niet minder omdat op het verlanglijstje dure cadeaus stonden. De verloofde verheugde zich op een aardewerk visservies dat tante Clémence van plan was te geven. Voldaan herhaalde ze nog eens de prijs, met een trots alsof met die drieduizend franc haar persoonlijke verdiensten werden bevestigd. Anderzijds noemde tante Colette laatdunkend een familielid dat zich, zogenaamd uit geldgebrek, met excuses genoodzaakt had gezien zijn keus te laten vallen op het voordeligste geschenk, een set schoenborstels met een greep van namaakschildpad. Ze ergerde zich dat die kerel, de peter van Eugène, zich vooral bekommerde om zijn eigen portemonnee. Eugène zat voor zich heen te brommen: niets kon hem afleiden van de gedachte aan de hond die hij naar hij had besloten zou aanschaffen. Fanny's moeder bladerde neuriënd de tv-gids door en over Fanny werd geen woord gezegd, er was niets te merken van enige gêne omdat ze aan haar lot werd overgelaten.

6

In de nis

Tot haar grote verrassing kreeg Fanny, kort nadat het avondmaal ten einde was, van haar moeder de restjes toegeworpen:
door de spleet kwamen wat karbonadebotten waar nog vet aan
zat, zwoerd van de ham, een stukje hard geworden kaas, een
bijna complete appel. Uit de haastige gebaren van haar moeder
maakte ze op dat dit stiekem gebeurde. Na het gordijn zo ver
over de roe te hebben getrokken dat de spleet niet smaller meer
kon, liep haar moeder snel weg. Ze droeg gloednieuwe goudkleurige muiltjes met hoge hakken. Ofschoon er niemand anders in de buurt was zei ze niets tegen Fanny, maar dat verbaasde Fanny nauwelijks want ze had, besefte ze, dan nog wel zo
veel leven in zich dat haar moeder bereid was haar te voeden,
maar het lag niet langer in haar vermogen de mensen zover te
krijgen dat ze tegen haar praatten. Als ze haar mond had
opengedaan zou ze trouwens, zo vreesde ze, haar arme moeder
flink aan het schrikken hebben gemaakt, de anderen zouden
misschien van alle kanten zijn toegesneld en haar op deze
verboden plek hebben ontdekt.

Gretig knaagde Fanny aan de botten. Daarna kreeg ze zin
zich te gaan verdiepen in de roman die ze uit grootmoeders
boekenkast had weggepikt.

Ze las tot de ochtend, bij het licht van een manestraal die
door het glas van de tuindeur viel, en ze werd zich pas weer
bewust van haar situatie toen ze hoorde dat tante Colette uit de
slaapkamer kwam, haar keel schraapte en op haar oude pantoffels naar de badkamer slofte. Fanny was echter in de ban van
een ijle vreugde, in verrukking over wat ze had gelezen en niet
in staat te geloven dat er iets nog reëlers bestond. Vrolijk
nestelde ze zich in haar nis; het was haar onmogelijk haar armen
en benen te strekken of haar hoofd op te tillen; ze drukte een
paar vlooien fijn die haar 's nachts hadden gebeten. En Fanny

zou graag ter plekke, meteen, de rest van haar nog korte leven hebben ingeruild voor de zekerheid van een laatste emotie als die van daarnet, die ruimschoots tegen alle vreugden uit haar verleden opwoog.

Tante Colette waste zich met luidruchtig spetterend water en liet losjes een aantal winden schieten. Wat zou zelfs, zei Fanny in zichzelf, een leven naast Eugène zijn geweest, met de onvermijdelijke verveling, de talloze beslommeringen, vergeleken bij het geluk dat Gelieven zonder vaderland haar had geschonken, in een paar uren die jaren leken te hebben geduurd? Haar blauwe jurk dichtknopend liep tante Colette naar de keuken. Ze krabde aan haar buik, liet het nylon knisteren: zelfs in haar nis moest Fanny ervan rillen. Tante Colette zette koffie. Daarna ging ze naar de huiskamer en ze dronk haar kom leeg voor de televisie, die op dit vroege uur een spelletjesprogramma uitzond dat de vorige avond ook al te zien was geweest en dat tante Colette vast had gemist. Met krachtige stem produceerde ze de antwoorden en luidop maakte ze zichzelf een compliment als ze eerder dan de kandidaat de goede oplossing had gevonden, waarna ze het betreurde daar niet in diens plaats te staan en er een zure verachting aan overhield. Na afloop van het programma zette ze het geluid harder om vanuit de keuken, waar ze groenten ging schoonmaken, naar de televisie te kunnen blijven luisteren. Het afval gooide Fanny's moeder naderhand de nis in: voor het middagmaal had tante Colette een gerecht gemaakt dat als haar specialiteit gold, rundergehakt met aardappelpuree, waar geen hapje van overbleef. Vooral Eugène zat te bunkeren. Zijn gezicht kreeg rode vlekken, een violetkleurige stevigte die Fanny al zo lang ze wist van oom Georges kende. Hij sloeg de streekkrant van die ochtend open en schoof zijn stoel achteruit om gemakkelijker te lezen, terwijl zijn verloofde en tante Colette de afwas deden en Fanny's moeder zich installeerde voor haar tv-serie. Hij las de namen voor van degenen die sinds de vorige dag waren gestorven. Tante Colette die deed of ze iedereen kende slaakte kreten, wilde het niet geloven; berustend zei ze ten slotte op voldane toon: 'Wie had dat gisteren kunnen voorspellen?'

Plotseling werd er op de deur geklopt en kwam Fanny's vader binnen. Hij was in gezelschap van zijn huisknecht met de koperen knopen, die een zwaar pakket droeg. Iedereen liet een kreet van verrassing horen. 'Jij hier?' zei Fanny's moeder verbaasd, zonder uit de huiskamer te komen. Tante Colette begon zich uit te sloven. Ze schoof stoelen bij, schonk koffie in, kwam met boterkoekjes voor de dag. 'Zo zo zo', mompelde Eugène, niet wetend wat te zeggen. Fanny's vader droeg een chic wit kostuum en zijn lichtgele schoenen kraakten bij iedere stap, hij was fier, sereen, wat arrogant. Hij ging zitten en dronk langzaam zijn koffie, terwijl de bediende bleef staan, het pakket aan zijn voeten. Omdat hij zweeg durfden ze geen van allen iets te zeggen. Ze trokken een gezicht of ze belangstellend luisterden naar de vastberaden stemmen uit de huiskamer waar nog steeds Fanny's moeder zat, die enkel haar stoel een beetje had verschoven zodat ze zicht had op de keuken. Dat ze niet de moeite nam de vader gedag te komen zeggen, was niet zozeer uit trots, want ze hadden al een hele tijd een goede verstandhouding, als wel omdat ze werd weerhouden door de gedachte dat ze misschien een belangrijke scène uit de aflevering zou missen: de serie was al vijftien jaar niet meer herhaald, terwijl ze bij Fanny's vader op bezoek kon wanneer ze maar wilde.

Tante Colette zat geen moment stil. Al wat er in de kast aan koekjes en andersoortige lekkernijen lag haalde ze tevoorschijn, ook al nam de vader niets. Zijn stilzwijgen maakte haar steeds nerveuzer. Eindelijk tilde hij het pakket op. 'Ik heb gehoord dat je gaat trouwen', zei hij vriendelijk terwijl hij het Eugène aanreikte. 'Dit is voor jou, neef.' Zich naar tante Colette wendend zei hij nog: 'Zo hoort het toch, meen ik.' En hij glimlachte bescheiden, net als de bediende, die er zo blij uitzag of het cadeau voor hem bestemd was. Wat onbeholpen pakte Eugène een lange lap uit, dikke glanzende stof met een kunstig motief en een sterke kruidengeur, die het won van de geuren waarvan het huis gewoonlijk was doortrokken: opstijgend uit de kelder, uitgewasemd door de oude oven, zwevend uit de kasten waarin de lavendel was verdord, neerdalend van de zolder die was volgestouwd met oude rommel. De aanstaande bruid bedankte verrukt en drapeerde de stof om haar heupen terwijl ze bezwoer dat dit het mooiste was dat ze ooit had gezien. 'Je verwent ze veel te veel', zei tante Colette aanstellerig, haar blik op de grote koperen knopen van de bediende. Vond ze de livrei van de knecht niet nog indrukwekkender dan de elegante, sobere kleding van de meester? Fanny's vader werd omarmd en ze wisten niet meer wat ze moesten verzinnen om het hem naar de zin te maken. Er werd geïnformeerd naar de situatie bij hem thuis en hij antwoordde welwillend. Toen hij van zijn kant eenzelfde beleefdheid had opgebracht groeide er een sfeer van wederzijdse warmte en hartelijkheid zoals er nog nooit tussen de familie en Fanny's vader was geweest. Hij liet zich overhalen om tot de volgende dag te blijven, de reis had hij gemaakt per auto met de bediende als chauffeur. Eugène ging naar buiten om de limousine te bewonderen. Zijn verloofde overwoog of ze uit de stof gordijnen zou knippen voor de huiskamer. Waardig achteruit leunend op zijn stoel, beleefd en laconiek, genoot de vader van zijn triomf. Toen hij als jongeman voor het eerst grootmoeders huis had betreden, aan de arm van Fanny's moeder die op dat moment van een vermetel streven was bezield, hadden koele blikken hem gemonsterd, en tante Colette had zich met een onvriendelijke stem beperkt tot het stellen van een aantal achterdochtige vragen. Nu beijverde tante Colette zich om voor het avondmaal de fijnste delicatessen te vergaren. Ze ging naar onder om een konijn te slachten terwijl Fanny's moeder de tuin inliep om frambozen te plukken, waarvan ze op de terugweg een handvol van de onaantrekkelijkste in de nis gooide. Ze leek het achteloos te doen, meer uit vage herinnering aan een plicht dan uit medelijden. Wist ze eigenlijk nog wel wat ze in de nis zou hebben gevonden als ze het gordijn had opgetild, dat was ten zeerste de vraag, te oordelen naar haar verstrooide, afwezige manier van lopen door de gang, op haar leuke goudkleurige muiltjes, nu en dan toevallig stilstaand voor het hok onder de trap zonder dat haar enkel trilde, zonder dat ze haar dochter met een tikje van haar voet op de hoogte bracht van een gedachte over haar, een gevoel van spijt. En als ze een seconde van haar tijd offerde of van haar route afweek om een paar frambozen te komen brengen, of de nog warme ingewanden die onder het mes van tante Colette uit de buik van het konijn waren gevallen, had ze daar waarschijnlijk net zomin een gedachte bij als wanneer ze eens per jaar, gedreven door de kracht van gewoonte en opvoeding en door een zucht naar netheid, op het kruisbeeld in haar slaapkamer het verdorde palmtakje verving – zou ze bereid zijn geweest te geloven dat in de nis een dochter van haar kon zitten? Toch zorgde ze ervoor dat ze niet gezien werd als ze het gordijn op een kier schoof; maar dat kon zijn uit schroom.

Tante Colette kookte groentesoep en maakte ragoût van het konijn waarvan ze het schuimende, overvloedige bloed had opgevangen in de gebarsten oranje kom die grootmoeder vroeger voor hetzelfde doel had gebruikt. Eugène hing doelloos om haar heen, al wilde tante Colette liever dat hij Fanny's vader die zich een aperitief had laten inschenken gezelschap hield. Maar Eugène stribbelde tegen, met plotselinge bedeesdheid: hij was bang dat hij in aanwezigheid van die indrukwekkende man een enorme flater zou slaan. En de vader proefde van zijn pastis met klakkende tonggeluiden die tante Colette vleiden, waardoor dat bijzondere van hem in haar ogen veranderde in een superieur soort zij het enigszins ondoorgrondelijke elegantie. Tante Colette was Fanny vergeten en overwoog met genoegen dat een zo rijk getooide eigenaardigheid slechts plaats liet voor bewondering en ontzag. Ze nam zich voor te gaan werken aan het behoud van de band tussen de vader en Eugène, die geen baan had en met de dag minder geneigd leek er een te gaan zoeken. Wat zou tante Colette hebben gedacht als ze plotseling uit de nis onder de trap haar nichtje Fanny tevoorschijn had zien komen? Zou haar gevoel anders zijn geweest vanwege het nieuwe respect dat de vader haar afdwong, aangenomen dat ze nog zou weten wie Fanny was en haar vader zelf haar zou erkennen als zijn dochter?

Uit een buffet vlak bij de nis haalde tante Colette de potten jam en de verse uien die Fanny's vader de volgende dag zou meenemen. Ze telde zorgvuldig, want je kon wel vriendelijk zijn maar daarom hoefde je je nog niet te ruïneren. De andere ochtend deed ze er nog een half konijn bij, met de hele lever, en in een met aluminiumfolie afgedekt yoghurtpotje zat het bloed. Traag liep Fanny's vader weg. Vlak voor het huis ontmoette hij oom Georges die terugkwam van een rondreis en die, onwetend van de ontvangst die de vader ten deel was gevallen, misschien in de veronderstelling dat hij zojuist zonder plichtplegingen buiten de deur was gezet, hem in zijn grijze synthetische zomerkostuum van hoofd tot voeten opnam, met harde, misprijzende lippen.

7

Er worden toebereidselen getroffen voor de bruiloft en Fanny sterft een eerste keer

Nog vóór het aanbreken van de dag was iedereen in huis al op de been en heerste er de grootste opwinding. Fanny's moeder bleef in haar zachtpaarse jurk heen en weer lopen op zoek naar een ceintuur die ze niet kon vinden en vergat de restanten van het ontbijt in de nis te gooien, zonder dat ze zich haar verstrooidheid leek te realiseren. Ze tilde zelfs een keer het gordijn op omdat ze in haar wanhoop dat de ceintuur maar niet terechtkwam elke uithoek verkende, maar haar snelle blik gleed door de nis zonder bij Fanny te blijven steken, gespitst op het voorwerp waarnaar ze op jacht was. Onstuimig en zorgeloos tikten haar paarse suède pumps op de tegels: ze had ze meteen bij het opstaan aangetrokken, om ze naar ze zei 'in te lopen'. Kalm zette tante Colette glazen en flessen klaar voor het aperitief, dat thuis zou worden genuttigd, en ze ruimde de eetkamertafel af omdat daar de cadeaus op zouden worden uitgestald. Ten slotte verscheen in een eenvoudig beige mantelpak de bruid, gevolgd door Eugène die zich in het beste kostuum van zijn vader had geperst waar een lichte geur van naftaline omheen hing. Dat pak had destijds, verzekerde tante Colette terwijl ze aan de te korte mouwen trok, buitensporig veel geld gekost en oom Georges had het dan ook uitsluitend bij bijzondere gelegenheden gedragen, zich er met succes op toegelegd het mooi te houden. Eugène, die het nu al benauwd had, trok zijn gebreide stropdas los; zijn colbert zat zo strak dat zijn gebaren er ongemakkelijk van werden. Met zijn handen in zijn zakken slenterde hij van kamer naar kamer, rusteloos maar niet wetend wat te doen, met zijn logge omvang een obstakel voor de vrouwen die ijverig in de weer waren, klaagden dat hij voortdurend in de weg liep en hem opzij duwden, hem met tedere voldoening beknorden. Opeens was hij weg, met de belofte dat hij gauw weer terug zou komen. Vervolgens maakte tante Clémence haar entree en verdrong iedereen zich rond het visservies, waarvan ieder bord was versierd met de gestileerde kop van een poon in reliëf en dat een dekschaal had in de vorm van een scheepsanker, precies zoals de bruid het zich had gedroomd. Het werd midden op de tafel uitgestald en om iedere verwarring te voorkomen werd het voorzien van een etiket met de naam van tante Clémence. Maar in golven bleven de gasten binnenstromen; de keuken vulde zich; de cadeaus stapelden zich op, door tante Colette gerangschikt naar belang en prijs.

De gesprekken verliepen aldus:

'Straks krijg ik het behoorlijk warm, zo met mijn sjaal.'

'Dan doe je 'm na de kerk af.'

'Nee, dan vat ze kou!'

'Met dit weer moet je oppassen.'

'Het gevaarlijkste weer dat er is. Vorig jaar nog moest ik drie dagen in bed blijven omdat ik lelijk op de tocht had gezeten en nooit heb je...'

'Een slakkenservies! Wat zijn ze verwend!'

'De laatste keer dat ik ze heb gegeten ben ik ziek geworden, ze waren niet goed uitgelekt.'

'En de boter! Als de boter ranzig is...'

'Eugène houdt niet van slakken.'

'Toen hij klein was kon hij inderdaad geen slak zien zonder...'

'Met het ouder worden gaat dat over.'

'Weet je nog de slakken waar je zus toen mee kwam, dat jaar dat ik mijn elleboog brak en...'

'Mijn zus kan ze ook fantastisch klaarmaken.'

'Maar niet zo goed als mijn moeder zaliger...'

Op dat moment deed zich de volgende bijzondere omstandigheid voor: iemand, de bruid misschien, schreeuwde 'Daar is Leda, met Eugène!' en Fanny kwam uit de nis onder de trap gesprongen, rolde over de tegels, een beetje kwijl op haar lippen, haar ogen halfgesloten. Een grote sterke hond rukte zich uit de greep van Eugène los. Het beest schoot op Fanny af, zo hard blaffend dat iedereen van schrik terugweek. Het pakte haar bij de keel en begon haar te verscheuren. Grote brokken vlees werden losgerukt en meteen weer uitgespuwd, alsof de hond haar helemaal wilde proeven alvorens te besluiten haar op te vreten. Hij gromde, niemand mocht dichterbij komen. De aanwezigen verroerden zich niet. Onthutst en rood van schaamte plukte Eugène aan zijn bakkebaarden. De hond stond met alle vier zijn poten op Fanny's borst, haar keel was al bijna door. Fanny had alleen maar licht, heel licht gepiept! Nu wroette hij in haar borstkas, op zoek naar het hart. Opeens kreeg hij er genoeg van, en gedwee kwispelend liep hij terug naar Eugène. Tante Colette hervond haar tegenwoordigheid van geest, zonder walging (zoals ze konijnen van hun ingewanden ontdeed en kalfskoppen schoonmaakte) wikkelde ze wat er nog van Fanny over was in een oud laken en dat alles gooide ze op de mesthoop achter in de tuin. Tante Clémence dweilde de vloer. Met enig elan serveerde Fanny's moeder het aperitief. Eugène ging naar buiten om zijn hond in de tuin aan de lijn te leggen en de gesprekken kwamen weer op gang, over wat er werd gedronken, ook al was dat altijd hetzelfde: pastis voor de mannen en voor de vrouwen een zoet wijntje...

'Van dat gemene spul raak je gauw van de kaart als je niet oppast!'

'Doe er dan wat water bij.'

'Die wil me verdrinken, zij!'

'Deze port is niet zo oud als...'

'Maar die we van onze vakantie hebben meegenomen hebben we gedronken in...'

'Ze maken daar goeie.'

'Het hangt ervan af, ikzelf...'

'Ja, maar dat is het land van de port, en het kost niets, dus ga je gang.'

Onverhoeds was daar Georges, met het zweet op zijn knappe gezicht, waarop een wat verwilderde uitdrukking lag. 'Waar is Fanny?' vroeg hij aan tante Colette. Hij hijgde, want hij had de hele weg gerend. Het kostte tante Colette enige moeite zich te herinneren wie Georges was. Toen ze hem had herkend schonk ze hem een koele glimlach: 'In de tuin, op de vuilnishoop', zei ze. Maar alles wat de hond van Fanny had overgelaten was al door de kippen opgeslokt en Georges, die niets anders vond dan een paar afgekloven botten, wat bloederige haren, dacht dat hij voor de gek was gehouden en het antwoord van tante Colette ten onrechte letterlijk had opgevat. De onverschilligheid waarmee Fanny's moeder, hem vroeger welgezind, nu op hem had gereageerd, overtuigde hem ervan dat het beter was om meteen weer te vertrekken. Hij was trouwens in een impuls komen binnenvallen: had hij niet het idee dat de gewoonte om Fanny te beminnen aan het slijten was?

Genietend snoof hij de zomergeuren op en terwijl hij naar het station spurtte had hij een gevoel of zijn jonge, elastische lijf onstuimig de warme lucht opzij duwde: alsof niets hem ooit nog zou weerstaan, in heel die eindeloze reeks van jaren die nog moesten komen.

ZESDE DEEL

Het relaas van tante Colette

De bruiloft

Eindelijk heb ik dan mijn nieuwe jurk aangetrokken, die in de catalogus bedoeld leek voor forse vrouwen maar die me toch een hoge rug geeft en strak zit, al staat ze niet lelijk: ze is zwart, met een motief van roze bloemetjes. Op mijn zus na hadden de gasten nauwelijks extra kosten gemaakt, wat tegenwoordig naar het schijnt steeds meer de gewoonte wordt, uit zuinigheid en in een streven om je onder alle omstandigheden natuurlijk en gemakkelijk te voelen. Iets waar ik het in wezen wel mee eens ben al vind ik het jammer, en natuurlijk vooral op zo'n ochtend, dat een huwelijksplechtigheid zich zelfs voor wie naar het bruidspaar kijkt in niets meer onderscheidt van een gewone bijeenkomst waar iedereen komt in de kleren die hij of zij bij het opstaan heeft aangetrokken. Mijn eigen nichtjes zagen er maar ternauwernood proper uit.

Het moment dat iedereen het huis verlaat vind ik het allermooiste!

Voor het weggaan heb ik vlug de aperitiefglazen afgewassen, anders zou ik tot 's avonds toe last hebben gehad van de gedachte aan de vuile vaat die daar stond te wachten en in mijn geest alle gelegenheid had om door het hele huis te gaan woekeren. Achter onze rug krijgen de dingen een geduchte onafhankelijkheid die dient te worden getemd.

Ordeloos, zonder een stoet te vormen, spoedden we ons de straat op, mijn zoon wilde zijn hond meenemen en was niet bereid naar mij te luisteren, want ik vond het niet erg gepast. Met zijn ene hand hield hij de hond aan de lijn en mij gaf hij zijn andere arm, zodat ik iedere keer als het dier ervandoor wilde pijnlijke schokken te verwerken kreeg. Mijn zoon hield niet op over die hond. Hij wil hem trainen voor de jacht, dat jagen blijft maar door zijn hoofd spoken. Ter gelegenheid van zijn huwelijk droeg mijn zoon een pak van zijn vader, dat bij de

armsgaten strak zat maar waarin ik al meende zijn vader zelf te
zien wanneer die in een soortgelijk kostuum op stap gaat voor
zijn werk, maar vooral vanwege bepaalde trekken die mijn zoon
van zijn vader begint over te nemen of van hem heeft geërfd, en
die stuk voor stuk te maken hebben met iets heel mannelijks in
hen beiden. Mijn zoon heeft straks net zo'n rood gezicht, van
het mateloze drinken en eten, en van al dat zout! Achter hun
gordijnen keken de buren toe hoe we langsliepen en ik betreurde het dat ze geen indrukwekkende stoet zagen maar een drom
mensen opgesplitst in groepjes bekenden die over de volle
breedte van de weg achter ons aan slenterden, mijn nichtjes met
hun handen in de zakken van hun katoenen broek, over van
alles en nog wat pratend met de bruid, die noch door iets
speciaals aan haar kledij noch door een hevige emotie als zodanig te herkennen was, want ze gedroeg zich heel rustig, liep daar
volstrekt onelegant, met een wat kromme rug, alsof ze niet op
weg was naar het gemeentehuis voor de onherroepelijke zelfge-
kozen ceremonie, maar net als iedere ochtend brood ging halen
aan de andere kant van het dorp, met de lichte verveeldheid die
ze zelfs op dit moment nog leek te voelen.

De hond van mijn zoon begon zonder aanleiding te janken
en alle honden uit de straat reageerden, we konden elkaar niet
meer verstaan. Mijn zoon liet mijn arm los om het beest een
flinke stomp in zijn flank te geven en werd bijna gebeten. Zijn
hond was nog niet aan een baas gewend en mijn zoon had hem
slecht onder controle. In een afgrijselijk blafconcert arriveerden
we bij het gemeentehuis. Mijn zoon, kwaad dat de hond hem
niet wilde gehoorzamen, trok een ontevreden en pruilerig gezicht, en toen zijn verloofde dat zag pakte ze ongevraagd de
riem uit zijn handen en vroeg aan haar jongere broer of hij de
hond terug naar huis wilde brengen, wat een nog grotere
vernedering was voor Eugène, die geen woord meer zei totdat
hij zonder enthousiasme het rituele 'ja' uitsprak.

'Het is mijn hond, je hebt er maar af te blijven!' beet hij zijn
vrouw toe zodra we buiten waren. Zij werd boos, en tot aan de
kerk bleven mijn zoon en zijn vrouw ruziën, allebei zo geërgerd
dat ze nog maar net bereid waren elkaar een arm te geven. Een

paar rijstkorrels geworpen door mijn zus, de enige die eraan had gedacht, bleven zitten in hun haar, dat ze in het kerkportaal met geïrriteerde hoofdbewegingen heen en weer schudden, volkomen vervuld van hun woede. Ze luisterden dan ook nauwelijks naar de vriendelijke toespraak van de oude priester; want in elkaars oor fluisterden ze de argumenten die hun standpunt moesten ondersteunen. Zouden ze trouwens bijster veel hebben begrepen van die taal, die door weinig mensen om mij heen goed werd verstaan ofschoon ieder woord eenvoudig was? Maar zijn zinnen waren lang en aan het eind, niet erg gewend ons geheugen zozeer in te spannen, wisten we de strekking van het begin niet meer. Na een eerste moment van schroom begonnen de gasten zich te ontspannen en ongedwongen te kwebbelen, ze brachten hun verwachtingen ten aanzien van het diner tot uitdrukking en maakten elkaar hongerig. Dat vrolijke gegons overstemde op den duur de eindeloze volzinnen van de pastoor, die net zomin als de donkere, hoge kerkmuren genoeg imponeerden om aanspraak te mogen maken op de eerbiedige aandacht van wie ook, en zonder dat er van onze kant sprake was van een drang om ons provocerend of onafhankelijk op te stellen maar simpelweg uit onwetendheid en middelmatige scholing, waren we hier vooral onderhevig aan verveling, aan het verlangen om snel weg te kunnen met het oog op stoffelijker genoegens. Zelfs voor mijn zoon en zijn vrouw was deze plechtigheid overbodig. Ze hadden zich er spontaan aan geconformeerd om ook maar het kleinste verwijt te voorkomen. Ze raakten niet ontroerd noch in een milde stemming en zelfs niet geïrriteerd door de woorden van de priester, die niet tot hen doordrongen. Mijn zoon dacht waarschijnlijk aan zijn hond. Mijn schoondochter zag misschien het visservies voor zich dat ze cadeau had gekregen. Mijn zoon stond er slordig bij, leunend op één been. Wij hadden vroeger gevoel voor ceremonieel. Mijn zoon en zijn vrouw zetten een brede glimlach op toen ze bij het verlaten van de kerk door iedereen, of nagenoeg iedereen, werden gefotografeerd. Die glimlach zal hun ongetwijfeld een wat onnozel voorkomen geven, maar als ze in staat waren geweest ernstig te blijven zou er ongerustheid zijn ontstaan.

Allerlei dingen gingen verkeerd. Zo had mijn zus op dat moment met de rijst moeten gooien en niet meteen na het gemeentehuis. Vagelijk herinneren we ons de tradities en we zijn geneigd ze in ere te houden, maar op details maken we vergissingen. We lachen een beetje verlegen en laten op de foto breeduit onze tanden zien om te getuigen van het geluk van dat moment. We vinden het dan niet meer belangrijk een statige indruk te maken, dat zou overkomen als belachelijk of kil. Dus zoenden mijn zoon en zijn vrouw elkaar voor de foto en dat deden ze zo ruw dat mijn zoon aan de grote tanden van zijn vrouw een lip scheurde, maar hadden ze elkaar omzichtig omhelsd dan zou hun een eigenaardige onverschilligheid zijn toegeschreven, en zelf zouden ze zich zorgen hebben gemaakt dat ze zich niet gulziger hadden getoond, zouden ze in dat feit misschien naar de illustratie van een gecompliceerde waarheid hebben willen zoeken. Op de boord van mijn zoon zaten een paar bloeddruppels en hij raakte weer helemaal uit zijn humeur. Langzaam liepen we terug naar huis waar de erewijn werd ingeschonken, en bij de genodigden voegden zich tal van buren die we voor deze kleine collatie hadden gevraagd en die voor de deur geduldig op ons stonden te wachten, al zou normaal gesproken de beleefdheid van hen hebben geëist dat ze eerst de kerkelijke inzegening hadden meegemaakt en hun niet hebben toegestaan, aangezien hun afwezigheid in de kerk uit geen enkele overtuiging voortvloeide, zich pas aan te dienen op het moment dat het drinken en eten begon. Want dat ze niet eerder aanstalten hadden gemaakt om te komen was uit luiheid en angst voor verveling.

Mijn zoon was blij dat hij zijn hond kon losmaken. Hij legde de poten van het dier op zijn schouders en liet zich in deze positie een aantal malen fotograferen, met een blik van onnozele verrukking. Hij ging met de hond naar binnen om hem te laten zien. Voor de grap probeerde hij het dier dronken te voeren maar zonder succes, de hond lustte het niet en we hebben heel wat afgelachen omdat het beest steeds als de mousserende wijn in zijn neusgaten kwam moest niezen. Nooit heb ik mijn zoon zo gelukkig gezien als met die hond. Zijn vrouw en hij mogen dan vaak wat moeite hebben met het vinden van een gespreksonderwerp dat hen beiden interesseert, omdat mijn zoon eigenlijk alleen warmloopt voor jagen en auto's terwijl zijn vrouw afgezien van het huishouden door maar weinig dingen wordt geboeid, met die hond lijkt mijn zoon beter te kunnen praten dan met wie ook, en zonder er ooit genoeg van te krijgen. Mijn zoon had met zijn hond moeten trouwen en niet met een vrouw, want hebben die twee iets met elkaar gemeen, is er ook maar enige overeenkomst in wat hen bezighoudt? Mijn zoon had met zijn hond moeten trouwen of met een vriend van hetzelfde geslacht met wie hij eindeloos over zijn hond had kunnen praten. De vrouw van mijn zoon wil niets van die hond weten! En mijn zoon heeft weer moeite met de huiselijke probleempjes van zijn vrouw, waarvan hij het relaas plichtmatig aanhoort. Wat mijn zoon verder deed, nadat hij de hond had geplaagd? Hij was moe en ging liggen. Lange uren scheidden ons nog van het bruiloftsmaal en de gasten liepen doelloos door het huis, door de tuin, een paar begonnen aan een partijtje jeu de boules. Ik voegde me bij mijn zussen en de andere vrouwen, die in een hoek van de keuken een groepje vormden. We hebben vredig gepraat over de familie, over ieders kwalen en hoe ze te verhelpen. Wij zijn rustig en lijdzaam en hebben het pas echt naar onze zin als we onder ons zijn. Als er een man bij komt vinden wij dat storend; en zolang hij er is, staat het ons tegen om over onszelf te praten. Snel verwijdert hij zich dan, bevangen door verveling alleen al bij de aanblik van ons gezelschap, waarin hij een indringer is, waarin zijn lichaam lomp en onhandig wordt, om terug te keren naar de mannen in de tuin of op het plaatsje, die luid met elkaar in gesprek zijn over onmysterieuze kwesties, hun handen in hun zakken, hun buik vooruit, ieder onderwerp vermijdend waaruit het vermoeden zou kunnen worden geboren dat ook zij, net als hun vrouw, gevoelens hebben van genegenheid, of van medelijden, of van angst. We zijn daar geruime tijd blijven zitten, de vuisten in onze schoot. Alleen onze mond bewoog; we zouden hele dagen zo bij elkaar kunnen blijven, ons net zomin verroerend als een zwam op haar boom, want steeds herkauwen we dezelfde opmerkingen, zonder tegenzin, zonder zelfs maar de indruk te wekken dat we ze al naar voren hebben gebracht, omdat we nu eenmaal als het onderwerp uit en te na is behandeld niets meer toevoegen dat de kundige overpeinzingen die we hebben geformuleerd zou kunnen ontregelen, maar ermee volstaan het geheel als een harde gladde bal van de een naar de ander door te spelen, met scherpe passes zoals de kinderen zeggen, maar zonder gevaar. We zijn er niet zozeer op uit de problemen op te helderen, we houden ons vooral bezig met het vertalen van feiten in morele oordelen. Daartoe hebben we de beschikking over tal van zinnen en uitdrukkingen die zijn bedacht door verre voorouders en die aan alle omstandigheden van ons kalme bestaan kunnen worden aangepast. Op die manier begrijpen we elkaar perfect.

Ten slotte stond mijn zoon op, zijn mooie kostuum was helemaal verkreukeld. De roomsoezen die nog over waren van de erewijn gaf hij aan zijn hond, ook al staat het mij persoonlijk tegen om een beest zo verwend te zien worden. Daarna maakte hij van ons allemaal en van zijn hond een niet te tellen aantal polaroidfoto's en we hebben ons enorm vermaakt om de vreemde figuren, onduidelijk en rood aangelopen, die op het dikke papier zichtbaar werden, al vond ik het voor een lachwekkend resultaat wel veel geld. Bovendien betreurde ik het een beetje dat de bruiloft van mijn zoon op zo'n middelmatige manier werd vereeuwigd; want om de kosten te drukken hadden we geen fotograaf gehuurd, en toen ik zag hoe weinig er op die kiekjes stond vond ik dat jammer.

Daarna zijn we naar het restaurant gekard waar het diner zou zijn, een paar kilometer van het dorp op het kruispunt van de provinciale wegen. De autoportieren waren versierd met linten van tule en mijn zoon bleef de hele rit lang toeteren, ik denk vooral om zich te laten bewonderen in de nieuwe auto van zijn peetoom die hij zelf mocht besturen. Stilletjes voor me heen constateerde ik dat de peter van mijn zoon te krap bij kas zat om hem meer dan een set schoenborstels cadeau te doen, maar toch nog wel rijk genoeg was om zich stoelhoezen van velours aan te schaffen, bepaald niet de goedkoopste, en het zich te veroorloven een alarminstallatie te laten inbouwen die net nog tot onze schrik op een ongelegen moment aan het loeien was gegaan.

Omdat het lawaai van de weg en de nabijheid van de auto's een wandelingetje in de buitenlucht onmogelijk maakten doken we meteen de eetzaal in, waar we moesten wachten tot de tafels waren gedekt terwijl onze passieve massa enigszins een obstakel vormde voor het bedienend personeel, dat ons bits verweet zo vroeg te zijn gekomen. We hadden de hele dag door al veel gewacht; sommigen geeuwden, als uitgeput van versuffing. Zo verlopen bij ons de bruiloftsfeesten, alles wat aan de maaltijd voorafgaat mag niets anders zijn dan een langdurige volhardingsproef. We hadden het warm; de zaal leek laag en al enigszins rokerig, want vlak ernaast bevonden zich de keukens waar zware dampen uit ontsnapten. Maar de ramen opendoen was ondenkbaar vanwege de herrie. Mijn zoon deed zijn jasje uit, zijn stropdas af, en de meeste gasten volgden zijn voorbeeld. Een paar bejaarden hadden hun pantoffels meegenomen. Na een rondje te hebben gedraaid om de tafels die in hoefijzervorm waren neergezet, op zoek naar het menu met hun naam erop, zegen allen met luidruchtige voldoening op hun stoel, in de wetenschap dat ze daar de eerste paar uren niet meer vanaf zouden komen, met een soort opluchting dat ze eindelijk de hand op iets tastbaars hadden gelegd, zich eindelijk beloond voelden voor de geleverde inspanningen en de gemaakte onkosten. We hadden het menu zodanig samengesteld dat het een overvloedige en verfijnde indruk maakte al was het opgebouwd uit goedkope elementen waarvan de eenvoud, dachten wij, werd verbloemd door de bewoordingen waarin ze werden beschreven. Uit onze ervaringen met dit soort festiviteiten was ons duidelijk geworden dat bruiloftsgasten veeleisend zijn en snel klaar staan met kritiek op de karigheid van een maal, zelfs al is hun honger ruimschoots gestild. Wijzelf vonden het maar vrekkig dat een bepaalde familie haar bruiloftsgasten ooit op slechts vier gangen had onthaald. We wilden zo min mogelijk uitgeven, maar zonder dat het te zien was. Want van de reputatie dat je krenterig bent kom je moeilijk meer af.

De maaltijd werd geopend met een kir met witte wijn waarvan mijn zoon en zijn vrouw, die aan de dwarstafel gezeten het middelpunt vormden, onder applaus en gelukwensen de eerste slok namen. Mijn schoondochter, rood, moe, nog een beetje boos op mijn zoon, maakte een cassisvlek op haar crèmekleurige overhemdblouse. Ze glimlachte moeizaam, alsof deze trouwpartij voor haar een noodlottige verplichting was waarvoor ze had moeten zwichten terwijl ze zich juist, dat wist ik, erop had verheugd de hoofdrol te mogen spelen in een dergelijke ceremonie, die in haar fantasie toch niet veel anders kon zijn geweest dan wat zich nu vandaag voltrok, het toppunt van banaliteit. Maar alle ongemak en verveling van deze dag zouden morgen al zijn vergeten, trots als ze dan zou zijn dat ze dit had georganiseerd en al die mensen om zich heen had verzameld in wier gedachten mijn zoon en zijn vrouw nu voor het eerst de voornaamste plaats hadden ingenomen. Voor mij leed het geen twijfel of mijn schoondochter zou naderhand, in alle oprechtheid, op deze dag terugkijken als op een van de gelukkigste uit haar bestaan.

Mijn zoon lachte veelvuldig en hartelijk, al nam hij het zijn vrouw en mij kwalijk dat we ons hadden verzet tegen zijn wens om de hond mee naar de maaltijd te nemen. Soms zuchtte hij en wierp ons wrokkige blikken toe. De wangen van mijn zoon waren inmiddels purper; onder zijn half opengeknoopte overhemd zag je hoe zijn onderhemdje met de schouderbanden, nat van het zweet, plooien vormde over zijn bolle buikje, waar mijn zoon tegenwoordig als hij zich voldaan voelt met grote regelmaat en zichtbaar genoegen op blijft trommelen en wrijven.

De voorgerechten werden opgediend: voor ieder twee plakken galantine met pistache, en een schelp met zalm in kruidenmayonaise – gekookte vis, opgediend op een fraai slablad en overgoten met pepersaus. Er werd gepraat over de voorbije middag en er werden grapjes gemaakt over de oude pastoor, van wie bepaalde gekunstelde uitdrukkingen werden bespot als min of meer lachwekkende fouten die te wijten zouden zijn aan zijn hoge leeftijd. Het gesprek kwam op de oude dag, bejaardengestichten, de krasheid van de aanwezige senioren. Er werd gepraat over de prijs van geneesmiddelen en over de misstanden in de medische wereld. Iemand beklaagde zich dat hij zo veel belasting moest betalen en verschillende fraudemogelijkheden werden beoordeeld, beruchte voorbeelden kwamen ter sprake. De aandacht keerde terug naar de maaltijd toen het vlees werd geserveerd: mals parelhoen op een lentebed in de vorm van enigszins grove doperwten. Ik wenste mezelf geluk dat het eten goed was, al eet ieder van ons thuis vast en zeker beter, zij het minder overvloedig. Onze moeders hebben hun dochters zo opgevoed dat we, tenzij behept met een aangeboren onvermogen, onontkoombaar bedreven zijn in het koken, ingewijd in de geheimen van moeilijke recepten, van oudsher doorkneed in de beste bereidingswijzen van wat in de tuin groeit en op het erf rondscharrelt. Maar de geesten werden misleid doordat een bruiloft een speciale gelegenheid is: het leek of datgene wat ons werd voorgezet niet anders dan bijzonder kon zijn, in overeenstemming met de lengte van het menu, het lichtelijk prestigieuze van dit etablissement, het zwarte kostuum van de kelners. Ik voor mij kon in datgene wat ik verorberde niets maar dan ook niets buitengewoons ontdekken en ik voelde een zweem van spijt bij de gedachte aan de prijs van deze maaltijd, ook al hadden we zo veel mogelijk beknibbeld. Zo zijn wij nu eenmaal. We gaan nooit uit eten omdat we bang zijn te moeten zeggen: thuis smaakt het beter, en is het ook niet zo duur: en nergens beleven we een greintje plezier aan omdat we het gevoel hebben geen waar te hebben gekregen voor ons geld.

Het parelhoen, dat ik taai vond, werd gevolgd door een varkenslapje met linzen. Hier en daar begonnen ze schuine moppen te tappen. Een neef, de gangmaker van de familie, bereidde de bij het dessert horende vermakelijkheden voor. Mijn zoon zag er rood en opgeblazen uit, alsof hij ieder moment kon klappen, en zijn hemd stond nu tot aan zijn broekriem open. Omdat hij genoeg kreeg van het wachten kwam die neef overeind en ging iedereen langs voor het rituele spel, waarbij je met een vol glas in de hand moet opstaan, drie plaatsen van je lichaam ermee moet aanraken en het in één teug leeg moet drinken, en zo de een na de ander, onder de dubbelzinnige kreten van het hele gezelschap. We plooiden ons naar zijn opdracht, al hadden we er de pee in ons diner te moeten onderbreken. Mijn zoon lachte zich tranen en brulde het hardst van iedereen, altijd al dol op dit soort vermaak. De lucht was zo warm, zo vol geuren en rook, dat ik last kreeg van duizelingen. Een paar bejaarden, geveld door de zwoelte en het nietsdoen, waren in slaap gesukkeld. We kregen ook nog konijn met olijven, maar daar nam bijna niemand iets van. Welwillend werd geklaagd over de buitensporige omvang van de maaltijd. Daarna kwamen de kaas, het ijs en de bruidstaart, die moest worden aangesneden door mijn zoon en zijn vrouw, al leken beiden niet ver van een flauwte verwijderd. Mijn schoondochter klom op tafel voor het spel van de kouseband. Er werd een luttel bedrag opgehaald, wat echter gecompenseerd werd door de waarde van de geschenken die mijn zoon en zijn vrouw in ontvangst hadden genomen, waardoor deze bruiloft ons alles bij elkaar misschien nog een geringe winst heeft opgeleverd.

2

Hemels verblijf

De supermarkt die de burgemeester ons had beloofd en waar we ongeduldig op wachtten, want de winkels zijn hier schaars en trekken weinig klanten, is recentelijk geopend in de nieuwbouwwijk aan de rand van het dorp, waar het omvangrijke gebouw hoog en recht oprijst, al van verre zichtbaar, net als de in reusachtige letters geschreven naam, voor reizigers voortaan een duidelijker en eerder signaal dat ze ons dorp naderen dan de schamele windwijzer op de kerk of het grote marmeren kruis midden op de begraafplaats. Eigenlijk is de supermarkt niet meer dan een soort loods van kolossale afmetingen, met wanden van blauwgekalkte golfplaten en aan de voorkant een weids plein waarop de auto's en winkelwagentjes worden geparkeerd. Maar als wij tevoorschijn komen uit de dorpsstraat waar de lage, smalle huizen dicht tegen elkaar staan, komt het bouwwerk ons zo lang en zo omvangrijk voor, lijkt het ons zo moeilijk er ooit helemaal omheen te gaan (alleen al de gedachte dat we van het begin tot het eind langs één van de wanden zouden moeten lopen zou ons volstrekt ontmoedigen) dat het voor ons wel iets meer is dan een plompe hal, we zien het enigszins als een sprookjeskasteel dat sinds kort de trots is van ons dorp en eventuele bezoekers eindelijk een reden geeft er te blijven talmen. We hebben het aangename en vleiende idee dat een belangrijk personage zich bij ons is komen vestigen; en wij voelen ons diens dankbare en trouwe onderdanen aangezien hij onze verveling verdrijft, ons huiselijk leven vergemakkelijkt en daarnaast met de dag meer mensenmassa's uit de naburige dorpen en stadjes naar ons toe voert. Een heleboel van ons hebben nog nooit zo veel volk tegelijk gezien. Misschien raakt ons dorp binnenkort zijn naam kwijt en gaat het die van de supermarkt dragen, zozeer is beider lot thans vermengd. Een smartelijke veronderstelling, maar mijn tevredenheid over de

214

aanwezigheid van de supermarkt is te groot dan dat ik er niet snel in zou berusten. Mijn zoon, zijn vrouw, mijn man en ik kunnen het niet laten er dagelijks heen te gaan, het kleinste voorwendsel is goed genoeg. Samen met de hond stappen we in de auto, al is de supermarkt nauwelijks driehonderd meter verder, en langzaam rijden we naar de nieuwe wijk terwijl we intussen zorgvuldig het programma voor ons tochtje uitstippelen. Omdat de opwinding ons verkwistend maakt proberen we onszelf verstandig toe te spreken en we beloven, niets te zullen kopen waar we niet tevoren al hevig naar verlangden, waar we niet al een aantal dagen achter elkaar naar zijn gaan kijken, voor ons niet zozeer een verplichting als wel een vreugdevolle bezigheid, doordat we aldus naar de supermarkt worden teruggevoerd in het besef dat er een dwingende taak op ons rust.

Bij het parkeerterrein aangekomen zetten we de auto op onze vaste plaats, tussen de tientallen andere voertuigen waarvan we bij wijze van tijdverdrijf, om ons genot nog wat uit te stellen, hardop de nummerborden lezen. Wat voelen we ons daar voor die supermarkt toch klein, en plotseling bijna beschroomd! Eindeloos strekt ze zich uit in het land, nooit is ons oog in staat het bouwwerk in al zijn proporties te omvatten. De bondige naam, geschilderd in oranje letters die groter zijn dan ons hele huis, klinkt in onze oren als die van een vertrouwd en bijzonder dierbaar iemand. Van geen enkel familielid spreken wij de naam trouwens zo vertederd en hoopvol uit. Zelfs zijn hond is tegenwoordig voor mijn zoon minder belangrijk dan de supermarkt. Maar sinds enige tijd reageert de hond op de naam van de supermarkt alsof hijzelf wordt geroepen, misschien begrijpend dat hij op die manier extra bij mijn zoon in de smaak valt.

Bij de ingang van de supermarkt gaan we ieder onze eigen weg, met de afspraak dat we elkaar twee uur later zullen treffen in de cafetaria op de tweede verdieping, voor ons de aantrekkelijkste van allemaal. Elk pakken we een licht, enorm winkelwagentje. We hebben nog lang niet alle afdelingen van de supermarkt verkend, vragen ons soms wanhopig af of het ooit zover zal komen en hebben daarom besloten ieder een andere zone te onderzoeken, waarna we weer bijeenkomen om een uitvoerige beschrijving te geven van wat we hebben gezien. Nooit kruisen we elkaar tussen de stellages. Wanneer we het gevoel hebben te zijn verdwaald, of zo ver in de helder verlichte diepten van de zaak zijn doorgedrongen dat we vrezen de rest van ons leven te moeten blijven zoeken, klopt ons hart van panische angst en zijn we bereid om, mits we worden gered, te zweren dat we nooit meer een voet in de supermarkt zullen zetten. Maar uiteindelijk vinden we altijd weer de weg terug, en het traject dat we hebben afgelegd blijkt nooit zo lang dat we niet op het afgesproken tijdstip op de plek van samenkomst kunnen zijn. Deze gevoelens van ontzetting geven op plezierige wijze voedsel aan onze gesprekken. Van tijd tot tijd gaan mijn zoon en zijn vrouw eendrachtig op pad, als ze op zoek zijn naar een onontbeerlijk stuk voor hun prille huishouden. Ze kopen weinig, zo moeilijk is het om een keuze te maken. Willen ze een nieuw bed, dan stuiten ze plotseling op een verbluffend aantal bedden in alle soorten en van alle materialen, en geconfronteerd met die verscheidenheid weten ze niet meer wat hun bevalt, durven ze op geen enkel bed hun keuze te laten vallen omdat ze voorvoelen dat, zodra ze een model hebben aangewezen, hun aandacht zal worden getrokken door een ander dat ze nog niet hadden gezien, waarna ze spijt zullen krijgen dat ze zo snel hebben beslist. Aan die kwellingen komt naar ik vrees nooit een einde. Want onderweg naar huis mogen ze ons dan de verzeke-ring geven dat ze nu toch alle modellen hebben bekeken en morgen met volledige kennis van zaken hun keus kunnen bepalen, ze zien daarmee over het hoofd dat er in de loop van de nacht nog verbazingwekkend veel zal veranderen aan wat ze hebben bestudeerd en dat ze de andere ochtend modellen zullen ontdekken die er nog niet waren, onvoorstelbare, verleidelijke ontwerpen die elk besluit weer op losse schroeven zetten. Ze hadden zich nooit kunnen indenken dat er zo'n kleur bestond, een ombouw van een dergelijke vorm, zulk apart en aantrekke-lijk materiaal. En omdat ze per se overal van op de hoogte willen zijn schuiven ze het moment van de beslissing voort-durend op, want liever hebben ze de nerveuze spanning van deze onzekerheid dan de bittere haat die ze gegarandeerd zouden gaan koesteren voor het voorwerp dat in dergelijke omstandigheden wordt uitgekozen. Ooit, vrees ik, als hun gezond verstand het helemaal laat afweten, storten ze zich nog eens op het artikel dat het minste bij hun smaak past en het meeste geld kost. Maar de supermarkt heeft richting gegeven aan hun bestaan en dat was nodig, ze hebben er een hechtere band door gekregen dan zou zijn gesmeed door een baby, of door een hond die bij allebei in de smaak zou zijn gevallen.

Mijn man en ik wagen ons nooit gezamenlijk tussen de schappen, want onze interesse gaat niet uit naar dezelfde produkten. Mijn man begeeft zich vrijwel iedere keer opnieuw naar het gereedschap, waar hij een veelheid ontdekt die hij zich nooit had durven voorstellen, met allerlei artikelen die hem verbijsteren door gebruiksmogelijkheden waar hij nooit op zou zijn gekomen, die hem het aangename gevoel geven dat hij in een droom zit waarin nauwelijks geformuleerde wensen terstond en in alle volmaaktheid worden gerealiseerd. Slechts zelden kan hij weerstand bieden aan de drang om zich een aantal werktuigen aan te schaffen die een voor hem zeer onwaarschijnlijk nut hebben maar die met hun onverwachte, precieze, doorzichtige functie in zijn ogen eensklaps onmisbaar zijn geworden. Hij krijgt dan een gevoel of hij tot dat moment in een smadelijke verblinding heeft geleefd omdat hij nooit heeft beseft dat het hem ontbrak aan dat bepaalde voorwerp, uitgedacht door een intelligenter brein dan het zijne. Mijn man ging altijd graag naar zijn werk maar begint er nu op af te geven, want hij kan niet zo vaak naar de supermarkt als hij zou willen. En wanneer hij 's ochtends vertrekt benijdt mijn man ons vaak, geloof ik, dat wij ons zonder hem naar de supermarkt begeven.

Wat mij betreft, ik ben verrukt van alles wat ik zie. Kalmpjes wandel ik tussen de stellages, in vreedzame opgetogenheid over die harmonieuze overvloed. De vreugden der schone kunsten zijn mij onbekend omdat ik nog nooit in mijn leven een museum heb betreden. Maar de spectaculaire opeenstapeling van duizenden bontgekleurde voorwerpen roept bij mij een heel speciale emotie op evenals, aanschouwd vanaf de bovenverdiepingen, het perfecte, eindeloze netwerk van de rekken diep onder me! Modieuze melodieën wellen voortdurend uit de muren op of worden geboren aan het plafond, ook al lijkt dat te hoog in de hemel te hangen om het mogelijk te maken dat er klanken uit neervallen die ons bereiken. Altijd is het in de supermarkt heerlijk warm; de reukzin wordt geboeid door uiteenlopende geuren; we drentelen rond met een gevoel van vrijheid dat we nergens anders zo intensief ervaren, want ofschoon er tegelijk met ons honderden onbekenden door de zaak lopen, is de ruimte zo groot dat we net genoeg mensen tegenkomen om ons weer eens te realiseren dat we niet alleen of verdwaald zijn. Anderzijds zijn er zo veel kassa's (honderd? duizend? nog meer?) dat we nooit lang hoeven te wachten.

Rond het middaguur treffen we elkaar in de cafetaria, vol verlangen om te vertellen wat we hebben ontdekt of elkaar onze aankopen te laten zien. Iedere dag gaan we aan dezelfde tafel zitten, bij een groot raam met uitzicht op de velden en in de verte op een moderne watertoren die de vorm heeft van een grote paddestoel, elektriciteitsmasten met lange, gespreide armen, de snelweg, op regelmatige afstand afgebakend met reclameborden die we voor de aardigheid proberen te ontcijferen en die ons, als ze over de supermarkt gaan, een voldane trots bezorgen. We voeden ons met koteletten en enigszins vette frites, want hier breken we met de gewoonte om niets te eten tenzij het thuis is bereid. Maar dit geeft ons een gevoel van welbehagen. De talrijke tafeltjes van bruin formica zijn steeds opnieuw weer snel bezet, en terwijl de stemmen om ons heen opklinken en het bestek klettert doen wij er weldra het zwijgen toe, blij wanneer we hier en daar een gezicht herkennen. We zouden zo nog heel lang kunnen blijven zitten koffiedrinken, uitkijkend over de velden, ons bezinnend op onze volgende aankopen, als niet uiteindelijk de schaamte om al die verloren tijd ons ondanks alles naar buiten dreef. Via de grootst mogelijke omweg slenteren we naar de uitgang. We begrijpen niet meer hoe we het zonder supermarkt hebben kunnen stellen; en we beklagen onze voorouders: wij voelen ons sterker, gelukkiger, slimmer.

3

Wat er in het dorp anders wordt

Sinds enige tijd valt ons dorp (of nauwkeuriger gezegd het dorp van mijn ouders zaliger) ten prooi aan tal van ingrijpende veranderingen, waardoor het er binnenkort niet meer uit zal zien als een traditioneel dorp maar als een verzameling bouwsels die door het toeval op dezelfde plaats zijn bijeengebracht, of zonder samenhang her en der neergezet. Ons dorp is geen stadje, niet eens een marktvlek. Maar kan het nog een dorp worden genoemd? Uit het centrum, waar de kerk staat, zijn inmiddels de slager, de delicatessenwinkel, de kruidenier en de bakker verdwenen, en hun witgekalkte etalageruiten dienen nu als ondergrond voor de haastig neergeplakte en achteloos weer afgescheurde reclamebiljetten die de laatste tijd overal opduiken en de voordelen ophemelen van winkels in de dichtst-bijzijnde stad, waar de meesten van ons bijna nooit komen. Dat onze middenstanders hun winkels hebben gesloten is uiteraard te wijten aan ons allemaal. Ik verlang niet naar ze terug om wat je er kon kopen, want dat is bij de supermarkt in grotere hoeveelheden en voor minder geld voorhanden. Maar wanneer wij 's ochtends door de hoofdstraat rijden krijg ik een pijnlijk gevoel van beklemming bij het zien van de naargeestige verlaten-heid van die dichte winkels, het trottoir waar niemand meer halt houdt omdat er geen reden voor is, en dan weet ik niet meer wat ik liever heb. Onze slager werkt tegenwoordig bij de gemeente, als vuilnisman. Zouden we ons niet moeten scha-men, zeg ik tegen mezelf, hem zo bezig te zien? Ik voorkom dat onze blikken elkaar kruisen al is het goed mogelijk dat hij, overtuigd van de onontkoombaarheid van de situatie en berus-tend in zijn nieuwe betrekking, mijn verwarring en medelijden aanziet voor een vorm van minachting. De kerk zelf is vaker dicht dan open omdat onze pastoor tevens de zorg heeft voor verschillende dorpen in de omtrek. Dus voor niemand is er nog enige aanleiding om zijn schreden naar dat dode plein, naar die uitgestorven hoofdstraat te richten, en het van zijn hart beroofde dorp lijkt aan alle kanten traag uit te dijen, in sombere onverschilligheid. En zo is het op dit moment omgeven door nieuwbouwwijken die her en der zonder veel gevoel voor orde uit de grond zijn geschoten en waarin wij, bewoners van het oude gedeelte, gegarandeerd verdwalen, zozeer lijken de huizen op elkaar (is er niet sprake van één model dat naar believen wordt vermenigvuldigd?). De bewoners van die nieuwe buurten kennen we nauwelijks; soms komt het ons voor of ook zij onderling gelijk zijn, al kunnen we een dergelijke indruk niet gemakkelijk verklaren aan de hand van bepaalde details. Is het omdat ze allemaal rondlopen en naar de supermarkt gaan in hetzelfde soort sportbroeken en gymschoenen, van de vrouwen vaak felroze, en wij niet gewend zijn onze buren aldus uitgedost op straat tegen te komen? Of komt het omdat ze allemaal, wonend in huizen zonder enig onderling verschil, op den duur doordrenkt raken van iets gemeenschappelijks, dat ons het verwarrende gevoel geeft voortdurend dezelfde persoon te ontmoeten, die net als de huizen verscheidene tientallen malen is vermenigvuldigd? Hierin zit bepaald iets buitengewoons, dat ik maar niet opgehelderd krijg. Mijn zoon en schoondochter hebben me onlangs ten zeerste verbaasd door plotseling te verklaren dat ze in zo'n huis wilden gaan wonen zodra dit pand hier, in hun ogen oud en onpraktisch, zou zijn verkocht. 'Grootmoeders huis verkopen?' schreeuwde ik verontwaardigd, en ze durfden niet meer te antwoorden. Maar meer dan uitstel betekent dat niet, want al weten ze dat de woning van grootmoeder aantrekkelijker en degelijker is, toch voelen ze zich aangelokt door de moderne uitstraling van die andere huizen, en hoe kunnen we die verlokking bevechten als mijn zoon en zijn vrouw vinden dat die tuintjes vol margrieten, verfraaid met tuinkabouters en een namaakput, meer cachet hebben dan hun moestuin, die ze met tegenzin bijhouden? Niettemin raken zij evengoed als wij verdwaald in die nieuwe straten waar ze zondags graag doorheen wandelen, ondanks het voortdurende geblaf van de honden die zich bij het kleinste geluid geroepen voelen in actie te komen. Zou grootmoeder zelf haar dorp nog herkennen?

De cafébaas verkoopt geen kranten meer, zoals vroeger zijn gewoonte was. In een streven zijn zaak een eigentijdser aanzien te geven heeft hij de crèmekleurige muren lichtgrijs geverfd, het meubilair van gevernist hout vervangen door tafels en stoelen van grijs metaal, en de harde, heftige muziek golft tegenwoordig tot op straat en hindert de bejaarden, die zich tot hun grote spijt om te praten en te kaarten niet meer verzamelen in het café maar in de enorme gemeentezaal, waar middenin een tafel voor hen is neergezet, klein en verloren in die grote leegte. Te vrezen valt dat ook het café moet sluiten, want de jongelui uit de nieuwbouwwijken komen er nauwelijks: net als wij gaan ze liever naar de cafetaria's in de supermarkt, en soms komen we elkaar daar tegen al herkennen we elkaar niet altijd. In feite maakt ons dorp op dit moment zo'n snelle ontwikkeling door dat het lijkt of een onzichtbare hand er plezier in heeft om het buiten ons om een ander aanzien te geven, maar het zou eerlijker zijn om te erkennen dat wij allemaal verantwoordelijk zijn voor die gedaanteverwisseling, en toch worden we meegesleept door een krachtige beweging waartegen verzet, zo zijn we geneigd te denken, geen zin heeft, te meer daar we er profijt van weten te trekken.

Afgelopen zondag zijn we op bezoek geweest bij mijn mans nicht, die in een nabijgelegen gehucht samen met haar echtgenoot een flinke boerderij drijft. Eugène was opgetogen, als kind al ging hij graag naar de boerderij. We passeerden de supermarkt en waren tot onze verrassing bijna meteen op de plaats van bestemming: nog nooit waren we de supermarkt helemaal voorbijgereden, en het was een flinke schok te merken dat de achterkant van het gebouw grensde aan het huis van onze nicht, dat er donker van moest zijn geworden omdat het geen zon meer kreeg, ofschoon we ons er in zekere zin ook over verheugden als schiep het een nauwe band tussen haar en ons. En mocht de supermarkt haar dezelfde vreugde verschaffen als wij eraan beleefden, dan konden we alleen maar blij voor haar zijn dat ze er zo vlakbij woonde. Eugène was echter ontstemd over het feit dat de route naar de boerderij nu heel anders was dan in zijn kinderjaren, toen hij vanaf het dorp het huis langs de vlakke kronkelweg kon zien liggen en het geleidelijk aan onder zijn niet aflatende blik groter zag worden, op de onmetelijke velden vol gedrongen bieten. De supermarkt beroofde hem niet alleen van de mogelijkheid de boerderij al van verre te zien, zoals vroeger, ze ontnam hem ook het panorama van de vlakte, dat deze tochten hun mild melancholische charme gaf. In zijn teleurstelling had mijn zoon moeite om niet te huilen. Ik zag zijn ogen glinsteren en snauwde hem af om zijn sentimentele gedoe, want ik was bang dat onze nicht zou raden waar het om ging.

We gingen gezamenlijk in de keuken zitten, rondom een bord met koekjes en een zoet, mousserend landwijntje waar we de koekjes in doopten. Op het gezicht van onze nicht en neef lag een glimlach van voldoening, zij kregen niet vaak bezoek. De keuken zag er smetteloos uit, ieder voorwerp was waar het hoorde, de meubels glommen, de gootsteen was geschuurd en daarna drooggewreven tot er geen druppel meer in lag (om zo'n door en door droge gootsteen niet nat te maken moesten we tussen de maaltijden in de buitenkraan gebruiken), en er hing een lichte chloorlucht. Door de deuropening zag je het erf waar onze neef kort geleden beton had gestort, beter geschikt voor de enorme wielen van zijn machines dan aarde en grind. Onze nicht fokte geen beesten meer. Ze hadden alleen nog hun oude hond, die lui op het warme beton lag. Onze nicht had zelfs haar konijnen weggedaan. Het was niet langer lonend om geld in hun voer te steken, legde ze spijtig uit. Ach, we hebben het rustiger zo... Langzaam schoof ze de kruimels over het tafelzeil, terwijl onze neef in een gebaar van tevreden berusting zijn handen over zijn buik kruiste. We zeiden weinig, met korte zinnen. We luisterden naar de klok en lieten ons als haar slagen weerklonken een passend 'nu al' ontvallen. Mijn zoon stond op en ging naar buiten met de mededeling dat hij te vinden was in de schuur. Onze nicht vertrouwde ons toe dat ze in de supermarkt een nieuwe tv hadden gekocht. We gingen ernaar kijken in de slaapkamer, waar het toestel aan het voeteneind prijkte.

Het was een mooi en modern apparaat, zo groot dat het in het smalle vertrek alle aandacht naar zich toe trok, en onze nicht zette het aan om ons de heldere kleuren te laten bewonderen. Doezelig zijn we er ongeveer een uur voor blijven zitten, zonder blijk te geven van echte aandacht of grote nieuwsgierigheid voor wat we zagen, maar zonder ook de noodzaak van een terugkeer naar de keuken te zien en niet bij machte om te besluiten het toestel uit te schakelen. We schudden ten slotte onze verdoving van ons af toen mijn schoondochter zei: 'Laten we eens gaan kijken wat Eugène aan het doen is' en onze nicht het toestel met behoedzame zorg uitzette.

Mijn zoon was naar de schuur aan de andere kant van het erf gegaan waar in zijn kinderjaren een lange schommel voor hem was opgehangen, aan de balken, zwaaiend boven de bundels hooi die onze neef daar opsloeg. De schommel hing er nog en Eugène, in elkaar gedoken op het plankje, ging krachtig en met een ernstig gezicht heen en weer. De schuur was leeg want onze neef en nicht hadden geen hooi meer nodig. Eugènes ademhaling weerklonk luid en de metalen ringen knarsten hard, terwijl onze ogen hem zwijgend volgden, in de hardnekkige chloorlucht die ook hier rondzweefde. Eugène slaakte kreten om de echo uit te proberen. Dat dit vertier van mijn zoon zo door anderen werd gezien hinderde me buitengewoon en ik wierp verstolen blikken op onze neef en nicht, maar zij sloegen Eugène onverstoorbaar gade, wijdbeens en met hun armen over elkaar, net als zojuist in de slaapkamer, en hun gezichtsuitdrukking miste zozeer elk spoor van gevoel of kritiek dat het wel leek of ze hem net zomin zagen als een uitzending die niet hun belangstelling had maar waar ze uit luiheid voor waren blijven hangen. Mijn schoondochter, even kwaad als ik, liep de schuur uit. Wij gingen achter haar aan en onze neef stelde voor ons zijn machines te laten zien. Mijn zoon wilde niet van de schommel af en we hebben hem dan ook gelaten, al was het moeilijk te verdragen dat hij ons op een dergelijke manier te schande maakte. We staken het erf over naar de loods, terwijl onze hakken op het beton klikten. Er stond een felle wind, gekromd liepen we voort, op het erf verroerde zich niets.

4

Het verraad van Georges

Al een poos was mij opgevallen dat mijn man geïnteresseerd leek in een jonge caissière uit de nieuwe supermarkt, en daar stond ik van te kijken want zij was gespeend van elke vorm van schoonheid en pakte knorrig of verveeld onze boodschappen, wat me achteraf op de gedachte brengt dat ze daarmee waarschijnlijk de instructies volgde van mijn man, die natuurlijk zolang de affaire niet tot een goed einde was gebracht, en om voor zichzelf als het mis zou gaan de mogelijkheid open te houden bij mij terug te keren alsof er niets was gebeurd, alle argwaan ver van me wilde houden, maar dat hij het iedere keer zo aanlegde ons voor die kassa te laten wachten was voldoende om mij ervan te overtuigen dat hij zich tot die vrouw aangetrokken voelde, en dan waren er nog de keren dat zijn thuiskomst plotseling werd uitgesteld, zijn dienstrooster opeens veranderd bleek. Overigens hield het me nauwelijks bezig, op mijzelf viel ook wel wat aan te merken. Alleen vond ik het een vervelende gedachte dat het in het dorp bekend zou kunnen worden. Ik was beducht voor de onhandigheid van mijn man, wiens afspraakjes ik liever hoogstpersoonlijk voor hem had geregeld omdat ik mijzelf gewiekster acht. In feite had ik op een bepaalde manier zijn vermogen om zich aan iemand te hechten onderschat, en nu ik in de narigheid zit en me vreselijke zorgen maak over de toekomst, kan ik niet nalaten met spijt te bedenken hoe misschien ons bestaan zou zijn verlopen als ik van meet af aan oog had gehad voor deze verborgen kwaliteit van hem, of me zodanig anders had opgesteld dat die kwaliteit in mijn gezelschap natuurlijkerwijs tot leven zou zijn gekomen. Want op de hoogte als ik was van zijn avontuur met de norse vrouw legde ik een minzame toegeeflijkheid aan de dag en voelde ik me alleen een klein beetje misnoegd vanwege zijn geringe aanleg voor een ordentelijke discretie.

Toen ik op een middag naar het raam liep zag ik de auto van mijn man voorbijflitsen, naast hem zat de caissière van de supermarkt. Wat later realiseerde ik me dat hij zijn complete voorraad ondergoed had meegenomen, verscheidene overhemden, zijn mooie zondagse schoenen. Verwezen bleef ik geruime tijd op ons bed zitten, en vervolgens haastte ik me naar de supermarkt, waar ik de naam en het adres van die vrouw te weten kwam: ze woonde in een nieuwbouwhuis. Ik trof er haar echtgenoot en kinderen die nog op haar zaten te wachten voor het avondeten, en toen ik de man apart nam om hem in te lichten over wat er zojuist was gebeurd, werd hij zo woedend op me dat ik op de vlucht sloeg, begeleid door het luidruchtige geblaf van de honden, die hij naar hij dreigde op me af zou sturen als ik nog eens terugkwam. In mezelf zei ik dat niemand in het dorp vroeger zo zou hebben gereageerd, en ik werd treurig om de verwording van de omgangsvormen. Nog lang ben ik blijven rondlopen in de nieuwe buurt, reeds beschaamd als ik me voorstelde hoe het dorp over onze familie zou kletsen.

Een paar dagen later wist mijn schoondochter de vacante plaats in de supermarkt te bemachtigen, en het gewicht van die functie deed haar zwellen van trots.

5

Een tochtje naar het bos

Niet ver van het dorp staat tussen twee velden nog een groepje bomen, dat gespaard is gebleven omdat geen enkel belang erdoor werd gehinderd. Vroeger gingen we er op zomermiddagen weleens heen, al is het gebladerte er schaars en biedt het weinig bescherming tegen de hitte, maar het komt nooit meer bij ons op die kant uit te wandelen, zo druk wordt tegenwoordig gebruik gemaakt van de weg ernaar toe, kortelings nog zo rustig, en zozeer is er geknaagd aan dat nietige bos. Achteraf begrijp ik dan ook niet wat mij ertoe bracht derwaarts te gaan, verdiept als ik overigens was in ernstige problemen (samenhangend met het feit dat mijn man ervandoor is en mij in behoeftige omstandigheden heeft achtergelaten). Want jaren lang was ik er niet geweest; waardoor ik geneigd ben ditmaal te denken dat het lot – en niet enige wil van mijn kant, niet enig toeval – mij die ochtend voortdreef.

Met snelle tred liep ik langs de weg, mijn sjaal om mijn schouders geklemd, zonder de moeite te nemen om te reageren als achter mij een auto toeterde ten teken dat ik de berm in moest, en al kende ik de reden niet, ik voelde dat ik me moest haasten wilde ik geen schuld op me laden.

De bosrand was gehuld in een dichte nevel, wat me een gunstig teken leek. In de velden rondom reden tractoren. Ik stortte me het bos in zonder acht te slaan op het kreupelhout, want ik wilde vlug een open plek bereiken waar we vroeger vaak kwamen, het enige punt dat als baken kon dienen en waar ik dus het eerst naar toe moest in plaats van rondjes te draaien in het struikgewas op zoek naar wat ik nog niet wist. Weldra werd ik geleid door een verschijning, die me sterkte in mijn keus: het veranderde gezicht van mijn nichtje Fanny glimlachte me aan het eind van de weg toe, heen en weer golvend in een rozige lichtkrans, het week terug toen ik zwaar hijgend mijn pas versnelde, leek op te springen en begon toen ter aanmoediging met nog verleidelijker grimassen te glimlachen. Ik had Fanny herkend al zag ze er heel anders uit dan indertijd en was er nu juist niets meer dat haar onderscheidde, zoals we vroeger graag hadden gewild maar zonder succes, zo door en door slecht was haar aard. Overigens liep ik zonder terughoudendheid achter haar aan, omdat ik haar veranderde gezicht zag. Want ik noemde haar nog wel Fanny maar dat gezicht had ik niets meer te verwijten, het lukte me zelfs een vage gelijkenis te ontdekken met het mijne, waarvan de trekken kenmerkend zijn voor onze familie. Uitgeput arriveerde ik op de open plek. In het midden lag op de ontluikende krokussen een gekromde gestalte, even bleek van tint en, naar ik zag toen ik dichterbij kwam, even glad en mat als de jonge bloemkronen van de krokussen. Ik ging op mijn knieën zitten, schudde zacht aan haar en Fanny werd wakker, waarna ze prompt begon te rillen. Ik sloeg dan ook mijn sjaal om haar heen al was die erg vochtig van de dauw, maar het ging erom dat de naaktheid van mijn nichtje die het schaamrood op haar wangen bracht zodra ze het merkte, werd bedekt.

'Tante Colette,' prevelde ze met neergeslagen ogen, 'mag ik u zo noemen?'

'Hoe zou ik kunnen ontkennen dat ik jouw tante ben?' was mijn antwoord.

'Maar bent u het nu niet extra?'

'Zoals je er op dit moment uitziet ben je volmaakt', zei ik met overtuiging.

Het leek wel of het gezicht van mijn nichtje zwol van genoegen en ik vond haar op dat moment uitermate leuk om te zien, minstens zo attractief als haar nichtjes die wat van hun frisheid kwijt waren terwijl Fanny die ochtend zo'n stralende tint had dat op mijn handpalm, die zich naar haar uitstrekte, een lichte weerschijn leek te rusten. Ik zei dat ze haar armen om mijn hals moest slaan, hees haar op mijn rug en liep aldus beladen het bos uit. De hele weg ben ik me blijven haasten, bang dat ik een bekende tegen zou komen: er was de laatste tijd zo veel over de familie gepraat dat ik graag zo min mogelijk wilde opvallen. 'Tante Colette, heb ik nu vergiffenis gekregen?' fluisterde Fanny in mijn oor. Maar ik zweeg, niet wetend wat te antwoorden. 'Tante Colette, als u blijft zwijgen ga ik straks voor de tweede keer dood', hield ze aan. En ik achtte het mijn plicht, mijn nichtje te verzekeren dat ik geen enkele reden zag waarom ze niet zou terugkeren in schoot van de familie, al waren we, maar dat zei ik er niet bij, met zo'n exemplarische terugkeer nog niet gevrijwaard van nieuwe gedaanteverwisselingen en diende ze er derhalve op bedacht te zijn dat het nog wel even zou duren voor ze mijn vertrouwen had. Gerustgesteld omklemde ze krachtig mijn hals. Ik droeg haar tot in onze slaapkamer terwijl Eugène, die alleen thuis was en zoals gewoonlijk voor de televisie hing, verbluft toekeek. Ik hielp mijn nichtje in bed en ging de kamer uit, de deur zorgvuldig sluitend, na haar te hebben beloofd dat ik gauw terug zou zijn.

'Heb je je nicht herkend?' vroeg ik aan mijn zoon. 'Ze is het echt!'

'Ze is heel erg veranderd!' reageerde Eugène verbaasd.

'Ze is nu naar onze wens', zei ik vastberaden.

'Zo zou ik misschien met haar zijn getrouwd', mompelde hij, maar verontwaardigd wees ik hem terecht en ook zei ik dat we Fanny nog steeds moesten wantrouwen, dat ze weer kon gaan toegeven aan haar slechte neigingen en opnieuw de schande van de familie kon worden zonder dat we, als we haar eenmaal in ons midden hadden opgenomen, in staat zouden zijn ons gemakkelijk van haar te ontdoen. Toen bedacht ik dat mijn zus wel blij zou zijn en ik draaide haar nummer.

ZEVENDE DEEL

Het relaas van Fanny

Mijn entree in het leven

Omdat ik me plotseling heel zelfverzekerd voelde en nergens meer echt bang voor was, beschermd als ik werd door mijn gedaanteverandering, was mijn eerste initiatief dat ik in de trein naar de hoofdstad stapte om vandaar Georges mee terug te nemen, want ik mocht hem dan vroeger geminacht en toegetakeld hebben, ik mocht dan mijn best hebben gedaan hem elke gedachte aan mij uit het hoofd te praten, in het dorp kon hij op dit moment, naar mijn inschatting, aan mijn zijde fungeren als een correcte partner, omdat zijn verfoeilijke bijzonderheid mij nu niet langer kon vernederen doordat ermee tot uitdrukking zou komen hoezeer wij op elkaar leken, maar in plaats daarvan mijn tot grote tevredenheid stemmende nieuwe persoon er misschien extra cachet door zou krijgen. Was het trouwens niet de wens van tante Colette geweest dat mijn relatie met Georges een bestendig karakter aannam? Soms dacht ik medelijdend aan de kwellingen die Georges in ons dorp misschien zou ervaren zoals ikzelf ze vroeger had moeten ondergaan, en aan de zwijgende kilte van de familie, die in staat was om mij aan haar boezem te drukken, blij en gelukkig om het weerzien, en tegelijkertijd de ongelukkige Georges geen blik waardig te keuren. Aan dat vooruitzicht beleefde ik werkelijk geen enkel genoegen. Maar ik was niet van plan Georges om zo'n kleinigheid te laten schieten, want nu hij me geen schade meer kon berokkenen voelde ik me sterk met hem verbonden en bovenal was ik erop gebrand tante Colette te laten zien dat ik haar voortaan in alle opzichten wilde gehoorzamen. We mochten trouwens de hoop koesteren dat Georges net als ik, door het voortdurende contact met de dorpsbewoners en met onze familieleden, ooit dat bijzondere van hem zou verliezen, volgens tante Colette niets anders dan het uitvloeisel van een arrogant karakter, al was het ons ten deel gevallen zonder dat we erom hadden gevraagd, en in mijn visie meer door de schuld van onze ouders dan door die van onszelf. Ik wenste Georges van ganser harte een vergelijkbaar geluk toe; zou hij echter ooit de noodzaak inzien van een offer dat, naar ik me herinnerde, een pijnlijke zelfverloochening vergde, en nooit zou kunnen worden verwezenlijkt of je moest het zo graag willen dat je bereid was ervoor te sterven? En wie kan er zeker van zijn dat hij of zij terugkomt? Waar had ikzelf dat aan te danken, tenzij misschien aan het mededogen van het lot of aan de barmhartigheid van tante Colette? Zijn koppige aard en zijn grote fysieke schoonheid in aanmerking genomen meende ik te voorzien dat Georges nooit genoeg schaamte en afkeer jegens zichzelf zou voelen, van het verlangen om het tante Colette naar de zin te maken nooit in voldoende mate bezeten zou zijn om te berusten in het prijsgeven van iets dat hem, alles bij elkaar, daar waar hij woonde alleen maar extra aantrekkelijk kon maken, iets dat zijn vader en moeder met vanzelfsprekende, simpele trots aan hem hadden doorgegeven. Dat iemand kon haken naar zo'n metamorfose zou hem, als hij al in staat was zich dergelijke gevoelens voor te stellen, waarschijnlijk voorkomen als iets verachtelijks, overwoog ik blozend, al wilde ik er uit respect voor het dorp en voor mijn eigen familie niet van uitgaan dat Georges gelijk had.

Ik meldde me bij Georges thuis, waar zijn moeder voor me opendeed, en stapte vol vertrouwen de flat in, toch wel opgelucht toen ik constateerde dat de meisjes er niet waren. De moeder, stug en zwijgend, bood me beleefd een stoel; Georges zei 'Kijk eens aan!', nauwelijks verbaasd. Hij leek blij me te zien, gaf me een zoen, wenste me met een schouderklopje geluk dat ik was gekomen, en aan deze spontane uitingen van vrolijkheid, aan de kalme voorkomendheid van de moeder merkte ik het: noch Georges noch zijn moeder viel ook maar enigszins op dat ik was veranderd. Eerst stak me dat maar al snel voelde ik me blij, want eigenlijk was ik beducht geweest dat ze me zouden veroordelen met een strengheid die me geen andere mogelijkheid liet dan zonder een woord te vertrekken, alleen bad ik in stilte dat deze verblinding nooit iemand anders dan hen zou treffen. Omdat ik me hartelijk en nederig wist op te stellen begon de moeder zich te ontspannen, dat ze enigszins koeltjes tegen me had gedaan kwam alleen door de botte manier waarop ik hen de vorige keer in de steek had gelaten. En groot was haar dankbaarheid toen ik de wens te kennen gaf samen met Georges naar het dorp terug te keren. Ik beloofde dat Georges zonder problemen bij de nieuwe supermarkt in ons dorp werk zou vinden. Ze waren verrukt, want Georges had al een hele tijd geen baan. Haastig ging hij pakken en zijn moeder huilde wat, leunend op mijn schouder. Ze bleef me bij mijn oude voornaam noemen, die ikzelf was vergeten totdat ze hem opnieuw zei, alsof ze hem steeds warm had gehouden in een hoekje van haar geest en alleen maar op het weerzien met mij had gewacht om zich het genoegen te kunnen verschaffen die drie lettergrepen uit te spreken, met blije nadruk. Ze informeerde naar mijn vader en in haar streven me voor ont- roerd te verslijten vertederde het haar dat ik geen antwoord gaf. En zo greep de moeder zich vast aan mijn nek, wreef met haar vochtige neus langs mijn huid, zonder iets op te merken van datgene wat me voorgoed verwijderde van de dierbare, betreurde omgeving waar zij vandaan kwam en waarmee ik voldeed aan wat tante Colette van me had geëist. Als de vleiende welwillendheid van tante Colette mij niet van de perfectie van mijn metamorfose had overtuigd, zou ik me het gebrekkig waarnemingsvermogen van Georges en zijn moeder hevig hebben aangetrokken, maar nu schreef ik het toe aan een brave naïveteit die zich zulke verlangens niet kon indenken. Met tranen die nog overvloediger stroomden keek de moeder of Georges zijn tas goed had ingepakt. Georges deed zijn best om niet te huilen, en nadat ze ons nog had tegengehouden om ons chocola en een paar bananen mee te geven, gingen we er ijlings vandoor. Tot aan het eind van de galerij hoorden we haar jammeren dat ze Georges niet een klein aandenken had kunnen aanbieden, maar in haar moderne flat stond niets dat zich daarvoor leende omdat de schaarse snuisterijen, uitgestald in het wandrek of op het tv-toestel, afkomstig waren uit de nabije supermarkt, waar ook de buren hun spullen vandaan hadden. Georges was bedroefd dat hij wegging zonder zijn zusjes te hebben gekust. Ik wierp hem zijdelingse blikken toe en was verbaasd dat ik hem zo mooi vond terwijl hij mij nog kort geleden tegenstond, een perspectiefwijziging die ik toeschreef aan mijn zekerheid van dit moment dat men ons niet meer voor broer en zus zou aanzien of, erger nog, voor een en dezelfde persoon. Ik probeerde hem te troosten: zijn familie, zei ik, zou ons in het dorp komen opzoeken. Maar, overwoog ik intussen, ook al had de onwaardige verschijning van Georges geen negatieve weerslag op mij maar zou zijn aanwezigheid juist extra luister geven aan wat ik gerust kon omschrijven als mijn hemelvaart of mijn volledige en volmaakte voleinding, toch mocht ik misschien niet zover gaan te hopen dat de bezoeken van zijn familie een soortgelijk effect zouden sorteren, juist eerder moest ik vrezen dat ze dat effect weer teniet zouden doen doordat die contacten verdacht zouden worden gevonden en twijfels zouden zaaien over het realiteitsgehalte van mijn nieuwe uiterlijk. En al was elke vorm van twijfel absurd, zou het toch niet zover kunnen komen dat de verandering werd ontkend, en daarna in alle oprechtheid niet meer zou worden gezien? Vol wroeging drukte ik Georges' arm. 'En laten we nu', zei ik met opgewekte stem, 'mijn moeder gedag gaan zeggen.'

'Wie is daar?' riep ze toen ik bij ons thuis had aangebeld. Zachtjes liep ze naar de deur en door het sleutelgat fluisterde ze: 'Fanny, arm meisje van me, ik kan nu echt niet opendoen. Je tante heeft me gewaarschuwd, dus ik weet hoe je eraan toe bent en ik kan dat nu niet aanzien hoor. Waarom heb je op deze manier met je ouders gebroken? Wat zou je vader zeggen? Ah, nog liever heb ik de pijn dat ik je niet zie!'

Verbouwereerd zweeg ik. We hoorden hoe mijn moeder zich met een langgerekte zucht van de deur verwijderde en terugging naar de huiskamer, waar nog korte tijd een onduidelijk gefluister klonk. 'Het komt alleen omdat ze iemand bij zich heeft', schreeuwde ik woedend, 'en ze zich schaamt om zich te vertonen! Dat is het! Wat een leugens!' Ik begon heftig op de deur te slaan en smeekte mijn moeder open te doen, maar het bleef volkomen stil en al voelde ik me diep vernederd, ik kreeg er genoeg van, trok Georges mee de straat op en bezwoer dat tante Colette dit onfatsoen niet door de vingers zou zien.

2

Er wordt ingericht

Zonder dat ik het wist zorgde mijn terugkeer voor heel wat bedrijvigheid. In allerijl werden enkele gewichtige beslissingen genomen; maar aangezien de belanghebbenden er uiterst tevreden mee leken kon ik me er niet verlegen mee voelen, zelfs kwam de gedachte bij me op dat mijn abrupte komst gunstig was voor de realisatie van lang gekoesterde plannen. Eugène en zijn vrouw bijvoorbeeld gebruikten het voorwendsel dat we woonruimte nodig hadden, Georges en ik, om zelf naar de nieuwbouwwijk te vertrekken en ons het huis van grootmoeder te laten, dat hun toch al nauwelijks beviel. Daar stond dan tegenover dat we tante Colette bij ons hielden, die na het vertrek van oom Georges berooid was achtergebleven.

Georges werd meteen bij de supermarkt aangenomen om de over het parkeerterrein zwervende winkelwagentjes te verzamelen, een baan waarin hij van links naar rechts moest hollen en die hem derhalve wel beviel, want hij hield van sport. Wat waren in deze situatie de gevoelens van tante Colette? Voelde ze zich gegeneerd dat ze op onze portemonnee leefde of zag ze dat als een eer voor ons, dan wel als een natuurlijke omstandigheid van het leven, omdat ze mijn tante was en toch ook al enigszins op leeftijd? Was ze me dankbaar voor de dagelijkse gretigheid waarmee ik erop toezag dat het haar aan niets ontbrak? En hield ze ondanks alles van me als van een nichtje, in het besef van haar plicht jegens de dochter van haar zus, of deed ze alleen maar alsof, niet in staat tot dat soort gevoelens? Wie had tante Colette geschapen en kon deze vragen beantwoorden? Ik hoefde maar uit haar buurt te zijn of het mysterie van de effecten die haar simpele bestaan op mij had, maakte me zo radeloos dat ik me onmiddellijk weer gedreven voelde haar gezelschap te zoeken, maar van haar teleurstellende aanwezigheid werd ik niets wijzer. Wat was de werkelijke band tussen tante Colette en mij, was zij slechts mijn tante? We zouden sterven, wellicht, zonder het ooit te weten.

In stilzwijgende eendracht besloten Georges en ik dat tante Colette het huis zou blijven bestieren en dat wij ons zouden gedragen als respectvolle gasten. Zij kreeg het alleengebruik van grootmoeders slaapkamer en van de huiskamer. Op haar verzoek lieten we daar opnieuw behangen, grote mauve bloemen tegen een violette achtergrond, en in de supermarkt kochten we op afbetaling een compleet slaapkamerameublement in rustieke stijl, waarmee het kleine vertrek helemaal gevuld was en waarvan ik iedere ochtend de reliëfversieringen in de vorm van loofwerk reinigde, waar het stof zich bijzonder zorgvuldig in nestelde. Door deze aankoop raakten we diep in de schulden. Maar van minder kon in onze ogen geen sprake zijn, voor tante Colette: dat zij ons toestond te wonen onder haar dak (ook al gaf haar problematische situatie haar nauwelijks de mogelijkheid het zonder ons te stellen) en dat zij ons, Georges en mij, dus niet beschouwde als een schande voor haar of voor de familie, al hoefde ik overigens in mijn nieuwe staat geen hoon meer te duchten, zou haar nooit helemaal kunnen worden terugbetaald, zo meende ik vol overtuiging.

3

Op bezoek

Het gebruik wil dat als een meisje uit de familie aanstalten maakt een huishouden op te zetten, ze haar verloofde voorstelt aan de naaste verwanten, dus begaf ik me samen met Georges naar een neef en nicht die vlakbij in een boerderij wonen, eigenlijk vooral met de bedoeling hun reactie te bestuderen en daar de juiste consequenties uit te trekken. We hadden een brioche bij ons, in boter gebakken door tante Colette die achter ons initiatief stond. Georges voelde zich onzeker: want de sympathie van de familie zou hem naar hij zich begon te realiseren niet uitsluitend ten deel vallen op grond van zijn kwaliteiten, overigens overduidelijk voorhanden, maar tevens moest hij hopen dat een bepaalde bijzonderheid, waar hij zich tot nu toe nog nauwelijks druk om had hoeven te maken, niet tot het starre bewustzijn van die brave neef en nicht zou doordringen – hij moest hopen dat ze niets zagen, zelfs al kon het aan de minst doordringende blik onmogelijk ontsnappen. Maar was de duidelijke verandering van mijn eigen uiterlijk niet evengoed Georges en zijn moeder ontgaan? In dit opzicht was Georges nog steeds met blindheid geslagen, hoe verbazend dat ook mocht lijken. Vervuld van tactvol mededogen associeerde hij mij met de handicap die zijn natuur hier vormde en waarvan hij de gevolgen steeds sterker ging voelen. En als ik uit zorg om hem probeerde hem uit de droom te helpen ging hij me alleen maar extra beklagen, zonder dat hij een poging ondernam de reden van die rare buien te doorgronden, want hij wilde me ontzien. Het was dus niet onzinnig de mogelijkheid te verdisconteren dat de neef en nicht niets aan Georges zouden bespeuren van wat hen beslist zou doen bekoelen als ze bereid waren het te zien, terwijl ze het toch moeilijk niet konden zien.

Ze ontvingen ons met een wat onverschillige vriendelijkheid, een zweem van droefenis. Want hun oude hond was kortelings gestorven, het laatste beest van de boerderij. De nicht had koekjes gebakken die niet bewaard konden blijven en was dan ook wat verlegen met de brioche. Toch moesten we die opeten, om tante Colette de eer te geven die haar toekwam. En gevieren namen we plaats aan de keukentafel, zij stond vermoeid op om (in de kelder!) een frisse mousserende wijn te halen. Mijn uiterlijk had niemands verbazing gewekt. Ze zagen Georges zonder dat ze hem zelfs maar leken te bekijken en wensten me met een paar werktuiglijke opmerkingen glimlachend geluk terwijl de blik van hun lege ogen noch op mijn gezicht noch op dat van Georges bleef rusten.

Wisten ze wel wie ik was? vroeg ik me ongerust af, zo groot was hun onverschilligheid, zo verflauwd leek hun betrokkenheid bij de familie. Zonder ook maar enigszins aanstoot te nemen aan Georges' uiterlijk, terwijl ik die mogelijkheid tevoren onder ogen had gezien, maar evengoed zonder iets te merken van de verandering in mijn presentatie of me te bekijken zoals ze vroeger deden, bezagen neef en nicht ons met de onpersoonlijke, hoffelijke blik die ze ook zouden hebben gehad voor vreemden wier zaken hun niet aangingen, over wier persoon het vergeefse moeite zou zijn geweest zich welk oordeel dan ook te vormen. Toch herkenden ze me, ze noemden mijn voornaam, informeerden naar de gezondheid van mijn moeder en die van tante Colette. Eigenlijk hebben ze lak aan de hele familie! moest ik verbijsterd toegeven. Dat ze geen enkele reactie vertoonden op Georges' vreemde voorkomen of op mijn eigen passende verschijning, werd daarmee niet steeds duidelijker dat het hun weinig kon schelen of Georges al dan niet in de familie kwam, en dat het hun ook al niet uitmaakte dat ik mij nu als een perfect lid van diezelfde familie presenteerde?

'Dus alles is jullie tegenwoordig om het even?' kon ik niet nalaten uit te roepen op het moment dat mijn nicht terugkwam uit de kelder. Niet begrijpend schudden ze vaag het hoofd. De nicht deed de wijn in met vrolijke figuren versierde mosterdglaasjes. Uit de slaapkamer kwam een gedruis afkomstig van het tv-toestel, waarvoor tot aan het moment van onze komst onze neef en nicht hun middagmaal hadden zitten nuttigen. 'Waar is jullie familiegevoel gebleven?' fluisterde ik. 'Toen grootmoeder nog leefde was er niets waar jullie meer respect voor hadden.' Berustend neigde de neef meermalen het hoofd.

'De familie woont tegenwoordig ver uit elkaar', merkte hij afwezig op.

'Maar zien jullie Georges en mij echt zoals we zijn?' hield ik aan.

'Ja hoor', zei hij om me te sussen.

Terwijl Georges gerustgesteld glimlachte werd ik heel treurig van een dergelijke verharding, en ik beklaagde de neef en nicht, in hun huidige eenzelvigheid, dat het hun zo weinig meer kon schelen wat er in de familie voorviel, ook al hadden ze mij vroeger naar ik veronderstelde met hun starre bekrompenheid schade berokkend, hadden ze zich waarschijnlijk nog onverzettelijker opgesteld dan tante Colette, had zich waarschijnlijk, toen ze zagen dat ik door de hond werd verscheurd en stierf, een tevreden opluchting van hen meester gemaakt, die overigens gespeend was van elke vorm van haat.

'We hadden graag gewild', hernam ik, 'dat jullie onze verbintenis steunden met volledige kennis van zaken, niet uit vriendelijkheid.'

'Je bent knap lastig', zuchtte de nicht op weg naar de slaapkamer, want ze had de klanken van vrolijke marsmuziek opgevangen.

De neef zat te wiebelen op zijn stoel, en om hem dan ook de gelegenheid te geven zijn vrouw te volgen kwamen wij op onze beurt overeind en begaven we ons naar de televisie, waar op dat moment de drieëndertigste aflevering werd vertoond van een serie over een legendarische familie, getiteld Een leven als een vorst.

4

Hoe het dorp reageerde

Ik mocht dan door de straatjes lopen zoveel ik wilde, 's morgens en 's avonds, met langzame passen, zonder ander doel dan de vroegere buren van grootmoeder te laten zien dat ze me nu toch hun volle vertrouwen konden schenken, zonder andere drijfveer dan de aandacht te vragen voor de onverwachte verandering in mijn situatie; de mensen die me tegenkwamen en door hun raam naar me keken hadden er of wel geen vermoeden van dat dit de kleindochter was van de gestorven buurvrouw, omdat ze me zich anders herinnerden, en geloofden niet dat een dergelijke ommekeer echt mogelijk was; of wel ze waren op de hoogte en hechtten er nauwelijks belang aan, dan wel hadden niet het idee dat ik hiermee voor het dorp minder vreemd werd maar juist extra, door de verwarring die aldus werd opgeroepen in geesten die elke vorm van mysterie afwezen. Hoe dan ook, degenen die mij tegenkwamen groetten niet, gaven overigens evenmin blijk van speciale vijandigheid. Niemand die me zag riep 'Fanny!'. Maar als ikzelf me met die naam had voorgesteld zou dat, was mijn indruk, tot geen vleugje verbazing aanleiding hebben gegeven, noch tot een 'o ja!' rijk aan herinneringen. Men zou eenvoudigweg hebben volstaan met beleefde instemming, zonder het belang van een dergelijke mededeling goed te begrijpen. Het was mij duidelijk: degene die ik was geweest was nog maar nauwelijks verdwenen of men was haar vergeten, omdat men haar nooit tot de inwoners van het dorp had gerekend. Hoe had het ook anders kunnen zijn? Hoe had men de herinnering willen bewaren aan wat als een kwaad element was uitgestoten? Het kwetsende commentaar waar Georges nu voor opdraaide bleef mij voortaan bespaard, maar ik was een onbekende in wie men totaal geen interesse had, hier bestond immers alom een afkeer van nieuwe gezichten, getuige bijvoorbeeld de koele afstandelijkheid jegens de onlangs gearriveerde bewoners van de nieuwbouwwijk.

5

Mijn moeder verloochent me

Kort nadat we ons in het dorp hadden gevestigd ontving ik de hierna volgende brief, waar ik geruime tijd verdriet om heb gehad:

Lieve dochter,

Ik wil je maar liever meteen waarschuwen dat je dit niet verkeerd moet opvatten: het genoegen om deze aanhef een laatste maal te gebruiken kon ik niet weerstaan, dus het zal je duidelijk zijn hoe smartelijk de beslissing waarover je straks leest me is gevallen, en misschien beklaag je mij zoals je jezelf zult beklagen. Fanny toch, waarom is het zover met ons gekomen? Draag ik schuld? Maar werkelijk, ik zie niet wat ik mijzelf zou kunnen verwijten. Want ik heb je fatsoenlijk grootgebracht en nooit een poging gedaan je geest ontvankelijk te maken voor de funeste ideeën (het precieze weet ik daar trouwens niet eens van) die je naar je huidige, bijzonder betreurenswaardige situatie hebben gevoerd. Waarom ben je niet dood gebleven! Ik zou wel eens uitleg van je willen of het werkelijk zo moeilijk was om niet meer te leven, in vergelijking met je huidige staat, per slot van rekening wordt toch algemeen aangenomen dat in die contreien aan alle lijden een einde komt, wat ik altijd zal blijven geloven. Je koppige natuur heeft gewonnen en volgens tante Colette ben je in triomf teruggekeerd. Maar heb je wel aan je arme moeder gedacht? Ik wed van niet, geen moment. Fanny, het is uitgesloten dat ik je, zo als ik me je nu voorstel, nog als mijn dochter beschouw, of dat jij in mij je moeder ziet. Je bent nog slechts de vrucht van je akelige verwaandheid! Wat je vader en ik tot stand hebben gebracht heb jij gewetenloos afgebroken, en dat is de ergste belediging die je ons kunt aandoen. Daarom denk ik dat het besluit waarvan ik je in kennis stel simpelweg een bekrachtiging is van je eigen keus, en dat maakt me des te verdrietiger maar evenzeer, moet ik zeggen, raak ik erdoor vervuld van een woedende, tegen jou gerichte minachting. Kijk eens aan, ineens houden mijn tranen op met stromen en keert mijn nijd terug! Fanny, doe geen poging me nog te zien of me te schrijven. En waarom zou je, we betekenen in het vervolg immers niets meer voor elkaar. Was getekend: de tweede zuster van tante Colette.

6

Bij de burgemeester

Ik maakte een afspraak met de burgemeester van het dorp en zocht hem op in zijn werkkamer, op de tweede verdieping van een klein huis naast de school waar de onderwijzer een appartement had. In een piepklein vertrek met gele muren zaten de burgemeester en zijn secretaresse getweeën te werken, hun tafels raakten elkaar bijna; hij was recentelijk gekozen. Ik kwam dichterbij, enigszins gehinderd door de aanwezigheid van de secretaresse, een oude dame over wie grootmoeder zich vroeger, herinnerde ik me, ongunstig had uitgelaten. Tersluiks wierp ze me achterdochtige blikken toe – herkende ze me? Ik legde mijn handen plat op de tafel van de burgemeester en boog mijn gezicht naar het zijne, in de hoop dat de secretaresse onze opmerkingen niet zou horen. Ook hij neigde vol ijver naar voren.

'Ik kom voor het volgende', fluisterde ik. 'Ik woon in het dorp en zou willen dat dit officieel werd verwerkt. Want hier blijf ik wonen.'

'U wenst burgeres te worden van ons dorp?' vroeg de burgemeester op goedkeurende toon.

'Zo is het precies', zei ik.

'Nou, volgens mij is dat niet bijzonder ingewikkeld.'

'Dat is heel ingewikkeld', bromde de secretaresse, die haar werk had gestaakt om beter te luisteren. 'De mogelijkheid daartoe is niet iedereen gegeven, bepaald niet. Wij hanteren hier de wetten van vroeger.'

'Dat wist ik niet', reageerde de burgemeester verbaasd.

'De nieuwe, eenvoudiger wetten hanteren we alleen als we volkomen zeker zijn van de betrouwbaarheid van betrokkene', legde de secretaresse gewichtig uit. 'Maar over deze juffrouw hier doen zo veel tegenstrijdige en onontwarbare geruchten de ronde dat het mij goed lijkt om, als u er geen bezwaar tegen heeft, haar verzoek te toetsen aan de strikte, oude wetten.'

'Waar zijn die oude wetten?' vroeg de burgemeester, van zijn stuk gebracht en ook, was mijn indruk, lichtelijk ontevreden dat hij zijn onwetendheid moest toegeven.

'Hoewel ik ze van buiten ken, kan ik u het papier laten zien...'

'Ja, wij willen dat papier zien', zei ik vastberaden.

En ik stond weer op, liep door het vertrek, het hoofd hoog om de jonge burgemeester duidelijk te maken dat ik meende met hem niet langer zaken te kunnen doen, en mijn blik bleef gericht op de secretaresse die de laden van haar bureau doorzocht, geërgerd dat ze niet vond wat ze wilde. 'Als u die oude wetten kwijt bent,' zei ik, 'hoe wilt u dan bewijzen dat ze er zelfs maar geweest zijn?' Maar opeens schoot ze op de burgemeester af en rukte een groot roze vel uit zijn handen waarop hij werktuiglijk, om iets te doen, de gouden punt van zijn vulpen aan het schoonvegen was. 'Ik heb het!' riep ze. 'Laten we nu eens kijken wat op uw geval van toepassing is.' Ze hield het blad vlak voor haar gezicht en ging tegenover me staan, zodat ik niet tegelijk met haar de wetten kon lezen. Toch durfde ik me niet te beklagen want volgens mij zou de secretaresse, als ze had gedacht me zo te kunnen straffen, ter plekke zonder aarzelen een bijzonder strenge wet hebben uitgevonden waarmee ik zonder hoop had moeten vertrekken. De burgemeester wachtte, vagelijk ongerust. 'Hier,' zei de secretaresse, 'niets is beter van toepassing: "De vreemdeling die zich duurzaam of definitief in het dorp wenst te vestigen, zal daartoe schriftelijk toestemming moeten krijgen van zijn of haar wettige moeder, of zich in gezelschap van laatstgenoemde moeten melden bij het gemeentehuis, tussen negen en tien uur 's morgens, behalve op maandag." Mijnheer de burgemeester zal waarschijnlijk net als ik voorstellen dat u zich conformeert aan het tweede gedeelte van het artikel, dat geen enkele ruimte laat voor misverstanden.' De burgemeester stemde slapjes in. Verslagen zonk ik neer op een stoel. Ik riep uit: 'Staat in de wet dan niet welke mogelijkheden er zijn voor een vreemdeling die geen moeder meer heeft?'

'Zoals ik u zojuist al zei,' antwoordde de secretaresse onverschillig, 'is het niet iedereen gegeven...'

Ik wendde me naar de burgemeester en smeekte hem om hulp, maar blozend gaf hij mij de verzekering dat hij op geen enkele manier tegen de wet in kon gaan; hij zou er des te strenger op toezien dat ze werd nageleefd omdat hij vermoedde dat ik tot alles bereid was om te proberen haar te ontduiken. En plotseling werd zijn gezicht ernstig en koel, in een streven de secretaresse zijn eerdere aarzelingen te doen vergeten. Allebei negeerden ze me vervolgens en ik sloop weg, bang dat de secretaresse opeens met een wet voor de dag zou komen op grond waarvan ik niet langer in het dorp zou mogen blijven of waarin het bijzondere van Georges (je wist immers nooit?) strafbaar zou worden verklaard.

7

Nieuwe gedachten rondom tante Leda

Mijn bezoek aan de burgemeester bracht mij tot een herbezinning op mijn positie in het dorp, waarvan ik had geweten dat het een wankele was maar niet zo wankel dat niet, op gezag van mijn talrijke bloedverwanten, de eenvoudiger wetten op mij van toepassing zouden zijn; in plaats daarvan werd ik gewantrouwd door de hoogste autoriteiten alsof ik de eerste de beste vreemdelinge was, en mijn verlangen om er mijn vaderland van te maken beschouwden ze niet als een eer voor het dorp maar met lastige verplichtingen trachtten ze me te ontmoedigen. Ik begon me bezig te houden met vragen als: behandelde men mij niet nog slechter dan een willekeurige vreemdelinge, tegenover wie men minstens zou proberen een beleefd respect in acht te nemen? Werd mij nu niet verweten te hebben bereikt wat mij vroeger, juist omdat ik het niet had, verachting had opgeleverd? Werd ik derhalve op dit moment niet nog meer veracht? Wat had ik misdaan? Wie profiteerde nu eigenlijk van mijn verandering op tante Colette na, die zich altijd aan mijn vroegere voorkomen had geërgerd? En toch, hoorde ik inmiddels duidelijker bij de familie dan vroeger, nu mijn eigen moeder mij verloochende, grootmoeder mij nooit in mijn huidige gedaante zou kennen en de anderen mij ontvingen met kille ongeïnteresseerdheid? Waartoe, ja waartoe moest ik nog meer geraken om te verdienen dat ik het onherroepelijk eigendom werd van het dorp en van de familie, en door beide zodanig werd gereduceerd dat ik onmogelijk nog enige beslissing kon nemen zonder hun morele goedkeuring?

Ik bracht tante Colette verslag uit van wat de secretaresse tegen me had gezegd en zette uiteen met wat voor onverwachte problemen ik nu door de oude wet te maken kreeg. Op het gezicht van tante Colette kwam een gesloten uitdrukking.

'In ieder geval kan ik je moeder niet vervangen,' zei ze, 'dat zou ongepast zijn tegenover Eugène. Het is van belang dat ik je tante blijf, niet meer en niet minder.'

'Misschien zou Leda geschikt zijn', opperde ik timide.

'Zo, krijg je het weer te pakken', zei ze laconiek.

Waarna ze zich verwijderde en niet meer terugkwam op mijn suggestie, wat ik zo vrij was te interpreteren als een stilzwijgen de akkoordverklaring al vond ik dat wel opmerkelijk, maar zo was tegenwoordig steeds vaker de opstelling van tante Colette, die erin berustte geen mening te formuleren.

8

Lieve familie

Aangezien er al een hele tijd geen familiebijeenkomst meer was georganiseerd besloten Georges en ik, met de (voor de zoveelste keer merkwaardig impliciete) instemming van tante Colette, om ter gelegenheid van de dag waarop grootmoeder jarig zou zijn geweest, iedereen uit te nodigen voor een uitgebreid middagmaal, net als vroeger. Ik trok door de naburige dorpen om allen te verwittigen, en terwijl ik had verwacht dat zou worden gereageerd met ontroerde vreugde, las ik tot mijn grote verbazing op tal van gezichten de wrevelige verveeldheid die het vooruitzicht van een dergelijke dag bij velen opriep, vooral bij de jongeren, die antwoordden wel wat anders te doen te hebben. Slechts in het besef dat ze grootmoeder eerbied verschuldigd waren hadden ze vroeger zonder morren de reis gemaakt, en met grote bereidwilligheid waren ze waarschijnlijk naar de bruiloft van mijn neef Eugène gekomen aangezien dat een officieel, plechtig feest was, waarop je niet mocht ontbreken zonder gegronde reden. Maar de maaltijd die ik wilde organiseren was slechts kunstmatig verbonden met het belangrijke feit van de verjaardag, omdat grootmoeder er niet meer was. Onder het voorwendsel van allerlei bezigheden sloegen velen daarom de uitnodiging af. Ze ontvingen me zonder me te zien, met een lusteloos schouderophalen; mij was niet duidelijk of ze me herkenden of dat ze zich om naar me te luisteren tevreden stelden met de identiteit die ik kenbaar maakte. Waarschijnlijk interesseerde het niemand, te weten wat er was gebeurd met degene die ik was geweest (en die ze zich niet meer herinnerden!) en ze ontvingen mij als het nichtje van tante Colette zonder in hun overmaat van onverschilligheid te bedenken dat ze me zo nog nooit hadden gezien.

De nichten en neven van mijn leeftijd woonden aan de randen van de dorpen in crèmegepleisterde montagewoningen, opgesplitst in vierkante, lichte vertrekken, allemaal eender geordend in deze stulpjes van een en dezelfde oorsprong. De kamers waren gehorig, de muren waren dun en de ruiten vormden één geheel, zonder vensterkruis. Deze jongere nichten en neven, die door de aankoop van hun huis diep in de schuld zaten, werkten hard. Ik kon niet anders dan de aftocht blazen als ze, zonder mij binnen te noden, in de deuropening het excuus van hun aanhoudend gezwoeg aanvoerden om zich aan de maaltijd te onttrekken. Toch waren we, overwoog ik perplex, van een en dezelfde familie, hadden we jegens grootmoeder eenzelfde onwankelbare genegenheid gekoesterd!

Vol schaamte tegenover Georges, en ongerust dat hij straks misschien zou denken de oorzaak van die afwijzingen te zijn geweest, wist ik een aantal bejaarde oudooms en oudtantes te overreden om van de partij te zijn, wat niet zonder moeilijkheden ging, zo volstrekt was de vergetelheid waarin hun geheugen mij na het nare voorval met de hond had weggeduwd. Nog nooit was ik voor hen zo'n volkomen onbekende geweest! Tante Colette hielp me hen te overtuigen en uiteindelijk zaten we met een stuk of tien aan tafel, Eugène, zijn vrouw en hun hond inbegrepen; want mijn neef Eugène was zo verzot op de hond dat hij het dier voortdurend bij zich in de buurt wilde hebben, hij had het dan ook op een stoel naast zich laten klauteren, voor een bak waarin de naam van de hond gegraveerd stond en die hij met een brij van brood en vlees had gevuld. In een voorzichtige bocht liep ik om die stoel heen, ofschoon het akelige beest me niet leek te herkennen. De maaltijd was nog niet begonnen of alle blikken werden toegezogen naar een onverwachts schouwspel, waar de hond tot mijn grote schrik van begon te grommen, al kwam hij weldra weer tot bedaren. Op een stoel aan het hoofd van de tafel troonde een grote pop van stro en jute, door mijzelf gemaakt. Ik had haar een theedoek omgedaan en pompoenpitten gebruikt voor de ogen en de mond. Georges en tante Colette, voor wie ik mijn bezigheden geheim had gehouden, keken me verbluft aan. Tante Colette leek ontevreden, en dat maakte me meteen beducht. Ik stond op, legde mijn handen plat op de tafel en zei met krachtige stem: 'Zo stel ik me tante Leda voor. Ik wilde haar vandaag in ons midden zien, in welke vorm dan ook. Waarom zouden haar gelaatstrekken, die niemand zich nog precies herinnert, niet evengoed op deze hier kunnen lijken? Maar ik hoop dat volgend jaar de echte Leda er zijn zal, dat ik haar dan eindelijk heb teruggebracht en dat ze een gunstige vervanging zal zijn voor mijn arme moeder, die zich op grond van een vergissing van mij heeft afgekeerd. Op dat moment zal ik bij het dorp horen en niemand van jullie hoeft zich dan nog te schamen over mijn situatie, die overigens sinds vorig jaar sterk verbeterd is, zoals jullie zelf kunnen constateren.'

In een drukkende stilte ging ik weer zitten. Met samengeknepen lippen diende tante Colette de palmkool in vinaigrettesaus op, en toen ze achter de pop langsliep, gooide ze die met een tikje tegen de grond. Er kwamen banale gesprekken op gang, over de gezondheidstoestand van de aanwezige bejaarden. Uit angst dat hij zou worden opgemerkt durfde Georges niet te praten. Daarna zette Eugène de televisie aan en in stilte werd gekeken naar een spelletjesshow die niemand graag wilde missen, terwijl dat gevaar toch veelvuldig aanwezig is als je buiten de deur eet. De stemming werd milder. Zelfs tante Colette kreeg een glimlach op haar gezicht – maar wat was de blik die ze op mij liet rusten ijskoud! Deze dag, waarvan ik ondanks het beperkte aantal deelnemers zo veel plezierige gezelligheid had verwacht, werd dus voor mij bedorven door het misnoegen van tante Colette, tegenover wie ik, zonder te weten hoe, ernstig had gefaald. Hoe pijnlijk ook de veronderstelling, het feit dat tante Colette me net als vroeger het recht ontzegde me met tante Leda bezig te houden, kwam waarschijnlijk doordat ik in haar ogen nog niet genoeg bij de familie hoorde om me zoiets te kunnen veroorloven. En toch, kon ik aan iets beters werken dan juist aan een ontmoeting met tante Leda, haar zover krijgen dat ze me op de een of andere manier adopteerde, gevolgd door een volwaardig burgerschap van het dorp en een plaats op het kerkhof aldaar? Tante Colette, zei ik in mezelf, is toch werkelijk te hard, en niet erg redelijk. Want wat verwacht ze dan van mij, ik die al nederig alles doe wat in mijn vermogen ligt om de familiekring binnen te dringen (waar ik ten onrechte uit ben verstoten)?

De oude mensen vertrokken vroeg, zodra ze het dessert naar binnen hadden gewerkt. Niemand leek enige aandacht te hebben besteed aan Georges die stil in een hoekje was gekropen, of hem zelfs te hebben gezien, en opgelucht ging hij geleidelijk weer rechtop zitten, ofschoon hij nog trilde van de angst, die hij heel de maaltijd lang had gevoeld, dat zijn bijzonderheid zou opvallen en dat er, met het gebrek aan tact dat oude mensen soms eigen is, kwaad van zou worden gesproken. Dat bijzondere van hem schitterde naar mijn idee als een vuurtoren, en dan ook nog eens twee keer zo fel, zodat geen beschrijving van Georges had kunnen worden gegeven zonder dat eerst te noemen. Ik werd door medelijden overvallen en vermeed het hem aan te kijken. Georges echter was in zijn eenvoud gespeend van elk gevoel van schaamte, hij kende alleen de onthutste, verdrietige verwarring dat hij zich verdekt moest opstellen omdat hij niet was zoals in de koppige opvatting van de dorpsbewoners uit deze omgeving was vereist. Ik voor mij prees me dagelijks gelukkig dat ik tegenwoordig zo weinig op Georges leek, maar al beklaagde ik hem, tegelijkertijd had ik hem onvoorwaardelijk lief.

9

Georges legt een verklaring af

Met een droevig gezicht kwam hij me naar me toe op het plaatsje, waar ik een paar fuchsiakleurige geraniums aan het begieten was die grootmoeder daar nog had geplant. Hij ging zitten op een grote steen, voor mijn knieën, en zei het volgende, aangedaan als ik hem nooit eerder had gezien:

'Fanny,' zei hij, 'ik kan niet langer tegen het bestaan dat me hier mogelijk wordt gemaakt. Voor niets van wat me overkomt heb ik ook maar de geringste verklaring, want wie ben ik om een dergelijke behandeling te verdienen? Ik ben enkel en alleen mijzelf, Georges, en ik begrijp niets van de namen waarmee ik word uitgedost, die ik hoor mompelen als ik door de hoofd- straat loop, en waarvan ik toch weet dat het lachwekkende, smadelijke namen zijn, maar hoe ze dat soort namen met mijn persoon in verband kunnen brengen begrijp ik niet, want ik ben toch enkel en alleen mijzelf, Georges, en de namen die ik in het voorbijgaan opvang zijn oud en afgezaagd, ze zijn niet bedacht voor mij en toch ben ik genoodzaakt, al sta ik er zelf versteld van, te aanvaarden dat ze naar mij verwijzen, en dan bloos ik en buig ik mijn hoofd alsof mij een wrede waarheid voor de voeten wordt geworpen, maar tegelijk sta ik perplex en kan ik niet geloven dat mijn eigen gezicht, het gezicht van Georges, zulke verschrikkelijke woorden uit de monden laat opbloeien. Ben ik dan zonder het te weten iets anders dan Georges, ik bedoel iets dat gehaat en geminacht wordt? Maar ik voel mijzelf doodge- woon Georges, en dat zeg ik iedere dag tegen mezelf om niets te maken te hoeven hebben met die woorden, waarvan ik jammer genoeg de betekenis kan raden want het zijn bekende woorden, zodat je niet kunt doen of je ze nog nooit hebt gehoord of ze grappig vindt.'

'Welke woorden zijn dat dan?' vroeg ik op luchtige toon, maar met purperen wangen en een gloeiend voorhoofd.

Nauwelijks merkbaar wendde Georges zich af, zonder te antwoorden. Verward van schaamte begoot ik met zorg de laatste geranium. 'Of stel', hernam Georges, 'dat ze gelijk hebben me zo te noemen? Dat ik in feite net zo weinig respect waard ben als ze me te verstaan geven? Soms weet ik niet meer wat ik moet denken en dus probeer ik me uit alle macht vast te klampen aan de zekerheid dat ik ik ben, degene van wie mamma en mijn zusjes houden, maar omdat zij ver weg zijn raak ik er langzamerhand steeds minder van overtuigd dat ik die ene Georges ben en niet die ander, dat door en door verachtelijke en potsierlijke personage waarvoor de mensen hier in de buurt me verslijten, terwijl ze me niet kennen maar toch niet twijfelen, louter op grond van mijn aanblik. Waarom, zeg ik in mezelf, zouden al die mensen het bij het verkeerde eind hebben of me een kwaad hart toedragen? Dat kan niet, want ik ben toch een bescheiden en zachtmoedige jongen. In de supermarkt kijken mijn collega's op me neer en mijn chef spreekt me zonder aarzelen anders aan dan met mijn naam, terwijl hij volgens mij geen wrok tegen me koestert. Ik geef tegenwoordig meteen antwoord als hij zich op die groteske, pijnlijke manier tot me richt, maar mettertijd vervaagt in mijn geest geleidelijk de betekenis van die term, en vergeet ik daar dan niet dat ik Georges ben, in plaats van datgene waarmee hij mij aanduidt? Toch glimlach ik en sloof ik me uit omdat ik niemand tegen me in het harnas wil jagen, en ik voel dat ik mezelf verlies. Dus...'

Tante Colette verscheen aan haar slaapkamerraam, snoof de ochtendlucht op en trok zich weer terug, terwijl ze met één hand, hoog geheven, licht, haar knot vasthield, haar witte arm elegant gebogen in een vette welving. Georges fluisterde: 'Zelfs je tante ziet mij als een soort dier, iets tussen een hond en een kat... Ze is overigens aardig, van haar heb ik geen last.'

Ik keek hem streng aan, kwaad dat hij de spot dreef met tante Colette. Georges omklemde met zijn vingers mijn knie en vroeg of ik het goed vond dat hij terugging naar huis, naar zijn moeder en zusjes die hij verschrikkelijk miste, om de redenen die hij zojuist had genoemd, zelfs al bestond het gevaar dat hij bijna even sterk zou gaan terugverlangen naar mij, nu hij eraan gewend was geraakt met mij samen te leven. Ik was pijnlijk verbaasd en wist niet wat ik moest antwoorden. Georges' gezicht was zeldzaam mooi – hadden de mensen dat wel gezien?

10

De laatste dagen in het dorp

Door de veranderingen die het in onze situatie bracht, noopte het vertrek van Georges mij tot het besluit dat tante Colette snel moest verhuizen en dat ikzelf ook weg zou gaan om te zoeken naar tante Leda, iets wat ik anders graag zou hebben uitgesteld want alleen al het vooruitzicht van de reis gaf me een moe en afgemat gevoel, al zag ik er tegelijkertijd het onontkoombare van in. Vertrok ik niet, dan zou het verstandig zijn geweest de baan van Georges bij de supermarkt over te nemen. Maar waar was het goed voor om dit leven als gast in het dorp voort te zetten? Tante Colette keurde mijn plan af. Toch bracht ze gedwee haar spullen naar Eugène, en het besef dat ze financieel afhankelijk was van haar verwanten leek haar ervan te weerhouden een oordeel of wens uit te spreken. Ze deed afstand van haar nieuwe slaapkamerameublement, dat bij haar zoon en schoondochter in de weg zou hebben gestaan. Eugène gaf zich nauwelijks moeite zijn ongenoegen over het feit dat zij haar intrek bij hen nam te verbergen. En tot mijn grote verontwaardiging snauwde hij tante Colette af, gedroeg hij zich als de baas in huis en maakte hij het haar met zijn bitse optreden onmogelijk zich op haar gemak te voelen. Tante Colette bleef voortdurend in de eetkamer, waar ze aan de tafel met de glasplaat televisie zat te kijken, in haar ogen een onverschillige blik. Ze wilde vooral niet storen en durfde geen enkele andere activiteit te ondernemen; soms sloeg ze de buren aan de andere kant van de afrastering gade en gaf commentaar op hun leefwijze. De slecht passende ruiten trilden onder haar zware stap. In afwachting van een koper (tante Colette en ik hoopten dat hij die nooit zou vinden) verhuurde Eugène grootmoeders huis aan de jonge burgemeester.

De dag voor mijn vertrek overhandigde tante Colette me een dubbelgevouwen papier waarin ik, lichtte ze met een opvallend koude en afstandelijke blik toe, Leda's adres zou vinden, dat ze in feite altijd had geweten. Verbluft uitte ik mijn dankbare verbazing dat ze het me deze keer gaf, terwijl ze mijn onderneming toch had afgekeurd. Zonder te antwoorden sloeg tante Colette haar ogen neer. Ik gaf haar een zoen en ze deinsde lichtelijk terug, slecht op haar gemak. Maar in mijn vreugde was ik die vreemde verlegenheid snel weer vergeten. Leda, zette tante Colette uiteen, woonde in een dorp niet ver weg. Of ik wilde beloven niet zonder haar terug te keren. Dat beloofde ik en tante Colette zei verder nog dat ze, hoe dan ook, zou weigeren mij te erkennen als ik alleen terugkwam: nu ik had besloten tegen haar zin te vertrekken, moest ik ook de consequenties van een mislukking aanvaarden. Intussen kwam bij mij de gedachte op dat tante Colette zich opnieuw hard opstelde, en dat kwetste me.

ACHTSTE DEEL

I

Bij Fanny's vader

Nadat ze in de vroege morgen uit het dorp was vertrokken in de door tante Colette aangeduide richting, dezelfde, zo bleek, als Eugène en zij een jaar geleden hadden genomen, en na de hele dag door omgeploegde velden te hebben gelopen, langs de autowegen met hun niet aflatende verkeer, kwam Fanny uiteindelijk, enigszins verbaasd, in de streek van haar vader, waar de plotselinge hitte haar tempo vertraagde. Ze had trouw de weg gevolgd die tante Colette haar had aanbevolen zonder zich te realiseren, zo ver stond die gedachte van haar af, dat haar schreden haar naar haar vader voerden! Moe liep ze het dorp in, zo verschillend van de dorpen die ze kende dat ze erin verdwaalde, al was het oord nog zo klein. De bewoners, die plompverloren voor hun huisdeur in het zand zaten te keuvelen, onderbraken hun gesprek om met kalme aandacht toe te zien hoe ze passeerde. Fanny hoopte dat ze niet als de dochter van haar vader werd herkend, want ze zou zich tegenover die mensen ongemakkelijk hebben gevoeld als zij een vermoeden hadden gekregen van haar gedaanteverandering en van de motieven die daarbij wellicht een rol hadden gespeeld. Maar omdat haar vader onvergelijkelijk veel aanzien genoot was het haar even onaangenaam dat ze haar versleten voor een vreemdelinge die hier op bezoek was, en haar in hun gedachten niet de eer gaven die ze haar als dochter van zo'n man spontaan zouden moeten bewijzen.

Ten slotte stond ze stil voor haar vaders mooie huis en meteen liep ze de tuin in, die er even armzalig en dor uitzag als de vorige keer, treurig getooid met een verbrande, kale poging tot een gazon: in dat opzicht had haar vader buitensporige ambities gekoesterd. En Fanny herinnerde zich dat grootmoeder haar schoonzoon vroeger zijn dikdoenerij had verweten en ook, nu en dan, een ordinaire manier van doen. Lichtelijk

ontroerd tikte ze op de deur. 'Kijk eens aan, juffrouw Fanny!'
zei de huisknecht die open kwam doen. Hij vergat uit de weg
te gaan om haar binnen te laten en nam haar verbouwereerd op.
Toen Fanny hem haar koffer aanreikte vermande hij zich, met
een excuus, deed een stap opzij en Fanny sloop de ruime hal van
wit en roze marmer in waar juist op dat moment haar vader,
komend uit een slaapkamer, doorheen liep. Enigszins gekrenkt
constateerde Fanny dat het even duurde voor hij haar herkende.
Maar wat viel haar vervolgens een ontvangst te beurt, zoals
Fanny nog nooit had gekend, de ontvangst van een bezoekster
op wie lang was gewacht, naar wie werd gesmacht, van wie,
overwoog Fanny diep getroffen, meer werd gehouden dan van
wie ook! Haar vader liep met gespreide armen op haar af, zijn
ogen schitterden van genoegen en bewondering, en terwijl hij
Fanny krachtig omarmde zei hij hoe blij hij was haar weer te
zien. Hij was ietwat ouder en dikker geworden – wie had bij het
zien van dat verstrengelde tweetal kunnen denken dat dit vader
en dochter waren, nu Fanny's gezicht meer gelijkenis vertoonde
met dat van oom Georges en tante Colette, en niets meer
gemeen had met het harde gezicht van haar vader, er zelfs een
eigenaardig en schril contrast mee vormde? De huisknecht
stond heen en weer wippend naar hen te kijken. Ten slotte
spuwde hij op de grond, wat haar vader met zijn scherpe blik
niet ontging zodat hij zich van Fanny afwendde, de bediende
in zijn neus kneep en hem opdracht gaf zijn viezigheid op te
ruimen alvorens hun beiden, hem en de juffrouw zijn dochter,
een lekker avondmaal voor te zetten in de salon. De bediende
trok zich stilletjes terug, misprijzend, met een strakke rug. De
vrouw van wie Fanny tijdens haar eerste bezoek een glimp had
opgevangen lag in de salon te rusten op de canapé, getooid in
een ijl wit gewaad waarvan de sleep aan haar voeten opbolde.
Nauwelijks was haar vader binnen of hij begon met zijn handen
te zwaaien en krijste: 'Vooruit, weg!' en schuw ging de vrouw
ervandoor, tot Fanny's grote verlegenheid. 'Ik wil met jou
alleen zijn', zei haar vader met een warme en vleiende ofschoon
emotieloze stem. Om Fanny meer op zijn gemak te kunnen
bekijken deed hij een stap achteruit. Als het ware voor de grap

verborg Fanny haar gezicht achter haar gespreide vingers. Maar was ze niet ondanks haar verwarring blij dat ze zo geestdriftig werd onthaald door een vader die tot nu toe niet de moeite had genomen zich haar te herinneren en zich, toen hij haar na vele jaren had teruggezien, alleen maar ontstemd, stroef en heel erg onbeleefd had getoond? Haar vader wilde haar gezicht vrij krijgen; hij trok één voor één Fanny's vingers weg en bleef die omklemmen. Met een keellachje wierp Fanny haar hoofd achterover, zich gewonnen gevend, en plotseling schoot haar de foto te binnen die oom Georges op grootmoeders laatste verjaardag had verscheurd en waarop haar moeder breeduit stond te glimlachen, licht naar achteren neigend, sereen en levendig, met haar golvende haren lijkend op haarzelf zoals zij er nu uitzag. En haar vader, die op Fanny had neergekeken, misschien teleurgesteld was geweest over haar uiterlijk, kuste nu in verrukking haar voorhoofd, het vlakke en enigszins lage voorhoofd van tante Colette! Verheugd en tegelijk met een treurig gevoel van gekwetstheid prevelde Fanny 'Kom zeg, ga nou!', waarop haar vader in zijn handen klapte om de huisknecht te roepen. En degene die Fanny werkelijk was voelde zich beledigd, opstandig bijna; want had het destijds niet geleken of haar vader er zelfs een afkeer van had zich in de buurt te bevinden van degene die zij was geweest toen ze hem samen met Eugène was komen opzoeken, en er minder dan nu aan getwijfeld kon worden dat zij zijn dochter was, bereid tot eerbied, tot de grootst mogelijke genegenheid? Nooit zou het bij Fanny zijn opgekomen dat haar vader er prat op zou gaan een dochter te hebben die zo weinig op hem leek maar zo veel op personen die hem vroeger, toen Fanny's moeder hem aan de familie had voorgesteld, openlijk hadden veracht en die hij vast en zeker buitengewoon lelijk en ook buitengewoon verachtelijk had gevonden. Of het moest zo zijn (Fanny vond dat een pijnlijke gedachte) dat haar vader voor hun oordeel was gezwicht, of het anders misschien tot het zijne had gemaakt en niets beter gefundeerd vond dan de argwanende minachting van tante Colette, haar koele neerbuigendheid jegens hem. Op dit moment was haar vader werkelijk trots op Fanny. Zijn vaderlijke zorg uitte zich op velerlei manieren: ofschoon hij de televisie had aangezet schakelde hij het geluid uit, om ongehinderd met Fanny te kunnen converseren; hij gaf de bediende een uitbrander omdat deze een doodgewone kip met rijst had gemaakt, terwijl hij zijn dochter zo graag een bijzonder verfijnd welkomstmaal had willen voorzetten. Zoals bij haar vader gebruikelijk aten ze in kleermakerszit aan een lage tafel. Fanny was op enige afstand van haar vaders vaste plaats gaan zitten, maar tevergeefs, hij had voor deze schroom totaal geen begrip, was tegen zijn gewoonte in vlak naast Fanny komen zitten, zodat ze geen vork naar hun mond konden brengen zonder dat hun ellebogen of knieën tegen elkaar stootten, wat Fanny hinderlijk vond maar waar haar vader van in vervoering leek te raken. Om haar een plezier te doen stelde hij tal van vragen, als wilde hij met grote gretigheid alles over haar te weten komen. Maar nauwelijks had ze de aanzet tot een antwoord gegeven of hij vroeg weer iets anders, of zijn blik was plotseling niet meer bestand tegen de aantrekkingskracht van de kleurige beelden op het scherm en hij verloor zichtbaar zijn aandacht voor haar, al deed hij zijn best ervoor te zorgen dat het niet opviel. Ontmoedigd staakte Fanny haar verhaal, zonder dat hij het merkte. Waarna hij haar opnieuw begon te bestoken en haar verwijten maakte over haar stilzwijgen, dat naar zijn zeggen, als was hij een aanbidder uit vroeger tijden, van een al te grote wreedheid was. Hij bestudeerde Fanny's gezicht met een doordringende, onderzoekende blik – die niet vervuld was van begeerte maar van een heftig heimwee. En toch, vroeg Fanny zich paradoxaal af, stond het echt wel vast dat haar vaders ogen een verandering registreerden, ontpopten ze zich niet, net als die van Georges en diens moeder, als ongeschikt om die verandering te zien, en kon de houding van haar vader niet simpelweg het gevolg zijn van een nieuwe manier van zijn van Fanny, wier zelfvertrouwen was toegenomen door de zekerheid dat ze op tante Colette de indruk maakte een gedaanteverandering te hebben ondergaan? Haar vader werd er niet jonger op; hij had geen ander kind dan Fanny; misschien was hij milder geworden, had hij spijt gekregen. Trouwens, vroeg Fanny zich af, had ze een bewijs dat naast tante Colette ook anderen het hadden gezien? Want omdat niemand, behalve tante Colette met een korte opmerking over Fanny's huidige volmaaktheid, ook maar iets erover te berde had gebracht, kon Fanny gemakkelijk veronderstellen dat men er kennelijk niet in was geslaagd oog te hebben voor datgene wat tante Colette op raadselachtige wijze onmiddellijk had gezien, wat voor haar zonneklaar was geweest, haar ertoe gebracht had zich jegens Fanny gastvrij en clement te tonen en voor Fanny zelf misschien alleen maar zichtbaar was geweest onder invloed van de overtuigde blik van tante Colette. Het was goed mogelijk dat Fanny's moeder zich niet had laten misleiden; als zij, gewaarschuwd door tante Colette, niets zou hebben gezien van wat haar zuster haar zei wel te zien, had ze luidop uitdrukking gegeven aan haar verbazing en misschien haar best gedaan tante Colette uit de droom te helpen. En wat zou er dan zijn gebeurd? Fanny huiverde. Wat haar niettemin nog enigszins op het pad van deze hypothese tegenhield was het beeld dat haar dagelijks in de spiegel werd gepresenteerd en dat in haar opvatting geen plaats liet voor twijfel, getuigenis aflegde van de volledigheid van haar evolutie, en het kostte haar de grootste moeite, te veronderstellen dat de spiegel zich de blik en de fantasie van tante Colette had toegeëigend. En toch... mijmerde Fanny, er steeds sterker van overtuigd dat haar vader in ieder geval niets zag.

In haar lange, fijne gewaad kwam de vrouw sierlijk de tafel afruimen. Haar ogen bleven neergeslagen, met hoffelijke kalmte beroerde ze het serviesgoed. De vader legde voor haar echter even weinig belangstelling aan de dag als voor de huisknecht, al leek ze in zijn huis niet de functie van bediende te vervullen. 'Laten we ergens ijs gaan eten', zei hij terwijl hij overeind kwam. De vrouw, bijna de kamer uit, bleef staan; de opmerking van de vader was echter alleen voor Fanny bedoeld, wat ze al gauw begreep. In de hal drapeerde ze over zijn schouders een soort cape die paste bij zijn ruim vallende overhemd. Schuchter zei ze goedenavond waarna ze zwijgend begon te huilen. Ze trok zich vlug terug. Met een zucht zei de vader: 'Die vrouw houdt zo van ijs!' Fanny was onthutst en bemoeide zich er dan ook niet mee.

Haar vader nam haar bij de arm. Ze liepen het in diepe duisternis gehulde dorp door waar een gedruis hing van insektengeluiden, schril gejammer, het harde lachen van kinderen, en vaak lag aan de andere kant van een glanzend geverfd tuinhek, achter het traliewerk van de vensters, in een overvloed van knisterende olie iets te bakken. Onder reusachtige bomen zaten mannen te wachten tot ze werden geroepen voor het eten. Haar vader groette hen met steeds hetzelfde arrogante hoofdknikje waarna hij de punten van zijn cape weer met een plechtstatig gebaar over elkaar sloeg. Hij voerde Fanny mee een binnenplaatsje over, een cafeetje in dat zich alleen door het witte schelle licht onderscheidde van de andere huizen aan de hoofdstraat. 'Twee citroenijs', riep de vader meteen, alvorens Fanny naar een tafeltje te leiden dat wat apart stond, langs een lage scheidingsmuur. Er zaten nog een paar mensen ijs te eten. Ze keken naar Fanny en haar vader zette een hoge borst op. 'Mijn dochter', zei hij met een harde heerserssstem tegen de cafébaas. Deze mededeling leek niemand te verbazen, al werd Fanny extra nieuwsgierig geobserveerd. Om zich een houding te geven wierp ze een blik over het muurtje in het onverlichte deel van de zaak waaruit, voor een oplettend oor waarneembaar, ragfijne geluiden klonken: op matrassen op de grond lag een heel stel kinderen te slapen. Een kast, kleren die daar hingen, een stoel, duidden erop dat dit een kamer was, zonder raam, ingericht in de cafézaal. Ontdaan herkende Fanny tussen de slapenden de gezellin van haar vader, die ze zojuist in zijn huis hadden achtergelaten! Ze had zich in haar satijnen bovenkleed gerold en het enige onbedekte was haar gezicht, waarin de gesloten ogen zich, zo was Fanny's indruk, slapende hielden; haar lippen trilden even, bijna onmerkbaar.

'Dat is zij!' fluisterde Fanny tegen haar vader, en plotseling zat ook zij te trillen.

'Nu al!' zei hij verbaasd. 'Voor wij weggingen heb ik haar bevolen een paar dagen naar haar ouders te gaan, maar zo'n haast hoefde ze nu ook weer niet te maken.'

Hij keek geërgerd. 'Ik wilde niet het idee hebben dat ze om ons heen sloop en zich weet ik wat ging inbeelden', voegde hij er met een glimlach aan toe. 'Want stel je voor, ze weigert te geloven dat jij mijn dochter bent, die onnozele!' En hij barstte in lachen uit, na zijn opmerking te hebben gemaakt met een harde stem die ongetwijfeld tot de vrouw was doorgedrongen. Uit zijn hele houding kwam duidelijk naar voren dat de aandacht die Fanny kreeg hem bepaald niet onverschillig liet en dat hij die graag wilde vasthouden, al deed hij net of hij er niets van merkte. Welnu, als haar vader niet zag dat Fanny een ander uiterlijk had gekregen en daar zijn trots dus niet aan kon ontlenen, dan moest dat gevoel van trots, bedacht Fanny, voortkomen uit iets dat om haar persoon heen hing, een specifieke uitstraling die in de ogen van haar vader voor het dorp het bewijs leverde dat zijn dochter leefde in streken die niets gemeen hadden met dit oord hier maar wezenlijk en op onweerlegbare wijze superieur waren. Want waar zou haar vader zich op beroemen? Zelfs Fanny's schoonheid, hier immers verwijzend naar die verre streken, zou in de visie van haar vader zijn opgeluisterd met een buitengewone waarde, evenals haar manier van spreken (een aantal uitdrukkingen van tante Colette!), waaruit onmiddellijk duidelijk werd dat ze niet in het dorp van haar vader was opgegroeid. Eigenlijk had ze de neiging haar woorden in te slikken en net als haar grootmoeder legde ze vaak de klemtoon verkeerd, wat haar vader inmiddels ging overnemen. Vorig jaar had Fanny van haar vader alle minachting te verduren gekregen waarmee hij nu de vrouw achter het muurtje bejegende. Fanny vertoonde op dit moment voldoende gelijkenis met tante Colette om door haar vader te worden bewonderd en als vleiend te worden ervaren, ja, om bijna aanspraak te maken op zijn liefde, in een plotselinge uitbarsting van ongebruikte tederheid! Toch is het fijn, overwoog Fanny, om de achting van je vader krijgen na zo lang zijn ergernis te hebben gewekt. Met genoegen verorberde ze haar ijs, en het pleidooi voor de vrouw dat ze van plan was geweest uit te spreken omdat ze haar zo zielig vond, stelde ze uit tot later. Ze was bang zijn misnoegen te wekken, wilde geen verstoring van deze weldadige gevoelens, van de prettigste avond die ze ooit met hem had beleefd. In haar gedrag dikte ze aan wat hij naar zij dacht aantrekkelijk vond en wat speciaal zijn ijdelheid streelde, hetgeen min of meer neerkwam op enkele aanwensels en hebbelijkheden van tante Colette, waarvan niemand op de gedachte zou zijn gekomen dat ze iets charmants hadden maar die voor haar vader, in hun eigenheid, symbolisch waren voor die prominente, aanlokkelijke contreien waaruit hijzelf niet afkomstig was en waar hij bij voorbaat werd veracht. Het was Fanny niet onaangenaam een imitatie te geven van tante Colette, die ze zich op dit moment voorstelde in de eetkamer van Eugène, misschien kijkend naar een buitenlandse serie, haar ellebogen op het koude glas van de tafel, in haar japon met de zilveren manen waar tegenwoordig een lichte vetlucht van afkwam. Aan tante Colette had ze de milde vriendelijkheid van haar vader te danken, terwijl haar neef Eugène niet eens de moeite nam zijn moeder eerbied en genegenheid te tonen, nu hij het gevoel had dat hij in zijn huis met haar zat opgescheept.

Haar vader had achter elkaar drie glaasjes sterke drank naar binnen geslagen. Fanny bestelde nog een portie ijs, dat er naar haar werd gekeken kon haar niet meer schelen.

'Ach Fanny, was je toch maar mijn dochter', prevelde haar vader.

'Dat ben ik toch!'

Geschokt vroeg Fanny zich af of de anderen hem misschien hadden gehoord.

'Ja ja, ik heb ook niet gezegd dat je dat niet bent!' stamelde hij.

'Dan kunt u dus maar beter uw mond houden!' zei Fanny kwaad. 'En wat wilt u dat ik anders ben dan uw dochter?'

'Dat komt, je bent zo ongenaakbaar', probeerde haar vader uit te leggen. 'Is het dan natuurlijk dat iemand zoveel minder volmaakt is dan zijn eigen kind, en zichzelf vergeleken bij haar zo abject vindt?'

'Maar daarom houdt u van me', kapte Fanny geïrriteerd af.

Waarna ze haar vader mee naar buiten trok, bang dat zich het gerucht zou verspreiden dat hij publiekelijk had betwijfeld of die jonge vrouw, door hem voorgesteld als zijn dochter, dat ook werkelijk was. Zou het nog eens zover kunnen komen, vroeg Fanny zich af terwijl ze haar vader ondersteunde, dat hij ooit uit buitensporige nederigheid weigert mij te erkennen? Dan zou ik wel erg alleen zijn, ja, in een wonderlijk isolement!

De huisknecht zorgde ervoor dat haar vader, door plotselinge uitputting veranderd in een wankelende oude man, in bed kwam te liggen, en daarna bracht hij Fanny naar een logeerkamer. Vroeg in de morgen trof Fanny voorbereidingen om weer te vertrekken, al was haar vader nog niet op. 'Hij hoopte u een tijd bij zich te kunnen houden', zei de huisknecht, die niet erg enthousiast leek over al die haast, en Fanny antwoordde: 'Het is zaak dat ik zo vlug mogelijk mijn tante Leda vind.' In de hal spreidde ze op de tegelvloer een kaart uit van de streek van grootmoeder en geholpen door de knecht zocht ze naar de naam van het dorp waar, naar tante Colette haar had onthuld, Leda woonde. Het was een eenvoudige korte naam, die zowel Fanny als de bediende vertrouwd in de oren klonk, maar dat kon zijn omdat het zo'n heel gewone naam was. Ze konden het nergens op de kaart vinden.

'Zo klein is dus dat dorp!' zuchtte Fanny ontmoedigd.

'Toch meen ik dat ik het ken', beweerde de huisknecht.

Door Fanny's onzekerheid groeide zijn zelfvertrouwen; en aangezien zij hem niet kon tegenspreken zette hij een overtuigde stem op. Fanny moest die en die bus nemen, die en die kant uit, en dan zou ze zonder dat ze verder nog hoefde te informeren bij dat dorp uitkomen. Hij wist het nu zeker en Fanny, maar al te blij, was dan ook bereid hem te vertrouwen. Ze ging ervandoor zonder haar vader nog te hebben gezien. Toen ze door de naargeestige tuin liep voelde ze een vage schaamte. En toch, wat was haar vader niet nog allemaal in staat tegen haar te zeggen dat haar zou treffen als iets ongepasts? Mocht hij, na in de nacht een droom van die strekking te hebben gehad, wakker worden met de bedoeling Fanny te zeggen dat ze in geen geval zijn dochter kon zijn, omdat ze inmiddels zo verschillend van hem was geworden dat het poneren van die familieband als lachwekkend moest worden beschouwd, dan was het maar beter dat Fanny dat niet hoorde, dat ze vertrok zonder te weten of haar vader, door haar in verwarring gebracht, vandaag haar status zou verloochenen, zoals haar moeder op grond van andere overwegingen zo ijzig had gedaan. Want moest het zo zijn dat haar vader, nu hij haar eindelijk een waardige ontvangst had bereid, zich spontaan het recht ontzegde haar zijn dochter te noemen en haar beroofde van het speciale geluk zich bemind en beschermd te voelen door degene die haar had gemaakt, ook al was het om haar des te heviger te vereren? De pijnlijke situatie van vroeger, waarin hij zich voor haar schaamde omdat hij, vervuld van minachting voor haar uiterlijk, juist daardoor niet kon bewerkstelligen dat ze ophield zijn dochter te zijn, was nog te prefereren, bedacht Fanny, boven een situatie waarin ze hem zo imponeerde dat hij niet langer wilde geloven dat ze uit hem kon zijn geboren.

2

De busreis

De chauffeur van de bus die aan de rand van het dorp voor haar stopte was, meende Fanny, dezelfde die vorig jaar Eugène en haar vervoerd had. Tegelijk met haar stapten een paar vrouwen in die drie kilometer verder weer uitstapten om naar de grote streekmarkt te gaan. Lang bleef Fanny de enige. Naarmate de afstand tot het dorp van haar vader groter werd trok de lucht meer dicht, door de kieren blies een ijskoude wind. De rood-bruine zandweg werd een geasfalteerde autoweg, en uit de vlakke velden rezen reusachtige winkels op. Niemand stond meer langs de kant te wachten of er mensen stopten om een koude oliebol te kopen, of een puntzakje gevuld met okker-noten of geroosterde pinda's; geen geitje of ronddolend dier stak meer in het stof van het schaarse verkeer de weg over; in plaats daarvan stonden enorme reclameborden als bakens aan de rand en de verleidelijke, verrukte gezichten, de buitensporig grote letters in felle kleuren, klaar om uit de omlijsting te springen, leidden de aandacht af van het mistroostige, ziekelijke landschap. 'Ben ik hier niet op weg naar mijn vader langsgeko-men?' vroeg Fanny zich een beetje bezorgd af. Maar ze stelde zichzelf gerust, want ze kon intussen toch als geen ander weten dat in het land van grootmoeder alles op alles leek, dat je achter elkaar verscheidene dorpen kon aandoen en tegelijk steeds kon blijven twijfelen of je in feite niet voortdurend in hetzelfde dorp terugkeerde.

Aan de rand van een veld suikerbieten, ver van welke bebou-wing dan ook, hield de bus onverhoeds halt en een plotseling opgedoken oom Georges stapte in, een flinke tas aan de hand. Hij droeg zijn donkergrijze vertegenwoordigerskostuum, zag er zo verouderd en afgemat uit dat Fanny, die had gedacht hem nooit te kunnen vergeven nadat ze van tante Colette had gehoord wat een gemene streek hij haar had geleverd, zich tot haar verrassing aangedaan voelde. Zonder haar te zien liet oom Georges zich op een stoel vlak achter de chauffeur neerploffen en Fanny zag alleen nog de bovenkant van zijn paarsige schedel. Geëmotioneerd aarzelde ze of ze naar hem toe zou gaan; uiteindelijk besloot ze naast hem te gaan zitten. Oom Georges echter wendde nauwelijks het hoofd, alsof de gedachte aan ook maar de kleinste beweging hem al uitputte.

'Het weer knapt nu toch wel wat op, zo te zien', begon Fanny met een wat zwakke stem.

'Zo te zien wel. Ach, ik was vergeten dat dit zo'n hard land kan zijn...'

'Bent u hier dan weggeweest, oom?' vroeg Fanny, pijnlijk getroffen dat oom Georges niet reageerde op het feit dat ze hem aldus aansprak. En ze begreep dat alles was afgelopen, al was daarvoor nog geen enkel bewijs. Ze schoof een eindje weg van haar oom die zich nu met genoegen in een kletspraatje stortte, zijn verhaal zelfs met overduidelijke leugens opsierde, en in plotselinge wanhoop sloot ze haar ogen. Oom Georges bleef ongedwongen doorbabbelen en zei 'u', wat uit zijn mond te vormelijk klonk. Hij hield bruusk op toen de bus tot stilstand kwam, stapte over Fanny's benen heen en ging haastig naar buiten, zonder de tijd te nemen haar correct te groeten. 'Eindpunt!' riep de chauffeur. Verbouwereerd informeerde Fanny of ze nu echt wel in het dorp van tante Leda waren, maar van dat dorp had de chauffeur de naam nog nooit gehoord. Hij kwam overigens niet overal in de streek en kon niet zeggen of het dorp niet ergens buiten zijn route lag. Voorlopig had hij Fanny in het dorp van grootmoeder gebracht, al kon ze zich er aanvankelijk niet toe brengen dat te geloven. Maar noodgedwongen herkende ze het kerkplein, de lege hoofdstraat, de gestalte van de voormalige slager die in de verte luidruchtig met vuilnisbakken liep te zeulen, in het overhemd met de witte en blauwe ruitjes dat hij aan zijn vroegere staat had overgehouden. Onmiddellijk bedacht Fanny verschrikt dat ze onder geen beding mocht worden gezien door tante Colette, aan wie ze had beloofd pas in gezelschap van Leda in het dorp terug te zullen keren, noch door wie dan ook die tante Colette van haar aanwezigheid op de hoogte zou kunnen stellen. Gelukkig viel de duisternis, die in dit jaargetijde intens was. 'Waar moet ik nu heen?' vroeg Fanny zich af, die op dezelfde gronden geen mogelijkheid zag om inlichtingen te verzamelen over het dorp van tante Leda. Op dit punt groeide in haar een gevoel van argwaan over de oprechtheid van tante Colette, die haar eerst op een vreemd dwaalspoor had gebracht door haar naar haar vader te sturen en haar, met de verzekering erbij dat het in de buurt lag, de naam had opgegeven van een dorp dat niet op de kaart stond en ook de chauffeur onbekend was. Maar Fanny schaamde zich voor die slechte gedachten en weigerde dan ook erbij stil te blijven staan, nauwelijks meer vervuld van vertrouwen in de toekomst, zonder dat ze echter een andere mogelijkheid zag dan doorgaan met zoeken, zelfs al zou tante Colette zich erop hebben toegelegd haar die taak onmogelijk te maken.

3

Fanny verdwaalt

Ze liep in de richting van de nieuwbouwwijk met de vage
bedoeling weg te gaan uit dit dorp, waar ze naar haar gevoel
gemakkelijk kon worden ontdekt. De kou had haar overvallen
en ze droeg nog de dunne trui die in het dorp van haar vader
warm genoeg was geweest. 'Als ik uit het zicht ben haal ik een
jasje uit mijn koffer', zei Fanny bij zichzelf. Intussen kwam ze
een aantal keren door dezelfde straten zonder dat het haar lukte
zich te verwijderen van wat naar ze aannam het centrum van de
nieuwbouwwijk moest zijn, ze sloeg een weg in die ze volgens
haar nog niet had gehad, totdat het eigenaardige oranje van een
keukengordijn haar eraan herinnerde dat ze er net vandaan
kwam, en raakte ten slotte helemaal verdwaald, eindeloos rondjes draaiend. Noch de huizen met de auto's die ervoor geparkeerd stonden, noch de straatnaamborden met de eeuwige
vogelnamen hielpen haar ook maar enigszins verder. Fanny
raakte uitgeput. Om op adem te komen bleef ze staan bij een
heg. Opeens zag ze in het zwakke schijnsel dat uit een raam
kwam het gezicht van haar moeder, van opzij, mild haar kant
uit neigend en getooid met een langgerekte, welwillende, cle-
mente glimlach, die Fanny niet van haar kende, zelfs niet van
vroeger, zonder iets van de nerveuze gejaagdheid die haar moeders gelaatstrekken zelfs als ze blij was vaak iets verkrampts gaf,
glimlachend met die mooie, schrijnende glimlach die voor
Fanny nieuw was, een roerloze glimlach zonder einde naar
iemand die Fanny niet kon zien en op wie haar moeder neer-
keek. Het maanlicht dat op de ruit viel gaf haar blonde, glinste-
rende haren iets zilverachtigs. 'Dat is het huis van Eugène',
mompelde Fanny diepbedroefd. Ze zou ernaar toe gerend zijn
als haar angst om tante Colette te ontmoeten niet nog sterker
was geweest dan het heftige verlangen de tedere glimlach van
haar moeder op zich te voelen rusten. Trouwens, zou die

glimlach tegenover Fanny in stand zijn gebleven? Als haar moeder haar had gezien zou ze waarschijnlijk een kwaad of ontzet gezicht hebben getrokken, en haar binnenkomst zou er om te beginnen toe hebben geleid dat die verrukking, waarover de in de kamer aanwezige personen wel net zo opgetogen zouden zijn als Fanny, bruusk zou zijn gedoofd.

Spijtig liep Fanny weer door, verkleumd inmiddels. Ze ging op goed geluk voort, sloeg zomaar ergens af, deed geen poging meer zich te oriënteren. Ten prooi aan de kou wilde ze net haar koffer openmaken toen ze door de koplampen van een auto werd verblind. De chauffeur remde, een man stapte uit en holde naar Fanny toe. Het was haar vader in een weelderig, helgeel gewaad waarvan de weerschijn zijn gezicht deed oplichten, alsof hij zich niet in dezelfde tijd bevond als al het in duister gehulde om hem heen, maar zweefde in de gouden glans van een fragmentje zonnige dag. Hij pakte Fanny bij een arm en trok die hijgend heen en weer.

'Ach het spijt me dat ik ben vertrokken zonder u gedag te zeggen, ja, neemt u me alstublieft niet kwalijk', zei Fanny vlug, plotseling zo beschaamd dat ze haar vader er zelfs voor aanzag haar uitsluitend achterna te zijn gegaan om haar zover te krijgen dat ze haar fout bekende.

'Daar denken we niet meer aan, want straks ga je met mij mee terug, zonder problemen', reageerde de vader opgewekt. 'Ik kom net van je moeder, die beweert dat jij niet mijn dochter bent, al heb ik dat altijd gedacht. Dus ofschoon het me pijn doet dat ik voor de gek ben gehouden, ben ik er voor ons tweeën blij om, Fanny. De vrouw die je in mijn huis hebt gezien bevalt me helemaal niet, ik stuur haar straks meteen weg en jij...'

In zijn ongeduld kneep hij hard in Fanny's arm met de lange, droge vingers die zij van hem had geërfd. Ze was beduusd en zei niets, terwijl hij probeerde haar mee te trekken naar de auto en met een snelle voetbeweging de onderkant wegschopte van zijn gewaad dat leek te baden in een onuitputtelijke blondheid, waar hij deze avond wellicht zijn onstuimige vitaliteit aan ontleende. Zonder haar aan te kijken praatte hij luid, een beschrijving gevend van het bestaan dat voor hen in het verschiet lag, van de geschenken waarmee hij haar zou overladen. Ze zag de huisknecht, die aan het stuur van de limousine op hen zat te wachten. 'Toe nou, verstandig zijn', prevelde ze, in het besef dat ze niet boven het stemgeluid van haar vader uit zou kunnen komen. En toen hij haar in zijn onnadenkendheid losliet om het portier open te doen, sloeg Fanny op de vlucht. Ze sprong over een heg, rende een tuin door, dook een pad tussen twee huizen in. Ze hoorde haar vader roepen, steeds zwakker, en zijn smeekbeden gingen verloren in het geblaf van de honden. Nog steeds hollend bereikte Fanny de grens van de wijk, waar ze zojuist nog vergeefs naar had gezocht. Naar lucht happend liet ze zich in de greppel vallen. Daar had ze alle gelegenheid om na te denken over de woorden van haar vader, die haar minder verbaasden nu ze er het uitvloeisel van een misverstand in zag. Want in het licht van de bewoordingen die haar moeder had gebezigd in de missive waarin haar te kennen was gegeven dat ze afstand van haar had gedaan doordat ze, zo als Fanny volgens mededelingen van tante Colette geworden was, zich niet langer als haar moeder kon beschouwen, had Fanny toch eigenlijk meteen al rekening moeten houden met een verkeerde uitleg van de kant van haar vader, die door zijn onvolmaakte beheersing van de taal uit het land van grootmoeder in de onduidelijke opmerkingen van haar moeder iets had gelegd dat er niet in zat. Misschien had haar moeder nog eens herhaald dat Fanny in deze omstandigheden niet langer de dochter van haar vader kon zijn en had hij die uitspraak letterlijk opgevat, er waarschijnlijk een formulering in gezien waarmee discreet de bekentenis werd gedaan dat ze hem ooit ontrouw was geweest, en had hij zich smadelijkerwijs gelukkig geprezen, vast en zeker trots, trouwens, dat hij de vorige dag in Fanny's aanwezigheid een vermoeden had gekregen van wat haar moeder hem, zo meende hij, vandaag had onthuld. Dat haar vader het minder belangrijk vond een dochter te hebben dan een vriendin die beantwoordde aan zijn parvenuverlangens was voor Fanny een weerzinwekkende ontdekking, terwijl ze tegelijkertijd inzag dat onder dat gebrek aan belangstelling voor de bloedband ook, naar ze gemerkt had, verborgen zat dat haar vader er niet in slaagde het natuurlijk te vinden dat hij als kind een dochter had die zo volstrekt anders was, volgens zijn vernederend waardenstelsel zo eindeloos superieur. Fanny had nu een afkeer van haar vader en nam zich voor hem niet meer terug te zien. Verachtte ze hem omdat hij haar in de plaats had gewild van de volgzame jonge vrouw uit zijn dorp, of vanwege zijn povere eigendunk, op grond waarvan hij niet kon aanvaarden dat Fanny zijn dochter was? Fanny was niet langer van haar volmaaktheid overtuigd, integendeel; ze vond de bewondering van haar vader dan ook zielig. En dat hij niet in staat was haar feilen te zien maakte hem, de vader die haar aanbad, alleen maar lachwekkender en lomper.

4

In het dorp M.

Het werd al ochtend toen ze uit de greppel kwam, niet ver van
het laatste huis van de nieuwbouwwijk, langs de hoofdweg die
dwars door het dorp ging. Zoals vaak in het land van grootmoeder lag de lucht laag en zwaar op de daken en werd zelfs de toren
de mogelijkheid ontnomen onstuimig op te rijzen, een gedrongen, norse toren die vanaf de weg nauwelijks te zien was, als om
de reiziger ervan te weerhouden naderbij te komen, de vreemdeling ervan af te brengen zich hier welkom te voelen. Fanny
draaide de vormloze, grijze massa van het dorp de rug toe en
zette er flink de pas in. Omdat ze niet wist waar het dorp van
tante Leda kon worden gesitueerd en voor het ogenblik geen
enkele mogelijkheid zag om inlichtingen in te winnen had ze
bedacht dat ze, als ze de andere kant uit ging dan binnen de
route viel van de buschauffeur, die nog nooit door het dorp van
haar tante was gereden, een grotere kans had iemand te ontmoeten die het kende, of er onverwachts zelf te arriveren, dan
wanneer ze dezelfde richting nam. Als tante Colette haar niet
had bedot, iets waarover Fanny haar twijfels begon te krijgen,
en als dat dorp dus echt bestond, en als het bovendien ergens in
de buurt lag, was het onmogelijk dat Fanny het met hardnekkig
zoeken niet zou vinden.

Ze kwam die ochtend door verscheidene plaatsjes, gelegen
aan weerszijden van de weg, stuk voor stuk weggezonken in een
werkeloze stilte, op die doodse dag in de herfst waarop overal
de scholen en winkels dicht waren. Fanny wist niet of ze al door
die gehuchten was geweest, zo lastig waren ze uit elkaar te
houden. Maar toen ze rond het middaguur in het dorp M.
kwam herkende ze het nog voor ze het uithangbord van de
Dappere Haan had gezien en van haar stuk gebracht, ontstemd
dat ze daar nu weer terug was, besloot ze van deze vergissing te
profiteren en een bezoek te brengen aan tante Clémence. Haar

oom was aan het werk en haar tante ontving haar alleen, lichtelijk verrast maar niet vijandig. En terugdenkend aan de slechte ontvangst die haar de vorige keer ten deel was gevallen, zei Fanny bij zichzelf dat tante Clémence toen misschien zo koel was geweest louter omdat ze haar had gestoord, terwijl Fanny het had uitgelegd als een blijk van hevige antipathie. Tante Clémence nodigde haar uit het middagmaal met haar te delen, een mooie plak hart die ze braadde met gesnipperde uitjes. Gezeten in de ouderwetse keuken sloeg Fanny haar tante dankbaar gade; toen tante Clémence haar een royaal part serveerde, waagde ze het te vragen hoe ze over haar dacht zoals ze nu was.

'Ik laat me geen moment van de wijs brengen door wat er zogenaamd aan jou is veranderd,' antwoordde tante Clémence op ongedwongen toon, 'want ik zie het niet en ben ervan overtuigd dat er ook niets is. Toch kun je die indruk geven, dus ben je ondanks alles veranderd, genoeg om de illusie te scheppen dat je een gedaanteverwisseling hebt ondergaan.'

'Precies zo leek het mij ook', mompelde Fanny nederig.

Tante Clémence, die nooit erg spraakzaam was geweest, zei niets meer. Maar toen Fanny moed vatte en een vraag durfde te stellen over tante Leda gaf ze welwillend antwoord, en toen die vraag weer andere vragen opriep, kwam ze opeens met het voorstel Fanny te vertellen wat ze wist van haar zuster Leda, met als argument dat het Fanny alleen op die manier duidelijk zou worden hoe dwaas het was de bescherming van zo'n tante na te jagen.

5

De ware geschiedenis van tante Leda

Haar jongere zuster Leda, begon Clémence, was altijd, dat moest gezegd, het lievelingetje van de hele familie geweest, van grootmoeder zelf maar ook van al haar zussen, die derhalve niet jaloers of geërgerd waren over een voorkeur die ze zelf in stand hielden en die Leda te danken had aan het ontegenzeglijk charmante van haar gezicht en optreden, alsook aan iets verleidelijks dat meer in nevelen gehuld bleef en waarvan tante Clémence, niet gewend een verhaal te vertellen, geen beschrijving aandurfde, zo ongrijpbaar was het. Vanaf haar prilste jeugd was Leda er dan ook aan gewend dat haar veelsoortige grillen en manieën door de vingers werden gezien, en toch was ze uitgegroeid tot de begaafdste van de vier zusters, de levendigste en stoutmoedigste. Fanny's moeder en Leda, de twee jongsten, woonden nog bij grootmoeder toen Clémence en Colette al uit huis en getrouwd waren. En in die tijd kwam Fanny's moeder bij de familie aan met degene die Fanny's vader zou worden, op dat moment een bescheiden, schuchtere jongeman, maar niettemin briljant en ambitieus. Om de Fanny bekende redenen echter, en er waren er nog meer, wilden ze in de familie niets van zo'n huwelijk weten. Met nobele ijver en prijzenswaardige volharding had een ieder zich uitgeput in pogingen Fanny's moeder te overtuigen van haar onbezonnenheid, haar te bezweren af te zien van haar plan, haar zelfs te bedreigen, maar op al die pressiemiddelen reageerde zij met een onbewogen gezicht en nietszeggende woorden waar geen enkele zekerheid aan te ontlenen viel. Nooit werd ze kwaad of opstandig; maar of ze op het punt stond te buigen, toe te geven, daar kwam men niet achter, en hardnekkig bleef de familie aan de gang. Dat alles beviel Leda helemaal niet. In haar speciale, diepe genegenheid voor Fanny's moeder moest en zou ze haar steunen tegen de hele familie in, die ze niet bovenal had leren vrezen en eerbiedigen vanwege de toegeeflijke tederheid waarmee iedereen haar bejegende. Zodra er een tante of neef arriveerde om Fanny's moeder te kapittelen kwam Leda aanstormen, en als het haar niet lukte de lastpost weg te werken probeerde ze bij het gesprek aanwezig te zijn om eerder dan haar zuster te antwoorden en om choquerende opmerkingen te maken. Zelfs grootmoeder zag geen mogelijkheid haar daarvan te weerhouden: Leda had altijd gedaan wat ze wilde, en nog nooit had ze zo'n serieuze aanleiding gehad om blijk te geven van haar vastberadenheid. Soms leek het wel of er haar nog meer aan gelegen was dat haar zusters wens triomfeerde dan die zuster zelf, die weliswaar de indruk wekte ongevoelig te blijven voor de overredingspogingen maar, aldus tante Clémence, op het laatst vast en zeker zou zijn gezwicht voor de aanhoudende aanvallen van de familie, als daar niet Leda was geweest, die haar om zo te zeggen had ontlast van de afmattende plicht zich te verdedigen. In haar provocaties ging Leda zover te verkondigen dat, mocht haar zuster capituleren, zijzelf met de verguisde verloofde zou trouwen. Aldus hoopte ze de familie te dwingen zich gewonnen te geven, maar in plaats daarvan raakte die juist extra geërgerd. De mening vatte post dat van de twee zusters Leda de grootste schuld droeg, waarbij haast vergeten werd hoe het allemaal zo gekomen was. Dat men tegen Leda was deed overigens geen afbreuk, verduidelijkte tante Clémence, aan de speciale liefde waarmee ze altijd al was gekoesterd; het ging er gewoon om dat ze werd ingedamd, werd teruggedreven als onverwacht obstakel voor de hogere verlangens van het familie-instituut, waarvan zij naar algemeen werd gedacht het functioneren uitsluitend belemmerde omdat ze grillig en onbezonnen was, nog verblind door haar jeugdige leeftijd en door de meegaande opvoeding die haar ten deel was gevallen. Dus ofschoon Leda, over wie streng werd geoordeeld, tegelijkertijd nog steeds het voorwerp was van een heel speciale affectie, genoot Fanny's moeder, naar wie met een welwillender blik werd gekeken, veel minder de sympathie, en sinds haar wat weerzinwekkende verliefdheid op die man werd van haar gehouden uit plichtsgevoel. Colette en zijzelf, verklaarde tante Clémence met kille stem, hadden actief meegedaan aan de pogingen om haar tot rede te brengen. En zonder gêne voegde tante Clémence er nog aan toe dat zij beiden, juist omdat Fanny's moeder hun zuster was, een intiemer gesitueerde afkeer hadden gevoeld jegens de verloofde, al zag hij er nog zo knap en goed verzorgd uit.

Toch begon de vastberadenheid van Fanny's moeder geleidelijk te tanen. Ze werd moe van al die verwikkelingen, verlangde terug naar de rust en de goede verstandhouding van vroeger. Toen Leda dat merkte besloot ze doortastend op te treden: ze ging naar de verloofde en nam haar intrek in zijn huis, waarna ze de familie liet weten dat ze pas terug zou komen als haar zuster toestemming kreeg om te trouwen. Grootmoeder stierf bijna van schaamte. Fanny's moeder was er beduusd en ongelukkig over, en iedereen was ervan overtuigd dat ze Leda dit initiatief kwalijk nam, maar nu de zaken eenmaal zover waren en ze niet meer terug kon, sloot ze zich met nieuwe energie aan bij de eis van haar zuster. De familie staakte de strijd, want als deze situatie eindeloos bleef duren zou ze, naar haar inschatting, door dit schandaal duurzamer worden getroffen dan door de onwaardigheid van een dergelijk huwelijk. Leda keerde terug naar huis en ijlings kreeg Fanny's moeder haar bruiloft. Maar in de familie heerste tweedracht: sommigen wilden met Leda blijven omgaan, anderen vonden dat onaanvaardbaar, die uit het ene kamp nodigden haar heimelijk uit en als het toch bekend werd kwam hun dat op een ijzige behandeling van de anderen te staan, en ten slotte werd duidelijk dat de eenheid in de familie alleen nog te redden was als Leda werd verjaagd, hoe zwaar dat iedereen ook zou vallen. Zelfs Fanny's moeder protesteerde niet. En Leda, door niemand verdedigd, moest gaan. Uit trots vertrok ze zonder te waarschuwen, zonder dat men kon vermoeden waarheen. Dit gaf voedsel aan wilde fantasieën en sommigen maakten zichzelf wijs dat ze haar intrek had genomen bij Fanny's moeder en haar man, maar dat is nooit vastgesteld. Waarschijnlijk was het louter een verzinsel. Een aantal ging zelfs zover te insinueren dat, misschien, de echte moeder van Fanny... Maar tante Clémence, die nooit geloof had gehecht aan deze toespelingen, vermeldde ze slechts om Fanny

enig idee te geven van de dwalingen waarin de verstandige
mensen waaruit deze familie bestond verzeild raakten zodra
Leda ermee gemoeid was.

6

Fanny ziet zich genoodzaakt haar ideeën over tante Leda te heroverwegen

Juist toen tante Clémence haar verhaal beëindigde kwam oom thuis en er werd verder niet meer over gesproken. Fanny mocht de nacht doorbrengen op de canapé in de huiskamer, eenzelfde als vroeger bij grootmoeder had gestaan en waarvan de pluche-achtige stof, die op haar huid en zelfs tot diep in haar vlees een half onaangename gewaarwording veroorzaakte, Fanny ont-roerde en vervulde van smartelijke spijt dat ze indertijd niet in staat was geweest ten volle te genieten van de momenten waar-op ze, tegen grootmoeder aangeleund, zat te kijken naar een tv-serie die door grootmoeder van grappig commentaar werd voorzien, op de lange zomermiddagen achter de gesloten lui-ken.

Fanny sliep niet omdat ze moest nadenken over haar huidige situatie, die ingrijpend was veranderd door wat tante Clémence haar had verteld. Toch, nog voor ze aan het verhaal begonnen was had Fanny begrepen dat tante haar doel zou bereiken en dat zijzelf, wat ze ook zou horen, geen andere mogelijkheid had dan haar speurtocht naar Leda te staken. Zo ging dat nu eenmaal met wat de familie wenste, en waar de beste redenen niets meer tegen vermochten. Zou Fanny toch doorgaan en volharden in haar streven Leda terug te vinden, dan stond wel vast dat de familie zonder een woord, zonder een gebaar, misschien zelfs zonder te bevroeden dat Fanny nog steeds aan het zoeken was, voortdurend het welslagen van haar onderneming zou weten te voorkomen, Fanny aldoor naar een dorp zou sturen waar ze alleen met de grootste moeite weer uit zou kunnen komen. Maar bovenal zag Fanny nu duidelijk in dat ze zichzelf nooit anders dan schade had berokkend; want als ze zich een plaats in de familie wilde veroveren, welk beter middel stond haar dan ter beschikking om de familiale welwillendheid te verspelen dan het voornemen om degene die na rijp beraad door de familie was verstoten weer mee terug te brengen? Dat Fanny geen weet had gehad van de geschiedenis kon haar nog niet vrijpleiten: wat de familie verborgen hield diende in de opvatting van de familie verborgen te blijven, terwijl toch tegelijkertijd tal van aanwijzingen het mogelijk maakten heel precies te raden waarop dat wat niet mocht worden geweten betrekking had en er welbewust verre van te blijven. Het ging hier om de voornaamste plicht van de nazaten en Fanny had die verzaakt, zonder zich te kunnen beroepen op het feit dat ze van die plicht niets had geweten, wat trouwens evengoed een tekortkoming zou zijn geweest. Overtuigd van haar gelijk, had ze de waarschuwingen van tante Colette volstrekt in de wind geslagen! Niet alleen diende Fanny nu elke kans op een ontmoeting met welke Leda dan ook uit de weg te gaan, die naam mocht zelfs nooit meer door haar worden uitgesproken: zonder de meest volstrekte deugdzaamheid zou ze zich niet kunnen rehabiliteren.

Toch vroeg ze zich trillend van angst af, want ze herinnerde zich dat tante Colette haar dat misleidende adres had gegeven en haar vervolgens had verboden zonder Leda terug te keren, of het niet nu al te laat was. Had immers tante Colette, wetend dat ze haar naar een niet bestaande plaats stuurde, daarmee niet tot uitdrukking willen brengen dat ze haar simpelweg verbood ooit nog terug te komen, ooit nog bij tante Colette haar opwachting te maken? Had ze niet te kennen willen geven dat Fanny, wier arrogantie ontembaar was gebleken, niets anders meer restte dan eindeloos door de dorpen te blijven draaien?

NEGENDE DEEL

I

De dood van tante Clémence

Fanny werd ruw gewekt door haar oom. 'Ze is niet meer!' zei hij onthutst, waarna hij kriskras door het huis begon te lopen maar de slaapkamer vermeed. Hij maakte zijn ontbijt klaar en at het in z'n eentje op, terwijl Fanny ongelovig naar het bed van tante Clémence liep, een beetje gegeneerd dat haar oom zich aan haar had vertoond in nachtkledij. Toen ze had geconstateerd dat haar tante dood was ging ze terug naar haar oom in de keuken. Hij zat luidruchtig te huilen. Nooit eerder had Fanny deze oom ook maar een zweem van een emotie zien uiten en ze voelde zich dan ook bijna verrast, waarna ze uit deernis ook een beetje begon te huilen. 'Ik zorg voor alles', beloofde ze met zachte stem. Maar ze bleef nog even aan zijn zijde in de keuken, warmde de koffie op en zette hem die voor met troostende woorden die ze zich herinnerde uit een roman en waar haar oom met aandacht naar luisterde. Daarna ruimde ze de tafel af en adviseerde haar oom zich aan te kleden, al voelde ze zich niet meer gehinderd door zijn onverzorgde voorkomen. En het beeld van haarzelf, zich bekommerend om haar oom nadat zijn vrouw die ochtend was gestorven, hem omzichtig zover krijgend dat hij deed wat moest worden gedaan, maakte een verrukkelijke indruk op Fanny, die tante Clémence nauwelijks had gekend en niet echt verdrietig was. De vriendelijkheid waarmee haar tante haar de vorige dag had ontvangen woog in haar droefenis zwaarder mee dan de bezoeken uit al die jaren daarvoor, waarin tante Clémence slechts oog had gehad voor Eugène en nooit had laten merken dat ze Fanny als haar nichtje beschouwde.

Toen haar oom zich had gewassen en aangekleed kwam hij weer bij zijn positieven. Hij ging druk in de weer en had Fanny's hulp niet nodig, maar ze mocht van hem blijven zolang ze wilde. Omdat tante Colette werd verwacht ging Fanny de kelder in. Ze kon zich, zo leek het haar, maar beter niet aan tante Colette vertonen in deze onverwachte en droevige situatie waarin haar tante, als ze onverhoeds op Fanny zou stuiten, misschien overhaast met harde of verbitterde opmerkingen zou komen. Een weerzien met tante Colette, op deze dag, zou zeker een slecht voorteken zijn geweest. Trouwens, Fanny kon haar niet zomaar onder ogen komen zonder daar eerst toestemming voor te hebben gekregen en daarover kon naar Fanny's inschatting alleen maar worden onderhandeld, als ze die toestemming al ooit zou bemachtigen.

De procedure werd zodanig versneld dat tante Clémence 's avonds kon worden begraven. De enigen die kwamen waren tante Colette, oom Georges, Fanny's moeder en een paar buren, terwijl Eugène, hoorde Fanny tante Colette vertellen, die middag een sollicitatiegesprek had. Tante Colette droeg haar zwarte jurk met de roosjes, die iets te getailleerd was. Fanny's moeder huilde berustend; tante Colette en oom Georges snoten enkel hun neus, terwijl de echtgenoot van Clémence met een eigenaardig, berouwvol gezicht rondliep, alsof hij zich, door haar te laten sterven, dat pas 's morgens te merken en nu niet bij machte te zijn een traan te vergieten, voor dat alles bij de twee zusters diende te verontschuldigen.

Behoedzaam volgde Fanny de povere stoet op een afstand. Net als de vorige dag was het grijs en koud en men liep vlug, de vrouwen met wankele pasjes omdat ze niet gewend waren aan hun lakschoenen met de hoge, vierkante hakken. Fanny had tevoren een brief aan tante Colette geschreven waarin ze haar berouw onder woorden bracht en smeekte om vergiffenis, tegen welke prijs ook. In de buurt van het kerkhof zag ze een meisje van een jaar of tien dat daar nieuwsgierig rondhing. Ze vroeg het kind dringend haar brief aan tante Colette te overhandigen, het antwoord af te wachten en haar dat zo snel mogelijk te komen brengen. Gevleid holde het meisje weg. Door het hek zag Fanny hoe ze tante Colette met een plechtig gezicht de envelop gaf op het moment dat deze aanstalten maakte een kluit vochtige aarde in de groeve te gooien. De roosjes op de japon van tante Colette bewogen vrolijk, dansten op de soepele stof die wapperde in de wind. Tegen de achtergrond van de donkere lucht leken ze uit een boeket te zijn losgefladderd.

Weldra was het meisje weer terug bij Fanny en gewichtig droeg ze voor: 'De dame zegt dat ze niets voor u kan doen zolang uw ouders u geen vergiffenis hebben geschonken. Ze zegt te weten dat beiden zich om verschillende redenen beledigd achten en deinst terug voor de verantwoordelijkheid u vrij te spreken voordat zij dat hebben gedaan. Daarna, heeft ze gezegd, zullen we zien.' In haar opluchting constateerde Fanny op dat moment dat de voeten van de kleine meid bloot in oude sportschoenen staken. Haar smalle, enigszins sluwe gezicht was reeds getekend door vlekken en beginnende rimpels. Fanny nam haar mee naar het huis van haar oom en gaf haar een wollen maillot. Vlug stuurde ze haar weg uit angst dat de familie terug zou komen, want tegen die tijd moest ze zich weer verstoppen in de kelder. Het meisje zou graag zijn gebleven: bij de kachel gezeten, haar nieuwe benen strelend, uitte ze luidkeels haar bewondering voor een borduurwerk dat in zijn vergulde lijst voor haar het toppunt was van chic. Fanny had haar gezichtje ingesmeerd met crème tegen de kou en was door die bekommernis om het meisje tante Colette bijna vergeten. Toen ze er daarna weer aan dacht, voelde ze zich verrast. Was het ooit voorgekomen dat de zorg om de familie haar langer dan een kwartier had losgelaten? Had ze zich ooit door wat dan ook in voldoende mate laten boeien om daarna bijna verbaasd te zijn dat de familie bestond? Want had de familie niet al haar vermogen tot belangstelling en emotie in beslag genomen?

2

Bij Fanny's moeder

Fanny stelde zorgvuldig een akte van vergiffenis op en nam meteen na de begrafenis van tante Clémence de trein naar de hoofdstad, hoe zwaar het haar ook viel. Bij aankomst stond ze op het perron ineens tegenover haar moeder, die na de uitvaart in dezelfde trein moest zijn gestapt als zij. De moeder droeg haar lange bontmantel, inmiddels kaal op de kraag en aan de randen van de mouwen, alsook haar geruite koffer die nu uit de mode was. Ofschoon ze Fanny had gezien wilde ze met een onverschillig gezicht doorlopen, maar Fanny hield haar tegen. 'Ben jij het! Ik had je niet herkend!' riep haar moeder uit. Gerustgesteld en verbluft zei ze nog: 'En toch ben je het. Colette heeft me namelijk verteld dat je anders bent geworden, ik herkende je niet meteen, maar ik zie nu dat jij het bent.'

'Dan geldt uw brief dus niet meer, toch?' zei Fanny, plotseling overstelpt door een gevoel van verdriet en teleurstelling. Toen haar moeder dat met duidelijk genoegen had beaamd, nam Fanny haar bij een arm en samen verlieten ze het station. Ze had de indruk dat haar moeder langzaam liep, met vermoeide tred. En terwijl haar moeder vroeger, als Fanny aan haar arm hing, verwijtend zei dat ze niet vlug genoeg opschoot, hield Fanny nu in om te voorkomen dat het leek of ze haar moeder meesleepte, iets wat deze zich niet realiseerde, verdiept als ze was in gedachten die de vouw om haar mond enigszins verhardden, haar lippen smal en vaal maakten. Haar moeder moest het ritme van Fanny's tred trouwens al lang zijn vergeten. Nu ze zelfs vergeten was, overwoog Fanny, hoe haar dochter eruitzag, had ze het idee dat Fanny niet was veranderd, alsof ze in staat was om net als tante Colette de kleinste metamorfose op te merken. Terwijl haar moeder, daar was Fanny nu van overtuigd, alles wat ze van haar had geweten weer was vergeten, uit zorgeloosheid en gebrek aan sympathie, uit ontvankelijkheid voor de stilzwijgende invloed van de familie. En dat ze tevreden leek nu ze in gezelschap van Fanny huiswaarts keerde, kon dat niet zijn omdat dit haar liever was dan de kale eenzaamheid?

Ze kwamen langs een aantal plekken die voor Fanny verbonden waren met heldere herinneringen: boven op dat muurtje langs de weg had ze als kind graag gelopen, een hand op de schouder van haar moeder, lachend dat ze een hoofd groter was en dat haar moeder, die het spel meespeelde, haar mamma noemde; op dat landje hadden ze ooit twee lama's gezien die uit een circus waren ontsnapt, maar verbijsterd als ze waren geweest, hadden ze zich naderhand niet kunnen onttrekken aan de indruk dat ze hadden gedroomd; en daar was Fanny gevallen... Graag zou ze haar moeder die tafereeltjes in herinnering hebben gebracht, of anders dat haar moeder er zelf gewag van had gemaakt. Maar die moeder liep met haar trage pas langs het muurtje, over het landje, zonder haar mond open te doen. En Fanny bleef dan ook zwijgen, niet bijzonder gretig om tot de conclusie te moeten komen dat haar moeder er niets meer van wist. Misschien ging ze op dit moment te zeer gebukt onder het overlijden van tante Clémence om te mijmeren over het zoete verleden met Fanny. Aan de zijde van haar zuster Clémence had ze even lang geleefd als met Fanny!

Eenmaal in de flat slaakte de moeder lange, vermoeide zuchten. In Fanny's herinnering was haar moeder toch een jonge vrouw, levendig en opgewekt – en nu slofte ze naar de keuken zonder dat het ook maar één keer bij haar opkwam zich naar Fanny te wenden om haar een glimlach te schenken. Voor de moeder was het blijkbaar voldoende dat ze met haar dochter was thuisgekomen. Zo ook legde grootmoeder, wanneer Colette en Clémence bij haar op bezoek waren en ofschoon ze vaak had geklaagd dat er te weinig mensen kwamen, geen speciale belangstelling voor hen aan de dag en beiden, die daar zaten of ze thuis waren, leken ook niets anders te verwachten, terwijl grootmoeder in staat was zich uit te sloven voor een gast, hem uit respect tegemoet te treden met een hartelijke genegenheid waar ze in een soort drang tot spaarzaamheid haar dochters het recht op ontzegde. Inderdaad was het voor de moeder voldoende dat ze die avond met Fanny was thuisgekomen. Maar miste ze ooit Fanny's aanwezigheid?

De moeder zette thee en bracht die naar de huiskamer. Ze gaf Fanny niet haar vaste kopje maar pakte dat werktuiglijk voor zichzelf, Fanny's thee schonk ze in een nieuw kopje van hard plastic. Die thee, erbarmelijk van kwaliteit, had haar moeder zich een aantal jaren geleden aangeschaft in de supermarkt, als reclameaanbieding, in zo'n hoeveelheid dat ze nog steeds ruim een kilo in voorraad had. Omdat ze een hekel had aan verspilling wilde haar moeder geen betere thee kopen voordat deze op was; wel maakte ze de thee altijd heel sterk.

Nadat ze haar vieze thee in stilte had opgedronken, uit een kopje waarvan je niet wist aan welke kant je het moest beetpakken want overal was het heet, haalde Fanny haar akte van vergiffenis tevoorschijn. Haar moeder tekende zonder problemen en ook zonder zich over deze eis van tante Colette te verbazen. Of Fanny nu wel of niet weer bij haar zuster in de gratie kwam maakte haar waarschijnlijk weinig uit. 'Is het waar', vroeg Fanny opeens, 'dat vroeger van Leda is gezegd dat, misschien, mijn eigenlijke moeder...' Blozend stokte ze. Haar moeder keek haar verdwaasd aan. Tranen begonnen uit haar opengesperde ogen te stromen, en in haar hand trilde licht Fanny's kopje met het motief van de gele hartjes. Fanny wenste dat ze die woorden nooit had gezegd – zou ze ooit een onberispelijke dochter zijn, een voorbeeldig nichtje? Want ofschoon haar moeder zich vaak verkeerd tegenover Fanny had gedragen, kort geleden nog, werd nu Fanny door die ongelukkige opmerking opnieuw het personage dat onbezonnen beledigingen uitte. Haar moeder had het kopje teruggezet op tafel, het ver van zich af geschoven, met gebogen hoofd zat ze te snikken. 'Hoe is het mogelijk', zei ze, 'dat je zoiets ook maar kunt veronderstellen.' En haar walgende stem overtuigde Fanny van haar eigen laagheid, haar fundamentele onwaardigheid. Vroeger huilde haar moeder nooit. Maar het zou Fanny niet vergund zijn te weten hoe het nu werkelijk zat met hetgeen tante Clémence haar had toevertrouwd, en ze zou het ook niet meer in haar hoofd halen de vraag nog aan wie ook te stellen. Haar moeder, de schouders ingetrokken, zat daar nietig en kwetsbaar, met haar schokkende lijf leek ze op een broze muis waarvan de poten beklemd zijn, dacht Fanny verdrietig. Het was een geluk dat ze haar zojuist officieel vergiffenis had geschonken: Fanny zou nu zeker een poos wachten voor ze opnieuw bij haar op bezoek durfde. Ze voelde zich niet zozeer beschaamd als wel geërgerd over haar eigen onhandigheid, en onthutst dat haar moeder zo veel tranen vergoot terwijl dat nauwelijks haar gewoonte was, in zo'n rijkelijke hoeveelheid dat ze op haar stoel leek te willen vervochtigen, in een vloed van tranen uit deze wereld leek te willen worden weggespoeld. Onbeweeglijk bleef Fanny wachten tot het verdriet van haar moeder bedaarde. Het verkeersrumoer vlak onder de ramen klonk als het gebruis van de golven en liet haar moeder zich daar niet op heen en weer wiegen, verlengde ze zo niet haar smart en Fanny's verwarring?

In een vaas die midden op de tafel op een papieren onderzettertje stond, ging een boeket kunstmargrieten gebukt onder het stof. Van de nieuwe theepot die haar moeder gebruikte had Fanny het evenbeeld gezien bij Eugène, met het deksel in de vorm van een waterlelie. Een blik om zich heen werpend merkte Fanny dat in de huiskamer tal van voorwerpen waren vervangen door andere waarvan ze identieke modellen de keuken van haar nicht en neef, de eetkamer van Georges' moeder, de zitkamer van tante Clémence had zien sieren. Niets van wat haar moeder op dit moment bezat zou Fanny met enige ontroering hebben kunnen bekijken of in ontvangst nemen; want wat zeiden haar die onderling verwisselbare spulletjes over haar moeder, behalve dat ze een banale smaak had? Tot het verdriet van haar moeder toe leek haar tussen al die snuisterijen onecht en alledaags, zonder dat haar moeder zich dat bij gebrek aan smaak zelfs maar kon realiseren. Haar moeder huilde, huilde dat er geen eind aan kwam! Bedroefd en in de war wendde Fanny iedere keer als haar moeder opkeek haar blik af. In een hang naar gezelligheid had haar moeder over de canapé kleurige fluwelen kussens uitgestrooid en aan de muur gedrukte spreuken gehangen die in gotische letters het huiselijk geluk verheerlijkten. Ze keek naar Fanny op met gezwollen, oud geworden ogen, waarschijnlijk in de hoop ook Fanny's ogen vochtig te zien. Maar bevangen door medelijden en verwarring staarde haar dochter een andere kant uit, terwijl ze haar toch wreed had gekwetst! Zo zou haar moeder nu wel oordelen. Niettemin, wat er waar is van wat tante Clémence mij heeft gezegd, dacht Fanny, zullen mamma en ook de rest van de familie altijd voor me verborgen houden, en ze zullen me beschuldigen van gebrek aan respect maar tegelijkertijd doen alsof hun dat niet verbaast omdat ik het ben. Ach, ik wist het wel! Waarom heb ik mijn mond opengedaan! Het had Fanny genoeg moeten zijn dat ze die avond samen met haar moeder was thuisgekomen, arm in arm. Langzaam zouden ze thee hebben gedronken waarna ze een maaltijd uit blik zouden hebben genuttigd, vreedzaam in het standaardhuishoudinkje van haar moeder, met een achteloze blik op de televisie, aan tafel gezeten telkens naar een ander kanaal schakelend om steeds te kunnen kijken naar beelden van series, waar haar moeder een voorkeur voor had. Maar zodra haar moeder was gekalmeerd stapte Fanny op en in plaats van enige poging te doen haar bij zich te houden maakte de moeder een vermoeid gebaar van instemming alsof ze, uitgeput van de pijn die ze door toedoen van Fanny had moeten verduren, nog slechts wenste van haar verlost te zijn.

3

Een lastige opdracht van tante Colette

Omdat ze nergens anders heen kon ging Fanny terug naar het
huis van tante Clémence. Haar oom, nog maar weinig gewend
aan de eenzaamheid en zonder huishoudelijke talenten, bood
haar welwillend onderdak, zij het op voorwaarde dat Fanny
binnenkort weer vertrok, anders zou er worden gekletst. Fanny
vertroetelde hem, het leed van haar oom werd verzacht.

Vlug liet ze het meisje komen dat al eerder als haar bood-
schapster had gefungeerd; de kleine droeg geen maillot meer.
Men bleek zich zo weinig om haar te bekommeren dat men zich
niet zozeer ongerust maakte over het feit dat ze hele middagen
weg was als wel haar bijna een standje gaf omdat ze nog de
moeite nam naar huis te komen. Fanny's bedoeling was dat zij
haar papieren naar tante Colette zou brengen. Haar tante zou,
taxeerde ze, zeker gevoelig zijn voor hoe het meisje eruitzag en
niet het hart hebben haar met een onvriendelijk antwoord naar
Fanny terug te sturen. Bovendien was dit de meest praktische
manier om met tante Colette in contact te treden, en de weg
die rechtstreeks naar haar toe voerde zou het kind zonder
moeite weten te volgen. Fanny kleedde haar warm aan, vertrouwde haar de akte van vergiffenis toe vergezeld van een
briefje waarin stond dat ze, nu haar vader niet langer geloofde
dat Fanny zijn dochter was, tante Colette wilde verzoeken het
van die kant zonder vergiffenis te mogen stellen, omdat er geen
aanleiding meer was erom te vragen. Nadat ze beide papieren
onder de muts van het meisje had gestopt overlaadde ze haar
nog met adviezen en liep met haar mee tot aan de grote weg.
Het opgetogen kind vertrok op een drafje. En ofschoon Fanny
haar opdracht had gegeven in de berm te lopen sprong ze al
gauw het asfalt op om gemakkelijker te kunnen hollen, wat
Fanny die haar bleef nakijken ongerust stemde. Gespitst op
haar terugkeer kon ze zich er niet toe brengen naar huis te gaan,

ondanks de vinnige kou. Elke etappe van het traject trok aan haar geestesoog voorbij, en ze werd lichtelijk jaloers toen ze haar in gedachten zag aankomen bij tante Colette. Dit kind viel niets te verwijten! Zou tante Colette, te zeer aangedaan, zich niet laten meeslepen in vergelijkingen die in Fanny's nadeel zouden uitvallen, zou ze het niet betreuren dat Fanny als klein meisje nog niet eens zo passend was geweest als dit arme wichtje wier aanblik, ten slotte, haar misschien voedsel zou verschaffen voor haar grieven tegen Fanny, haar eeuwige teleurstelling? Aldus bleef ze zichzelf langs de kant van de weg staan kwellen tot het kind terug was, vele uren later. Ze sloeg haar armen om het meisje heen en begon meteen vragen te stellen waardoor de kleine, die op adem probeerde te komen, half verdoofd raakte. Tante Colette had alleen een mondeling boodschap afgegeven, wat achteloos naar het scheen want ze had niet verduidelijkt of het een antwoord was op het briefje van Fanny of gewoon een opmerking die ze tot zichzelf richtte, al had het meisje na er de hele weg over te hebben nagedacht die laatste hypothese verworpen. In een soort gemompel had tante Colette gezegd: Omdat het niet mogelijk was dat Fanny geen vader had, welke twijfels welke vader dan ook daarover mocht koesteren, moest ze van hem vergiffenis krijgen voordat tante Colette zich gerechtigd voelde haar ongedwongen te kunnen ontvangen. Het meisje citeerde moeiteloos. Maar over de manier waarop ze was behandeld lukte het Fanny niet om veel uit haar te krijgen. Het enig zekere was dat ze een glas grenadine had gekregen. Voor het overige kwam de kleine met een verward verhaal waarin ze personen door elkaar haalde, het had over een buurman die waarschijnlijk even was komen aanwippen als was het oom Georges, er niet in slaagde een beschrijving te geven van tante Colette en evenmin van Eugène, die ze misschien niet had gezien, noch van het huis waarvan ze zich uitsluitend het behang herinnerde, verfraaid met fazanten en varens, en dat zei Fanny nu juist weer niets. Maar ze was waarschijnlijk snel weer naar buiten gewerkt; vloeide deze geringe belangstelling voor het kind, zo vroeg Fanny zich af, voort uit het feit dat ze zich ook om haarzelf maar matig bekommerden? Al wisten ze van hoe ver de kleine was gekomen (waarschijnlijk wisten ze dat), ze hadden niet de moeite genomen haar iets te eten te geven, en het meisje was dan ook uitgehongerd. Zagen ze zo op Fanny neer dat het hun niet kon schelen of haar boodschapstertje van uitputting in elkaar zakte en was er een relatie met de lauwe manier waarop, bijvoorbeeld, de dood van Fanny zelf zou zijn bezien? Ze meende te begrijpen dat over haar niets tegen het kind was gezegd, dat ze niet eens hadden gevraagd waar Fanny verblijf hield en dat tante Colette, toen haar de papieren waren overhandigd, binnensmonds het zojuist gemelde had gemompeld, de vrouw van Eugène haar een glas grenadine in de hand had gedrukt en dat ze daarna naar buiten was geduwd, zonder nog een woord en zonder dat er iemand was meegelopen tot voor de deur, of haar mutsje dat één oor onbedekt liet had rechtgezet. Alles bij elkaar was ze met volstrekte onverschilligheid ontvangen. En dat Fanny zich ondanks alles gelukkig mocht prijzen heldere, nauwkeurige instructies te hebben gekregen, al bezorgde het nieuwe bevel van tante Colette haar bij voorbaat een gevoel van uitputting, had ze vermoedelijk meer te danken aan de hebbelijkheid van tante Colette om nu en dan hardop te denken, dan aan een verlangen van haar tante om haar in te lichten. Want tante Colette leek nu toch absoluut elke belangstelling voor haar lot te hebben verloren.

Fanny bracht het meisje naar huis, al vond ze het vervelend dat het kennelijk zo weinig animo had om terug te gaan, maar het was niet aan haar het kind in het huis van haar oom te laten overnachten, naast zich in bed. Het meisje woonde vrij ver van het dorp, tussen de snelweg en het spoor voor de goederentreinen, in een smal huis met vervallen pleisterwerk waaromheen het vuil hoog lag opgetast. De verlepte takken van een oude wilg, die al geruime tijd dood was en zo was blijven staan, slingerden aan de voorkant rond tussen schroot en allerlei afval dat vergaard en daar neergegooid was om waarschijnlijk nooit meer te worden gebruikt. Een paar meter voor het huis bleef Fanny staan. De kleine meid, die traag was meegelopen, zuchtend en zuur kijkend, nog hopend dat ze met Fanny mee terug zou gaan, liet zodra ze het huis zag Fanny's hand los en rende zonder iets te zeggen van haar weg. Boven aan het trapje gekomen draaide ze zich om en riep een obsceen scheldwoord, met een rauwe stem die Fanny niet van haar kende. Wat haar oom betrof, die leverde duchtig kritiek op de soep die ze voor het avondmaal had gekookt. Zo moest hij ook tegen tante Clémence zijn uitgevaren, in de lange jaren dat ze samen waren geweest.

4

Bij Fanny's vader

De bediende was bezig de verdorde heesters uit te graven. Het zweet dat van zijn voorhoofd en uit zijn doornatte haar druppelde had rondom zijn voeten een cirkel van vocht gevormd.

'Het is niet verstandig van u', zei Fanny terwijl ze aan kwam lopen, 'om op dit uur zo druk in de weer te zijn.'

'Ja, maar uw vader...' klaagde hij bondig.

Ook zij was gebroken en knielde neer op het gele gazon, waarna haar opviel, terwijl ze de man aan het werk zag, dat hij zijn zware jasje met de metalen knopen had aangehouden.

'Hebt u het niet benauwd, in die warme kleren?' vroeg ze verbaasd.

'Wel, het aanzien van het huis van uw vader...'

Hij kwam overeind, enigszins verrast door wat Fanny vroeg.

'Wat zouden de mensen zeggen als ze me aan het werk zagen met ontbloot bovenlijf, als een tuinman? Ze zouden zeggen dat uw vader uiteindelijk niet eens rijk genoeg is om een tuinman te betalen en zijn struiken uit de grond moet laten halen door zijn intendant, zijn vertrouwensman.'

'Maar op dit moment worden de struiken toch door u uitgegraven?'

'Pf!' blies hij minachtend.

'Nou?' hield ze aan.

'Ze zullen alleen denken dat de intendant, de vertrouwensman, in zijn mooie ambtskostuum de tuin is komen inspecteren, en de verleiding niet heeft kunnen weerstaan hier en daar wat kleine correcties aan te brengen', legde de huisknecht uit, met zijn buik naar voren en zijn hoofd omhoog. 'Maar zou het toch niet een beter idee zijn', vervolgde Fanny onvoldaan, 'als u een echt tuinmanspak aantrok, met een grote strohoed om uw gezicht te verstoppen? Mijn vader zou de mensen dan wijs kunnen maken dat hij twee bedienden heeft.'

'Maar ik wil geen tuinman worden!' protesteerde hij verontwaardigd.

'U graaft toch struiken uit', zei Fanny schoudcrophalend.

'Dat is niet hetzelfde.'

Verbolgen begon hij weer te spitten, Fanny verder negerend. Voor de ramen van het grote, arrogante huis waren de blinden dicht met het oog op de siësta, zodat nergens een aanwezigheid kon worden bespeurd. 'Is mijn vader er nog steeds van overtuigd dat ik niet zijn dochter ben', prevelde Fanny, 'en blijft hij wensen dat ik in de plaats kom van de jonge vrouw?' De bediende legde zijn gereedschap neer, hurkte dicht tegen Fanny aan en fluisterde met een ernstig, tevreden gezicht: 'Volgens mij is hij bereid u op te sluiten om u zover te krijgen dat u bij hem blijft. Dat u niet zijn dochter bent, daarvan is hij zo sterk overtuigd dat hij overweegt een kind uit het dorp te adopteren, want hij vindt het op dit moment vreselijk spijtig dat hij geen nakomelingen heeft, al is hij opgetogen over wat hij van u heeft ontdekt en koestert hij nog steeds de hoop dat u naar hem toe zult komen, belust als hij is op een nieuw soort relatie met u.'

'Zou hij in staat zijn mij tegen mijn zin hier te houden?' vroeg Fanny verontrust.

'Wie weet? Uw vader is namelijk niet meer gewend dat wat dan ook hem tegenstreeft.'

Terwijl hij dit zei leek de huisknecht gelaten en tegelijk trots dat hij een heer diende met zo'n tirannieke wil. Maar Fanny, die door haar vader was verloochend en deze karaktertrekken daarom voor haar gevoel niet langer als vleiend mocht ervaren, legde een soort geïrriteerde minachting aan de dag. Was ze niet jaloers op de huisknecht? Deze vroeg nieuwsgierig: 'En uw echte vader, kent u die nu?'

'Ah, u denkt ook dat...'

Ontmoedigd plukte ze met haar vingers aan een paar dode grassprietjes.

'Ach ik weet niet, ik weet niet', mompelde hij gegeneerd.

'Voorlopig kan ik me beter niet aan hem vertonen', zei Fanny. 'Maar heeft hij me niet al gezien?'

Toch bewoog er niets achter de blinden. Op dit heetste uur

was het dorp zelf stilgevallen. Fanny haalde de akte van vergiffenis tevoorschijn die ze door haar vader moest laten tekenen en las de bediende snel de inhoud voor.

'Zou u niet uw handtekening willen zetten, want ik moet dit zo vlug mogelijk aan mijn tante voorleggen. Als vertrouwensman van mijn vader kunt u hem moreel vertegenwoordigen, dunkt me', zei Fanny, stevig nadenkend.

'Ik kan hem ook namens u dit papier gaan brengen.'

'Als hij mijn vader niet meer wil zijn zal hij weigeren te tekenen, begrijpt u', legde Fanny op bedachtzame toon uit. 'Laat hij zich gerust die buitenissigheden inbeelden, dat mag mij er niet van weerhouden gehoorzaam te zijn aan tante Colette.'

'En toch...'

'Als uw meester zijn verstand verliest, wilt u dan niet proberen verstandig te zijn in zijn plaats?'

En Fanny drukte de bediende een pen in de hand waarna hij aarzelend ging schrijven, zichtbaar ontroerd en verward. Toen het was gebeurd bleven ze zwijgen. Zorgvuldig borg Fanny het papier weer op, haar blik strak naar de grond. Plotseling, met ongeduldige stem, riep de vader van achter de blinden naar de bediende. Na een korte groet verwijderden ze zich ieder hun eigen kant uit, de bediende naar het huis, Fanny in de richting van het busstation. Ze nam zich voor alles in het werk te stellen om hem, al was ze hem erkentelijk voor zijn medewerking, nooit meer terug te zien.

5

Zorgeloze onhandigheid van de familie

Toen Fanny uitstapte in het dorp van haar oom waren de daken en stoepen met sneeuw bedekt. Een los kantwerk van rafelige vlokken, in hun dromerige val gestuit, hing aan de oneffen pleisterlaag van de voorgevels die zwart zagen van het verkeer. Deze muren hadden nooit klimop gekend, noch nutteloze blauweregen; in hun nieuwe tooi leken ze niet meer bij het dorp te horen. Ze liep langs het huis van haar oom zonder het te herkennen. Een frisse ochtendlucht herinnerde haar aan de wintervakanties bij grootmoeder – was ze niet per ongeluk opnieuw in grootmoeders dorp terechtgekomen? Toen ze het uithangbord van de Dappere Haan ontwaarde werd ze weer gerust; maar de illusie dat ze terug was bij haar grootmoeder, zoals vroeger toen ze met haar moeder van het station kwam, bij het aanbreken van de dag, onder een bleke hemel, en dan bij wijze van spelletje krachtig haar gelaarsde voet in de rijp op het trottoir drukte, hing nog vaag bij haar toen ze het huis van haar oom betrad. Kijkend naar de plucheachtige canapé achter in de donkere zitkamer moest ze op zichzelf inpraten om uit haar geest het denkbeeld te verdrijven dat ze zich eigenlijk in het huis van grootmoeder bevond. Wat ze nu aan het doen was, droomde ze dat niet, liggend op grootmoeders canapé die er net zo uitzag als deze hier? Bewoog ze zich op dit moment niet door die droom op de canapé, waar ze vroeger zo vaak op in slaap was gesukkeld, tegen grootmoeder geleund? Want hoe viel te geloven dat ze op dit moment logeerde bij haar onverschillige oom, ver van tante Colette en van grootmoeders dorp waar ze niet naar terug kon? Dat grootmoeder dood was had ze, zou ze straks vaststellen, gedroomd juist terwijl ze op grootmoeders schouder rustte, en hoe zwaar zou dan de schaamte op haar drukken als ze wakker werd! Mocht het geen droom zijn, mijmerde Fanny, gezeten op de canapé, dan verkeerde ze in een wel buitengewoon ellendige situatie. Het gekraak van het papier in haar zak bracht haar weer helemaal terug bij haar oom en stelde haar tegelijkertijd enigszins gerust. Niettemin voelde ze zich diep bedroefd toen ze opeens constateerde dat ze, sinds die tijd dat ze vrolijk over de bevroren grond stapte en ze toch haar positie in de familie, zelfs ten opzichte van grootmoeder en ook tegenover Eugène, pijnlijk ambigu vond, ondanks de uiterlijke schijn nooit zo ver verwijderd was geweest van een mogelijke plaats in de familiegemeenschap als op dit moment nu ze, serieus van haar beide ouders gescheiden, genoodzaakt was bij de een zowel als bij de ander om vergiffenis te bedelen, een smeekbede te richten tot tante Colette, te vergeten dat grootmoeder was begraven zonder dat ze haar nog had gezien. Hoe meer ze gepoogd had toenadering te zoeken en hoe sterker ze dat had gewild, des te harder was ze teruggeworpen naar waar niet eens meer sprake was van simpele welwillendheid. Dat ze dus nooit in actie had mogen komen maar genoegen had moeten nemen met de twijfelachtige status die ze zich mettertijd had verworven, was een overweging die ze vervuld van de diepste spijt in zichzelf bleef rondwentelen, en de herinnering aan haar ochtendlijke aankomst in het dorp, samen met haar moeder door de decemberkou, lichtte helder in haar op als het beeld van datgene waarmee ze zich tevreden had behoren te stellen en waarvan in vergelijking met het heden de waarde onschatbaar was geweest.

In de kamer naast haar kwam haar oom zuchtend uit bed, rochelde, spuugde in de po. Hij had 's morgens vroeg nogal eens last van een melancholieke traagheid. Fanny zette koffie, zorgde dat het warm werd in de keuken. Haar oom wachtte, met zijn ellebogen op het tafelzeil, zijn haar nat en in de war. Nu ze aan elkaar gewend waren groetten ze noch 's avonds noch bij het opstaan. Haar oom sprak in korte zinnen; hij zei niets dat niet nodig was, niets zonder praktisch nut. Zijn blik rustte zelden op Fanny maar staarde naar de tafel, de poot van het fornuis, een detail in de tegelvloer. Voor hij naar zijn werk ging gaf Fanny een beschrijving van het menu voor het avondeten. Haar oom streek over zijn kin en liet een goedkeurend gehum horen. Zijzelf sprak met bitse stem en trok een snibbig gezicht. Zo hadden haar tantes zich tot hun echtgenoot gericht, bijna uitsluitend om mededelingen te doen of verwijten te maken. Haar oom reserveerde zijn spraakzaamheid voor zijn collega's. Zwijgend ging hij weg, deed de deur achter zich dicht, controleerde tot twee keer toe of die goed in het slot zat.

Nadat ze het bed van haar oom had opgemaakt en zoals elke ochtend, overeenkomstig zijn instructies, het matras had gekeerd en de peluw door het raam uitgeschud, ging Fanny haastig haar boodschapstertje halen. Ze liepen meteen naar de autoweg, waar inmiddels de sneeuw was weggeschoven en in bruinige hopen langs de kant lag opgetast. Blij dat ze weer bij Fanny was liep het kind te neuriën. Fanny overhandigde haar de door de huisknecht getekende akte van vergiffenis en een brief voor tante Colette waarin ze haar smeekte of ze nu in haar nabijheid werd geaccepteerd, en omdat de kleine de route kende en gauw op pad wilde, liet ze haar gaan zonder haar raadgevingen nog eens te herhalen. Ze keerde terug naar het huis van haar oom, op het rustige uur halverwege de morgen, vroeger bij grootmoeder haar lievelingsmoment. Als het huis aan kant was, de groenten voor het middageten schoongemaakt op tafel lagen te wachten, hoorde je het geritsel van de krant die door de postbode in een spleet van de keukenmuur werd geschoven en zacht neerkwam op de tegels, daar iedere dag met dezelfde tevreden opmerking werd opgeraapt door grootmoeder die naar de woonkamer ging om zich erin te verdiepen, met één dij aan de rand van de canapé alsof ze, ook al was haar ochtendwerk gedaan en kon ze door grootvader niet meer tot de orde worden geroepen, toch wilde laten zien dat ze er niet echt voor ging zitten, dat ze rap zou opspringen als de ketel ging fluiten of er plotseling zou worden gebeld, dat ze altijd waakte, actief, onverdroten, met nutteloze gezwindheid.

Fanny nam plaats op een keukenstoel, een grote stapel roddelbladen voor zich die tante Clémence altijd las en die ongehavend, smetteloos, onder in de linnenkast bewaard waren gebleven. Fanny, die zich vroeger geregeld zo'n blad aanschafte, waarin het privé-leven van de interessante mensen uit de hele wereld nauwkeuriger dan elders werd onthuld, maar daar de laatste tijd geen gelegenheid meer voor had gehad, was dus opgetogen dat ze nu de ontbrekende nummers kon lezen. Gretig nam ze de artikelen en interviews in zich op en ze bestudeerde de vaak stiekem gemaakte foto's, in een opgewonden stemming die werd getemperd door spijt dat ze nu pas op de hoogte kwam van al die feiten terwijl ze in de afgelopen jaren ieders levensverhaal stap voor stap had gevolgd, van dag tot dag zo leek het wel. Werden die geschiedenissen, die op ditzelfde moment doorgingen zonder dat ze wist wat er gebeurde, haar niet een beetje afgepakt, nu ze zich er met zoveel vertraging in verdiepte?

Er werd zachtjes op het raam van de huiskamer getikt. In haar koortsachtigheid had Fanny ieder blad dat ze uit had op de grond gegooid, al die bladen, door tante Clémence zo zorgvuldig bewaard dat je soms bijna niet kon geloven dat ze ooit waren opengeslagen, en in haar haast om te reageren ging ze erop staan en beschadigde er een paar. Ze stopte om ze op te rapen en snel glad te strijken.

'Fanny!' klonk van buiten een wankele stem. 'Fanny!'

'Ik kom!' riep ze, als in een roes.

Alles wat ze net had gelezen verdreef de omringende voorwerpen uit haar gezichtsveld, veroorzaakte zo'n oorverdovende drukte van verschijningen op de voorgrond van haar geest dat de meubels van de kamer, de prulletjes, lijsten en lampen werden teruggedreven in een zwevend verschiet, vreedzaam als een droom. Terwijl Fanny naar de deur liep kwam het haar plotseling voor dat het antwoord van tante Colette, hoe dat ook mocht luiden, dat tante Colette zelf... Ze kuste het meisje op de intens koude en bleke wangen. De kleine maakte een vermoeide indruk; vervuld van medelijden deed Fanny haar haar jas uit, haar muts af, en alvorens met vragen te komen bakte ze voor haar een omelet. Werktuiglijk bladerde het kind een tijdschrift door en met een uitdrukkingsloze blik bekeek het de plaatjes. Onder haar trui, tussen nek en schouder, zag Fanny iets gezwollens.

'Wat heb je daar?' vroeg ze.

'O, niets', mompelde de kleine meid.

Ze deed of ze zich belangstellend over een pagina met illustraties boog, draaide intussen een haarlok om haar vinger. Toch wilde Fanny kijken, en het omvangrijke verband dat ze blootlegde ontlokte haar een kreet van ontsteltenis. Door het meisje vragen te stellen en langdurig aan te dringen, zo terughoudend drukte het om onduidelijke redenen beschaamde kind zich uit, kreeg ze ten slotte het volgende uit haar los: in de nieuwbouwwijk van grootmoeders dorp was ze verdwaald geraakt. Toen ze eindelijk, na ruim een uur kringetjes te hebben gedraaid, het huis van Eugène had teruggevonden, waren ze daar klaar met het middageten en stond tante Colette op het punt een kop thee te gaan drinken. Ze hadden haar koeltjes en geïrriteerd ontvangen. Maar toen duidelijk bleek dat ze uitgeput was, hadden ze haar gezegd haar jas uit te trekken en ze was gaan zitten, had de twee papieren op tafel gelegd. Op dat moment was een vrouw waarvan ze zich de gelaatstrekken niet meer herinnerde (Eugènes jonge echtgenote? een nicht die te eten was geweest?) uit de keuken gekomen met een kan kokend water voor de thee van tante Colette. En zonder dat het meisje had begrepen hoe het was gebeurd, of zijzelf ertegen had gestoten toen ze opzij wilde gaan of dat de vrouw was gestruikeld, was het water over haar schouder gestroomd en door haar trui heen was ze afschuwelijk verbrand. Ze had gegild, iedereen had kreten geslaakt en door de anderen heen gepraat; tante Colette had haar meegenomen naar de badkamer, het gekwetste gebied onbarmhartig met ijskoude zalf ingesmeerd en het haastig in dit verband gewikkeld, karig met troostende woorden en ook met gebaren van tederheid. Het meisje klaagde hier niet over, verwees er nauwelijks naar. Maar het was voor Fanny niet moeilijk te raden, juist in het licht van wat het kind niet vermeldde dat tante Colette had gedaan. Zonder zich verder nog ongerust te maken, eerder opgelucht, hadden ze haar laten gaan. Er was haar geen enkel antwoord voor Fanny meegegeven – vergeten waarschijnlijk. Het meisje herinnerde zich niet dat tante Colette een blik op de papieren had geworpen. Al wat ze op dit punt kon melden was dat niet vaststond, omdat op de tafel een vel pakpapier slingerde waarin gebakjes hadden gezeten, met nog andere duidelijk voor de vuilnisbak bestemde paperassen, of Fanny's missiven, onooglijk in vieren gevouwen, niet hetzelfde lot hadden ondergaan, al was dit slechts een veronderstelling. Maar niets dat op een antwoord leek, al was het in de vorm van een toespeling, zelfs geen losse opmerking. En teleurgesteld, in haar eigen ogen onwaardig, zat het meisje daar nu te huilen, tot ontreddering van Fanny. Om iets te doen te hebben ging ze het verband verschonen, de wond tipte ze aan met jodium, wat onopgemerkt leek te blijven voor dit kind, dat zo goed tegen de pijn kon dat Fanny bijna kermde van medelijden, en dat voorlopig alleen gekweld werd door het feit dat haar expeditie was mislukt. Ze deed een kort middagdutje; ze was nog niet wakker of ze stond erop terug te keren naar het dorp van grootmoeder, ondanks Fanny's bezorgdheid. Om te voorkomen dat ze zou worden tegengehouden rende ze naar buiten zodra ze dat streven had verwoord. Fanny ging zitten om op haar te wachten, in absolute verwarring. Voor haar leed het geen twijfel of in het ongeluk dat het meisje was overkomen manifesteerden zich de gevoelens van de familie jegens haarzelf, die al even welsprekend tot uitdrukking kwamen in de gebrekkige zorg naderhand. Want de familie leek in die kleine niets menselijks te zien, louter de belichaming van Fanny's lastige aanspraken die net als vroeger, al naar gelang de stemming van het moment, dienden te worden getemperd of veronachtzaamd. Voor de familie leek de kleine niets anders dan een onwerkelijke afscheiding van Fanny's gedachten! Het getuigde misschien nog van een restant aan grootmoedigheid dat ze toestemming had gekregen te gaan zitten en te praten, in plaats van dat ze als louter wasem was weggewuifd, en dat tante Colette haar had verbonden. Was het geduld van de familie nu niet ten einde? Maar, vroeg Fanny zich af, wat kan ik doen zolang ik niet uitdrukkelijk toestemming heb gekregen om te komen? Ben ik niet genoodzaakt me te laten vertegenwoordigen? Als ze de familie ervan had kunnen overtuigen dat haar kleine ambassadrice een wezen was van vlees en bloed, zou naar haar met meer aandacht zijn geluisterd en zouden de bezoeken van het meisje zijn geïnterpreteerd als een teken van kiesheid harerzijds, van volstrekte gehoorzaamheid aan de instructies van tante Colette (aangezien deze haar verboden had zich te vertonen zolang ze Leda niet had teruggevonden en haar sindsdien nog geen vergiffenis had geschonken), terwijl die bezoeken nu misschien werden beschouwd als opdringerigheid van Fanny's schaamteloze geest en werden afgewezen, zoals wanneer Fanny zich er bijvoorbeeld op zou hebben toegelegd de dromen van haar verwanten te verstoren, iets waar ze haar wellicht toe in staat achtten.

O, peinsde Fanny terwijl ze opstond en heen en weer begon te lopen, kon ik hun maar laten weten dat het kind echt is! En uit machteloosheid balde ze haar vuisten en liet ze weer verslappen, overvallen door een gevoel of ze zou stikken in de sombere huiskamer van tante Clémence. Het was inmiddels donker en weldra zou haar oom thuiskomen. Hij zou honger hebben, zijn avondeten willen, en Fanny verwijten dat ze hem liet wachten. Ze maakte aanstalten de tafel te dekken toen het meisje de deur openduwde. Fanny moest haar naar een stoel helpen en haar ook nog, voordat de uitgeputte kleine in staat was iets te zeggen, een grote kom melk voorzetten. 'Ik ben niet eens binnen geweest', zei het kind meteen, en haar gezicht werd purperrood. Ze verborg het in haar handen en weigerde er nog iets aan toe te voegen. Haar schouders trilden, in schaamte gebogen. Fanny had haar omarmd en kreeg plotseling een vermoeden: ze schoof de vochtige mouw van de trui omhoog en constateerde dat aan de rechterarm een flinke homp vlees ontbrak, zo te zien losgerukt door de scherpe tanden van een dier. De wond was al aan het stollen, maar het toch al dunne armpje leek nu bij de kleinste inspanning te zullen breken. Een kreet van afschuw en schrik was Fanny ontsnapt. Het meisje barstte in snikken uit, ervan overtuigd dat ze in ongenade was gevallen. Na een heleboel vragen, afgewisseld met liefkozingen en beloften dat ze haar zou blijven vertrouwen, kreeg Fanny haar zover dat ze het relaas deed van het ongeluk: toen het kind bij het deze keer moeiteloos gevonden huis was aangekomen, was de tuindeur vergrendeld. Ze had gebeld, geroepen; achter het gordijn van de kamer waren vluchtig een paar gezichten verschenen om haar te bespieden. De zekerheid dat er iemand was had het meisje, dat niet graag onverrichter zake wilde terugkeren, extra moed gegeven. Voortdurend roepend was ze over de heg geklommen. Toen ze vervolgens met besliste tred naar de deur was gelopen, was de hond van Eugène van achter het huis opgedoken en op haar afgestormd en zij was teruggeweken, maar zonder dat het haar gelukt was haar arm te redden waar het dier een stuk uit verwijderd had, onder het oog van de personen die op dat moment naar het raam van de huiskamer waren gesneld en zich daar hadden verdrongen als werd er een voorstelling gegeven, overigens met ernstige gezichten. Ofschoon ze zelfs na dat verschrikkelijke avontuur nog had nagedacht over mogelijkheden om zich opnieuw toegang te verschaffen had haar niets anders meer te doen gestaan dan terug te keren, want de hond hield midden in de tuin de wacht. Uit schaamte dat het allemaal verkeerd was gegaan, dat het haar niet eens was gelukt om bij de familie een gevoel van medelijden op te wekken, verkeerde het meisje in een staat van diepe verslagenheid, ondanks de woorden van troost waar Fanny kwistig mee strooide om haar eigen neerslachtige stemming te vergeten. Weldra moest het meisje weg om te voorkomen dat ze de oom tegenkwam. 'Het gaat best', had ze lichtelijk geïrriteerd gezegd toen Fanny haar arm nog een keer wilde verzorgen. En het leek inderdaad of de kleine geen pijn voelde, achteloos voorbijging aan haar smalle lijfje, ijl was als een schim, de illusie van een meisje.

De volgende dag was de oom nog niet de deur uit of het meisje kwam er aan, en al maakte het Fanny blij haar zo onversaagd te zien, ondanks haar verwondingen alweer bereid zich opnieuw naar tante Colette te reppen, het gaf haar toch ook een vaag gevoel van onrust, vergelijkbaar met wat ze zou hebben gevoeld als ze er maar niet in zou zijn geslaagd een voor haarzelf gevaarlijke gedachte te verdrijven. Dus begon ze langzaam het bed van haar oom op te maken, zorgvuldig de vloer te vegen, de ontbijtvaat te wassen, en intussen negeerde ze het meisje dat braaf, bijna onzichtbaar, in de donkerste hoek van de huiskamer zat te wachten. Omdat het kleintje bleef zwijgen slaagde Fanny er bijna in zelfs haar bestaan te vergeten. Wekte het kind trouwens niet de indruk dat het stil en verborgen zou kunnen blijven zolang Fanny dat zou willen, of zolang ze sterk genoeg zou zijn om niet meer aan haar te denken? Dat ze zo graag naar het dorp van grootmoeder wilde, kwam vast en zeker omdat Fanny haar eigen vurige verlangen dat ze dat zou doen slecht wist te verbergen.

Toen het hele huis redelijk op orde was deed Fanny de buitendeur open, en stijf tegen de muur gedrukt riep ze het meisje, met zachte stem. 'Vooruit, nu vlug erheen', zei ze met halfgesloten ogen. Aan de luchtstroom die licht langs haar heen streek kon ze raden dat het meisje haar had gehoord en zonder iets te zeggen, rap en gehoorzaam, naar buiten was gegaan. En daar was ze al bij de weg aan het eind van de hoofdstraat, hoog spatte de modderige en weke sneeuw op aan weerszijden van haar gelaarsde voeten! Het waren korte veterlaarsjes zoals Fanny vroeger ook had gedragen, van bordeauxrood leer.

Terug in de keuken, waar ze de bladen van tante Clémence ging ordenen, merkte Fanny dat het pas negen uur was, en ze maakte zich verwijten dat ze het meisje zo vroeg in de ochtend had weggestuurd. Tante Colette was vast nog niet klaar met het huishouden, waar ze zich gewoonlijk aan wijdde terwijl ze intussen met een half oog een tv-uitzending volgde, en de onverhoedse komst van het kind zou haar ongetwijfeld tegen Fanny innemen: begint ze ons straks nog lastig te vallen zodra het licht wordt? Waartoe zou tante Colette in dat geval niet in staat zijn om moes te maken van die hinderlijke gedachten van Fanny, dat klittende wolkje aanspraken in de vorm van het kleine meisje?

Maar nauwelijks begon Fanny zich ongerust te maken of het meisje was alweer terug, ongeschonden zij het sterk verzwakt van het harde lopen, en haar blije, triomfantelijke gezicht stelde Fanny meteen gerust. Ze had tante Colette aangetroffen in de tuin, helemaal alleen bezig de was op te hangen in het licht van de fletse winterzon. Ze was pal voor haar gaan staan zodat tante Colette niet kon doen of ze haar niet zag terwijl ze kleurige knijpers opdiepte uit haar jurk met de maantjes waarvan ze op haar heupen een buidel had gemaakt. Met afwezige blik had tante Colette gepreveld: 'Of Fanny vergiffenis krijgt hangt alleen van haarzelf af.' Daarna was ze, zonder het zich te realiseren de kleine opzij duwend, het huis ingegaan, onderweg mopperend op de hond die je achter het huis hoorde janken. Verrukt herhaalde het meisje nog eens wat ze als een even beslissende als onverwachte boodschap beschouwde: 'Of Fanny vergiffenis krijgt...' 'Wat moet ik daarmee aan?' mompelde Fanny, en vervuld van medelijden streelde ze het intens vermoeide kind over het hoofd. 'Nu geloof ik toch', zei ze nog, 'dat er geen hoop meer mogelijk is.' Had tante Colette met deze absurde zin niet duidelijk willen maken zich nog maar zo weinig van Fanny's boodschapstertje aan te trekken dat ze niet eens meer overwoog haar weg te jagen of te verwonden, zich nauwelijks erom bekommerde wat de aard was van haar aanwezigheid of dat ze eventueel omdat ze niet voldaan was iedere dag terug kon komen, tot in de eeuwigheid? Tante Colette had zich inmiddels aangepast en maakte zich geen zorgen meer of ze lastig werd gevallen, zag het niet op die manier. Evenzo liet ze in de zomer de irritante vliegen om zich heen zwermen en als iemand haar daarop zou hebben gewezen had ze onverschillig gezegd: 'Zijn er dan vliegen?' Voor Fanny was nu duidelijk dat het meisje de rest van haar bestaan in de tuin had kunnen doorbrengen zonder dat tante Colette, rustig en zeker, zich als ze haar nog zag iets anders zou laten ontvallen dan onbeduidende woorden, bezig met de huiselijke zaken, solide en vol zelfvertrouwen, doof voor het geroep waarvan ze eens en voor al had vastgesteld dat het haar niet aanging, eeuwig onwrikbaar. En zo waren natuurlijk ook grootmoeder en tante Clémence geweest, net zo braaf, fatsoenlijk, onbereikbaar voor mededogen. Evenals oom Georges en de hele familie met haar robuuste boerenverstand.

Teleurgesteld door Fanny's reactie was de kleine er ongemerkt vandoor gegaan. Fanny deed de deur open en keek vorsend de hoofdstraat in, maar ze zag niemand anders dan de broodverkoper die zijn bestelwagen tot stilstand had gebracht en net wilde gaan toeteren om het dorp van zijn komst op de hoogte te stellen.

6

Oom neemt een besluit en wat daaruit voortvloeit

'Het wordt tijd dat je gaat', bromde haar oom met een soort gêne, weinig gewend als hij was om uitdrukking te geven aan een gevoel. 'Het zou geen pas geven als je hier nu nog bleef, zo lang na de rouw.'

'Maar ik weet niet waar ik heen moet', zei Fanny.

'En de familie dan?'

Omdat hij ineens wantrouwig leek zei Fanny verder niets meer. Ze pakte haar schamele bagage en liep naar het huis van het meisje, een andere oplossing zag ze niet. Een man kwam stiekem naar buiten. Fanny informeerde bij hem naar de kleine. 'Er woont hier geen kind', gromde hij, misnoegd dat ze hem had opgemerkt. Ach kom, dacht Fanny, die mijnheer vergist zich. Een vrouw gekleed in een vormloze jurk ontving haar, verbaasd maar vriendelijk, in een kamer waarvan de luiken gesloten waren, vol onduidelijke spullen en versleten kussens. Fanny vroeg naar het meisje. De vrouw begreep het verkeerd, gaf een grof antwoord en lachte met schorre stem. Hier was echter geen één kind, het speet haar zeer. Ze schonk iets in voor Fanny, die wegdreef op een gevoel van welbehagen. Er werd haar geen enkele pijnlijke vraag gesteld. De vrouw leek bijna blij dat ze niet het streektype was, met de vaak harde trekken. Een paar uur later was daar opeens de man van tante Clémence die, nauwelijks binnen, zijn jasje uittrok en zijn pet afzette: hij toonde zich bijzonder verbaasd en ontstemd haar hier aan te treffen...

TIENDE DEEL

Lente

In een bosje jonge wilgen, door de herverkaveling vergeten of versmaad, de enige bomen die in de buurt van een stinkend beekje in leven waren gebleven, nestelde zich aan de rand van het dorp de geest van grootmoeder. Dat die geest zijn toevlucht had gezocht tot het dorp M. terwijl grootmoeder daar niet begraven lag, maakte Fanny duidelijk dat hij zich, aangezien tante Clémence niet meer leefde, speciaal voor haar had verplaatst en, ofschoon hier ontheemd, eenzaam, toch zover was gegaan weg te trekken uit het dorp dat grootmoeder dierbaar was geweest.

Hij riep Fanny toen zij op een avond naar buiten was gegaan om de milde lucht in te ademen. En door middel van een paar feilloze details maakte hij zich aan haar bekend en won hij haar vertrouwen. Hevig aangedaan knielde ze neer op de oever, aan de voet van de boom waar de stem volgens haar uit opklonk. In de verte doofden de lantaarns van het dorp want het was voorbij middernacht, en ofschoon ze slechts een bleek, maanachtig schijnsel verspreidden, huiverde Fanny nu ze de huizen niet meer zag. De stem van de geest had haar streng geleken – zou hij zich trouwens hebben verplaatst als hij haar niet iets te verwijten had? In de banale visie die grootmoeder eigen was geweest gold Fanny's gedrag als laakbaar, misdadig zelfs, en het kon niet zo zijn dat op dit punt het oordeel van de geest van een andere strekking zou blijken.

Langdurig bleef de geest prevelen, zonder dat ze er iets van begreep. De ruisende wilgebladeren ritselden harmonieus mee en als de geest daarnet niet naar Fanny had geroepen, zou zij nu hebben gedacht dat de boom uitsluitend trilde van zijn eigen prille leven. Toen schoot haar te binnen dat grootmoeder, als ze in zichzelf praatte, de gewoonte had om net zo te murmelen. 'Waarom heb je zo'n stenen hart?' vroeg de geest plotseling met een duidelijke stem waarvan het timbre Fanny onbekend was. 'Waarom heeft je hart zich verhard en gesloten, waarom is het zo kil geworden? Voel je het niet door je borst heen, is je huid op die plaats nog warm? Waarom is in jouw ogen slechts datgene werkelijk wat je van nut kan zijn bij de familie, en vloeit al het andere samen tot een en dezelfde onbeduidendheid, verschijnt en verdwijnt het zonder dat je je erom bekommert, leeft en sterft het zonder dat je het ziet? Tot de bomen toe... Waarom heb je, in je streven om toegang te krijgen tot de familie, in jezelf het gemeenschapsgevoel laten afsterven? Waarom kun je alleen ontroerd raken door herinneringen die te maken hebben met mij? Want alleen de familie in haar geheel en jouw falen jegens haar zijn bij machte je te boeien en te beschamen... Hou je van je oom, je tante, je ouders, heb je gehouden van mij? Nadat je had verzuimd op mijn sterfdag naar me toe te komen, ging je uitsluitend gebukt onder de gedachte wat men wel zou hebben gevonden van jouw afwezigheid tijdens de uitvaart. De verjaardag was je ook al vergeten, want op dat moment dacht je aan niets anders dan aan je speurtocht. En van de familie, waar je het meest van al door in beslag wordt genomen, interesseren je eigenlijk alleen de stemmingen jegens jou en weet je alleen wat voor jou van belang is. Heb je geleerd de familieziel te doorgronden? Ken jij ieders tegenspoed, wat ze stuk voor stuk aan lichts en zwaars met zich meedragen? Heb je je geduldig en met aandacht verdiept in de familiegeschiedenis, waarvan je naar je pochte alle gebeurtenissen kende?'

En de geest joeg een zucht door de bladeren die werden opgetild en ruisten als in een krachtige wind, terwijl de ranke stam licht doorboog.

Maar, dacht Fanny verontwaardigd, niet in staat tegen de geest te praten, is het rechtvaardig dat ik zo veel inspanningen moet leveren terwijl Eugène niets anders hoefde te doen dan geboren worden? Eugène heeft u weleens uitgemaakt voor... Een woedend gesis deed de takken heen en weer zwaaien en brak bruusk de gedachten van een blozende Fanny af. Toch moest ze onwillekeurig terugdenken aan wat tante Colette haar op het meer had toevertrouwd: vroeger had zelfs grootmoeder geprobeerd haar band met Fanny voor het dorp te verheimelijken, tevergeefs, omdat alles al bekend was nog voordat zelfs maar was overwogen het te verbergen. De mededeling had bij Fanny een onuitwisbare verbittering teweeggebracht, en wrok jegens haar grootmoeder. Maar op het vijandige lelijke kerkhof, in de vette aarde, lag grootmoeders vlees te rotten, verbrokkelden haar broze oudevrouwenbotten: haar strenge, zwarte, zondagse jurk, opgesierd met een geborduurd kraagje dat enigszins was vergeeld, die jurk waarin ze naar Fanny wist begraven was en waar grootmoeder zo overdreven zuinig op was geweest, verkeerde nu onherroepelijk in staat van ontbinding, een onzinnige verspilling. Fanny's wrok was dan ook getemperd en haar genegenheid voor grootmoeder, dat ontroerde, deerniswekkende, beschaamde gevoel, was er nog steeds. Kon ze daarmee voorbijgaan aan het feit dat het grootmoeder aan loyaliteit jegens haar had ontbroken? In die tijd was grootmoeders hart niet minder kil geweest dan het hare.

De wilg zweeg, traag neigden zich de takken, zonder belangstelling voor Fanny. Ze legde haar hand op de frisse stam die nu onbekommerd oprees. De geest was vertrokken of hield zich koest. Fanny bleef nog geruime tijd wachten en omdat er niets gebeurde krabde ze de ongerechtigheden van de stam alvorens terug te keren naar het dorp.

Maar toen ze bij het aanbreken van de dag aanstalten maakte om naar bed te gaan begon de fles water op haar nachtkastje te bewegen en heen en weer te zwaaien, op gevaar af op de grond te storten. Fanny, doodmoe en beseffend dat dit opnieuw de geest was, deed of ze niets zag. Daarna kreeg ze wroeging en ook hield ze zichzelf voor dat de geest zich door zo'n opzichtig menselijke truc toch niet zou laten beetnemen. Humeurig maakte ze de fles open.

'Eindelijk,' riep de geest van grootmoeder, 'ik hield het niet meer uit! Ben jij dan zo bang voor wat ik zeg? Of ga je met je ongevoelige hart liever onder zeil dan dat je luistert naar een paar waarheden verkondigd door je grootmoeder die, wat je er ook van mag denken, zich altijd heeft ingespannen voor je geluk en door jou meer heeft geleden dan door welk ander kleinkind ook? Die zijn intussen allemaal op hun plaats, min of meer, harmonieus in overeenstemming met de wensen van hun naaste bloedverwanten. Ze zijn getrouwd, hebben een fatsoenlijke baan, werken hard aan de inrichting van hun huis. En dat mag nu dan nog weinig substantieel zijn, het zal desalniettemin verfraaid en rijk aan herinneringen worden nagelaten aan een van hun kinderen, die ze op het juiste ogenblik en in de juiste hoeveelheid ter wereld zullen brengen, tot voldoening van de hele familie (Zou het kunnen dat Eugène, nu al... dacht Fanny gekwetst. Maar de geest gaf geen nadere toelichting.) Jij bent de enige, ook al streef je naar niets anders dan naar het verwezenlijken van de familieplannen, die met genoegen in een erbarmelijke positie verkeert. Je bent er niet in geslaagd Georges aan je te binden, je was alleen maar gek op je neef Eugène, die niet voor je was bestemd, dat wist je. Zonder nageslacht bestaat de familie niet. Je mag dan met alle geweld een plaats willen in de kring van je verwanten, je mag je beklagen dat je op onjuiste gronden buitengesloten bent omdat je, volgens jou, vrijwel dezelfde rechten hebt als Eugène en de anderen, de plicht om voor het voortbestaan van de familie te zorgen staat van jou even ver af als, in de ogen van een aantal van je verwanten, de rechten waar je aanspraak op meent te kunnen maken. Toch heb je alleen op dat laatste kritiek. Is dat normaal, zoiets? Zonder zich druk te maken over de vraag of ze al dan niet bij de familie horen op de manier die hun voor ogen staat, zonder de opvattingen van tante Colette daarover te willen bestuderen, zorgen jouw neven en nichten ervoor dat de familie in stand blijft, conform een paar eenvoudige regels, en zo geven ze beter dan jij blijk van hun eerbied voor dit heilig instituut. Terwijl jij verdort in ijdele ambities, egoïstisch en nutteloos geredekavel, je hart alleen maar naar jezelf gekeerd... Is dat de verering die de familie toekomt? Ze heeft van jou toch nooit iets anders verwacht dan dat je je heel gewoon gedroeg!'

'Maar dat ik jammer genoeg niet gewoon was, heeft de familie al gauw gemeend mij duidelijk te moeten maken', overwoog Fanny die moeite had haar ogen open te houden.

De geest, verspreid door het hele vertrek, gromde van ergernis.

'Denk toch alleen nog aan wat je nu te doen staat!' schreeuwde hij.

'Omdat ik uit de familie ben gestoten,' lichtte Fanny toe, 'kan ik mij niet ten doel stellen het familiebestaan voort te zetten zonder dat als iets incoherents te ervaren. Van een dergelijke tak zal ze niets of niemand willen erkennen. Dus waar is het goed voor? Voorlopig, en gezien de situatie, kan ik alleen werken aan mijn eigen integratie.'

'En?' vroeg de geest.

'Juist ten aanzien van de familie koester ik geen enkele hoop meer', antwoordde Fanny.

En niet langer in staat weerstand te bieden viel ze in slaap, zij het ontstemd dat ze de geest van grootmoeder zo'n slechte ontvangst had bereid al leken anderzijds, ten opzichte van hetgeen ze na tal van mislukkingen had bereikt, en omdat er geen sprake van kon zijn dat ze nu afstand deed van het weinige waarover ze beschikte, de reprimandes van de geest haar overbodig, niet erg passend bij zo'n buitengewone verschijning.

Toen haar gebruikelijke wandeling haar een paar dagen later tot de rand van het kerkhof had gevoerd zag Fanny tante Colette en haar moeder het hek doorgaan. Allebei droegen ze een bos blauwe dahlia's; ze kwamen waarschijnlijk voor het graf van tante Clémence, dat door oom enigszins was verwaarloosd. De luchtige jurk van Fanny's moeder, van hetzelfde zachte blauw als de bloemen, wapperde ruim en soepel over de benen van tante Colette, die arm in arm liep met haar zuster. Van achteren gezien leek het wel of ze in een en dezelfde jurk liepen, een vierkant van mousseline, voor hen uit de lentelucht geknipt. Langzaam wandelden ze over het brede middenpad, als waren ze naar buiten gegaan om een luchtje te scheppen; ze bleven staan om een naam te bekijken, commentaar op iets te leveren; en soms lachte Fanny's moeder, met haar hoofd naar achteren, volkomen op haar gemak. Fanny, die hen al geruime tijd geen van beiden had gezien, kreeg er niet genoeg van hen door het hek gade te slaan. Toch verwijderde ze zich weldra, uit voorzorg. Want gesteld dat ze zich herinnerden wie zij was en bereid waren met haar te praten, dan zouden ze onherroepelijk worden geschokt door wat Fanny zou vertellen over haar huidige staat, welk voordeel zijzelf er ook in zag. Misschien zouden ze niet eens willen toegeven dat ze zo iemand konden kennen of zelfs dat zo iemand bestond en zouden ze prompt ophouden haar te zien, terwijl elke herinnering zou vervluchtigen. Ze zouden zich weer in beweging zetten zonder af te zwenken en erin slagen om, zeker van hun zaak, door Fanny's lichaam heen te lopen alsof het simpelweg een bundel stofjes was!

Fanny's oog viel op een bron en ze ging erheen om haar dorst te lessen. Nadat ze de kraan had opengedraaid klonk de stem van de geest, gevangen in de waterstraal: 'Mijn kleindochter drinkt aan de dorpsbron, maar heeft ze zich dat recht verworven? Is haar ooit gezegd dat ze als een echte inwoonster mocht profiteren van de dorpsvoorzieningen?'

'Zelfs vreemdelingen,' overwoog Fanny misnoegd, 'zelfs mensen op doortocht mogen zich laven aan de bronnen!'

'Ja, maar jij bent geen vreemde op bezoek', legde de geest vrolijk uit. 'Noch inwoonster noch bezoekster: wat heeft de wet voor jouw geval geregeld?'

'Dat weet ik niet.'

'Kijk, je kent de wet niet! Hoe moet het dan?'

Op de stoep naderde een man. Fanny draaide de kraan dicht en sprong met een gemaakt achteloze blik overeind. Toch was het niet zo dat de man de stem van grootmoeders geest kon horen. Al kende ze hem nauwelijks, ze zei met neergeslagen ogen gedag; hij antwoordde met een gegrom. Zij durfde het water niet opnieuw te laten stromen en ging er dicht langs de muur van het kerkhof vandoor. Over de hele lengte stonden oude graffiti, half uitgewist. Fanny's blik viel op een grote M van rode verf, op dat moment begonnen de benen van de letter te slingeren als om voorwaarts te gaan en dun, moeizaam, klonk het gemurmel van de stem van de geest, zoals grootmoeders stem klonk als ze griep had of, zoals ze het zelf uitdrukte, last van een kikker in haar keel. Fanny vond het vervelend maar meende dat ze toch moest blijven staan. Wat zouden echter de mensen die haar zagen wel denken van zulk opvallend gedrag? Want de stem van de geest, die gevangenzat in de letter, klonk zo zwak dat Fanny genoodzaakt was haar oor op de muur te leggen, precies op het punt waar de twee delen van de M elkaar ontmoetten.

'Zover is het dus gekomen', fluisterde de geest, 'omdat jij zo laf was om ten overstaan van die man de kraan dicht te draaien en me de mond te snoeren. Al zou ik tegenover die dorpsbewoner maar enige twijfel hebben uitgesproken over je recht van bestaan dan zou je vast en zeker, misschien zelfs zonder het te merken, voor hem onmiddellijk onzichtbaar zijn geworden en later niet meer hebben geprobeerd te achterhalen om welke wet het zou kunnen gaan, het had je dan hoe dan ook niet kunnen schelen te ontdekken dat er niet van dat soort wetten bestaan of, ook mogelijk, dat er nog wel honderd even onbillijke wetten zijn. Zo is nu je hele opstelling in het dorp. Iemand hoeft maar iets over je te beweren of je plooit je al naar dat oordeel, van wie het ook komt. Geen vernedering, geen gemene streek of je bent in staat je ervoor te lenen in ruil voor een snippertje dankbaarheid, geen verminking of je wilt hem ondergaan.'

'Maar toch', bracht Fanny ertegenin, 'heb ik hier meer bereikt dan overal elders, veel meer dan in de familiekring of in uw dorp waar ik, weet u nog, zonder dat het ons bekend was die naam had gekregen...'

'Jawel, jawel', zei de geest instemmend, met naar het Fanny voorkwam een zweem van gêne. 'Maar al zou je het zelf nooit merken en nog lange tijd in voldoende illusies leven om tot een soort gemoedsrust te komen, het is mijn plicht je voor het volgende te waarschuwen: wat jij in dit dorp meent te hebben bereikt, en dat is trouwens zo pover, zo wankel dat je trots nog eerder een ongelovig medelijden zou oproepen, is slechts een ander en nog ellendiger aspect van wat de dorpen en jijzelf in staat zijn aan verdorvens te creëren, of misschien moeten we eerder zeggen wat de dorpen, in hun afkeer van al wat vreemd is, ten koste van jou tot stand weten te brengen. Het was beter, geloof me, in de tijd dat bij ons in de buurt achter je rug werd gefluisterd.'

'Ach kom!' zuchtte Fanny hardop, plotseling moe.

Ze verwijderde zich van de muur zonder zich af te vragen of grootmoeders geest haar nog iets wilde zeggen en begon aan de terugweg, er intussen op lettend dat ze haar blik niet liet rusten op iets dat een tegensprekerig wezen tot toevluchtsoord kon dienen, zozeer stond nu vast dat ook grootmoeder nooit iets anders had gewild dan haar schade berokkenen door haar te beroven van elke mogelijkheid om niet, wat ze ook deed, in gebreke te blijven.

In de verte liepen haar moeder en tante Colette de hoek van een straat om, dicht tegen elkaar. Onder hun eendrachtige pas knarste het grind in fraaie harmonie. Ondanks zichzelf riep Fanny naar hen, maar verdiept in hun gesprek als ze waren hoorden ze haar niet en weldra waren ze uit het zicht verdwenen.

ELFDE DEEL

De missie van de nicht

Ik heb opdracht gekregen een onderzoekje te verrichten in het dorp M., ten behoeve van twee partijen met tegengestelde belangen, wat ik nu pas merk nadat ik aanvankelijk meende dat beide, zij het met verschillende middelen en in een van beide gevallen met een grotere behoedzaamheid, eenzelfde doel nastreefden. Op die manier wordt mijn taak er niet gemakkelijker op. Maar dat mij van twee kanten is verzocht dit karweitje op me te nemen, komt omdat mijn neutraliteit bekend is en men erop vertrouwt dat ik niet, om de ene partij te bevoordelen, voor de ander wat dan ook zal verheimelijken.

Het gaat om het volgende: mijn jonge neef Eugène, die recentelijk door zijn vrouw is verlaten omdat zij boos was dat hij er maar niet toe kwam een serieuze bezigheid te zoeken, en die niet de indruk wekt daar erg onder gebukt te gaan, wil nu per se met zijn nicht Fanny verder. Hij beweert verliefd op haar te zijn maar wil niettemin, alvorens haar te vragen bij hem te komen wonen, precies weten hoe het haar vergaan is en wat ze voor hem voelt. Hij wil vooral niet dat een bepaalde drang om zich ondanks aller afkeuring op een bijzondere manier te gedragen, bij haar nog duidelijker vormen heeft aangenomen. Zelfs al zou die neiging zich haars ondanks manifesteren, dan nog zou zoiets voor hem een onoverkomelijk bezwaar zijn. Toch verlangt Eugène er zoals ik heb begrepen hevig naar zijn nicht een eervolle ontvangst te kunnen bereiden. Dus al vraagt hij mij die eigenschap streng te taxeren, daarnaast wenst hij ten zeerste dat mijn blik enigszins aan scherpte inboet, om Fanny te kunnen krijgen zonder de verantwoordelijkheid te hoeven dragen voor een dergelijke gril mocht deze niet door de beugel kunnen. Ook mijn nicht Colette wil van mij alles horen over hoe het haar nichtje tegenwoordig gaat, want zij kent het streven van Eugène en kan het weliswaar niet verbieden, maar wil minstens toezicht houden op wat er wordt ondernomen. Hoewel zij zich even terughoudend heeft getoond als Eugène, weet ik inmiddels wel dat Colette hoopt een in alle opzichten zo ongunstig mogelijk verslag over Fanny te zullen horen zodat ze, als ze dat voorlegt aan haar zoon, hem onontkoombaar tot de overtuiging kan brengen dat hij ervan af moet zien. Iedereen verlaat zich overigens volledig op mij en berust bij voorbaat in de waarheden die ik zal aandragen, in de overtuiging dat ik niets verborgen zal houden noch op enigerlei wijze zal liegen.

Ik heb mijn intrek genomen bij de echtgenoot van wijlen mijn nicht Clémence, die bereid was me voor een aantal dagen onderdak te verschaffen. Het is een zwijgzame man; hij is beducht dat zijn woorden, te pas en te onpas herhaald, op een onplezierig verdraaide manier weer bij hem terugkomen. Ik heb hem enkele vragen gesteld over Fanny, maar hij volstond met wat gemompelde onbeduidendheden en wilde mij, al ben ik dan familie en sta ik bekend om mijn discretie, niets vertellen dat voor mij van nut kon zijn, op een detail na waarvan ik hoe dan ook elders lucht zou hebben gekregen: Fanny laat zich in het dorp niet meer zo noemen, ze draagt weer de voornaam die haar ouders haar hebben gegeven. Die lettergrepen klinken in onze oren onbetamelijk en daarom zijn wij geneigd iets lelijks en gecompliceerds te zien in zo'n naam die er voor ons niet echt een kan zijn. We krijgen associaties met een naam of bijnaam die wij aan een hond of kat zouden kunnen geven. De naam van een dier hoeft geen betekenis te hebben of aan iets te herinneren, en mag vooral nooit verwijzen naar iemand van de familie: Fanny's echte voornaam roept bij ons niets op. Ik sprak mijn verbazing uit over het feit dat ze die weer was gaan dragen. Maar mijn neef gaf geen antwoord, misschien uit angst dat hij me eigenlijk al te veel had verteld. Hij ziet zijn nichtje naar het schijnt weinig en nodigt haar niet uit voor het zondagse middagmaal, maar hij is dan ook een man alleen. Hij heeft mij niet gezegd waar Fanny woont. Hij voelt zich kennelijk erg ongemakkelijk en misnoegd dat ik met hem praat over haar en vragen stel, al wendt hij norse onverschilligheid voor. Maar ik mag hem niet verder onder druk zetten: bij ons is het de gewoonte veel te verzwijgen, niet te praten over wat bedenkelijk lijkt of wat indertijd voor schandaal of ophef heeft gezorgd, te doen of er niets bestaat waarover geen duidelijke en soepele discussie mogelijk is die kan worden gevoerd zonder dat er grove of overdreven gevoelige uitdrukkingen hoeven te worden gebruikt. Daarom sta ik tegenover mijn neef in het ongelijk, en dat weten wij beiden.

Om wat informatie bij elkaar te sprokkelen ben ik naar het café-restaurant van het dorp gegaan, de Dappere Haan. De dikke zomervliegen die door de zaak wervelden, of gevangen op het plakpapier nog probeerden zich vrij te vechten, overstemden bijna het geroezemoes met hun gezoem, in de algehele matheid van de middaghitte. Hun zwarte poepjes bevlekten muren en tafelzeil, en de neonbuizen waren ermee bespikkeld als om een decoratief effect te bereiken. Ik hees me op een barkruk, tegenover de bazin die slaperig uit haar ogen keek en aanvankelijk niet reageerde toen ik als terloops de naam van Fanny liet vallen. Ze was namelijk al vergeten dat Fanny zich ooit zo had genoemd. Vervolgens trok ze een misprijzend gezicht en maakte een vaag en vlot gebaar, dat werd nagedaan door twee mannen die vlak bij me zaten, waarmee duidelijk moest worden hoe onbelangrijk ze Fanny vonden. Onwillekeurig kreeg ik een kleur; want een van de mannen had dubbelzinnig gegrinnikt, terwijl zijn gezicht er niet minder misprijzend op was geworden. Ik dacht aan de gêne die ik zou voelen als ik hiervan verslag zou doen: wij praten nooit over die dingen! Alleen onze echtgenoten staan het zichzelf onder elkaar weleens toe, als ze een borreltje op hebben, en dan nog alleen in de vorm van grapjes. Ik voor mij zou gewoonweg niet weten wat voor woorden ik zou moeten gebruiken. Intussen bleven ze loom over Fanny doorpraten, de bazin liet zich een laatdunkend zinnetje ontvallen dat de mannen allebei herhaalden, alsof ze het met hun lippen proefden en het daarna met voldane brutaliteit uitspuwden. Ofschoon ik niet gauw van mijn stuk te brengen ben, voelde ik me op dat moment erg beschaamd: hebben we in onze familie ooit zoiets meegemaakt? Overigens werd mij weldra duidelijk dat de minachting niet zozeer betrekking had op Fanny zoals ze is als wel op het conventionele beeld dat deze drie, op de hoogte van haar activiteiten, van haar hadden. Over Fanny zelf hebben ze in feite niets gezegd dat kwetsend kon zijn of het idee kon geven dat ze niet geliefd was of zelfs dat ze haar aanwezigheid in het dorp betreurden. Want ze minachtten haar zoals je iemand minacht die in jouw ogen een minderwaardig beroep heeft, zoals wij in het dorp van grootmoeder eendrachtig een buurman minachten die zijn brood verdient met het doorverkopen van allerlei afval, maar dat misprijzen houdt niet in dat wij hem niet zijn plaats in het dorp willen geven noch, wellicht, dat wij niet bedroefd zouden zijn als we hem zagen vertrekken. Zo ook had Fanny hier naar ik al gauw merkte haar functie, en dat was, als ik bedacht hoe keurig onze familie zich al generaties lang gedroeg, een nog zwaardere klap dan wanneer duidelijk zou zijn geworden dat ze overal werd verstoten. Het enige geruststellende was dat de naam Fanny kennelijk was vergeten: nu kwam men waarschijnlijk moeilijk meer op het idee haar in verband te brengen met de familie. En natuurlijk vond ik het verdrietig dat Fanny te midden van de dorpelingen een dergelijke plaats was toegevallen maar, overwoog ik enigszins ongemakkelijk, was er voor haar een andere positie in het dorp denkbaar? Inwendig had ik nauwelijks instemming kunnen opbrengen voor het streven van Eugène om met zijn nicht te gaan leven. Het leek me natuurlijker en redelijker, zij het wreder, dat Fanny een vergissing bleef zonder nakomelingschap of herinnering, die zou worden weggewist als aan haar eigen leven een eind zou zijn gekomen, zonder op de eenheid van het familiebloed enig effect te hebben gehad. Niettemin mochten deze overwegingen het verloop van mijn missie niet beïnvloeden; ik nam mijzelf voor de belangen van Eugène evenzeer te dienen als die van Colette.

Op advies van de bazin, aan wie ik had gevraagd waar ik Fanny kon vinden, begaf ik me die avond naar de oever van een beek buiten het dorp waarin zich wenend jonge wilgen drenkten. Ik zag Fanny van achteren, zittend aan de voet van een boom, haar armen om haar knieën geslagen. Om haar niet met mijn plotselinge aanwezigheid aan het schrikken te maken riep ik haar met zachte stem.

'Is dat weer de geest?' prevelde Fanny verrast, zonder zich om te draaien.

'Ik ben het, de nicht van je moeder', zei ik terwijl ik me liet zien.

De schok die door Fanny heen ging was niet minder heftig dan die van mij toen ik haar eens goed opnam. Eerst dacht ik dat ik haar niet herkende, maar nadat ik haar nauwkeurig had bekeken was er voor mij geen twijfel meer of dit was Fanny, al had ik haar zo nooit gezien. In verwarring keek ik een andere kant uit. Ik ging naast haar zitten, terwijl zij in angstige afwachting leek.

'Wie heeft u naar mij toegestuurd?'

'Je neef Eugène', antwoordde ik, mijn blik strak op het smerige water.

En opgelucht bracht ik haar Eugènes voorstel over. Omdat ik me flarden van gesprekken herinnerde die ik ooit had opgevangen, was zodra Eugène mij op de hoogte had gesteld van zijn verlangen mijn veronderstelling geweest dat hiermee werd ingespeeld op Fanny's vroegste wens en dat geen strijd hoefde te worden geleverd tegen welke reserve van haar kant dan ook; maar aan haar ongemakkelijke stilzwijgen merkte ik dat de situatie nu toch anders lag. In onwillekeurige bitsheid riep ik uit: 'Nou, bevalt het je ineens niet meer?' Weemoedig boog Fanny haar hoofd. Toch legde ze me met heldere, vaste stem haar overwegingen voor, die niet veel woorden behoefden: als ze hier mislukt zou zijn en nog steeds ronddwaalde, zonder welke binding dan ook, afstandelijk en vijandig gadegeslagen, dan zou de mogelijkheid om via Eugène met één stap terug te keren in de familie een regelrecht wonder zijn geweest; maar als ze, zoals in feite het geval was, in het dorp een rol en een plaats had gevonden die niemand haar ontzegde, die heel goed pasten bij wat ze was, waarin ze zelfs dankzij haar uiterlijk een soort van succes had weten te bereiken, ondanks de problemen en de smaad, waarom zou ze die onverhoopte positie dan opgeven voor een andere die, gezien de gevoelens van de familie jegens haar en gezien Eugènes gebrek aan wilskracht, niet anders dan bijzonder hachelijk zou kunnen zijn? Nu ze had besloten het leven te leiden van iemand die uit de familie was gestoten wilde ze zich niet overgeven aan nieuwe verwachtingen, die als ze eenmaal zouden zijn beschaamd haar geen uitweg meer lieten. Trouwens, ze was er tegenwoordig niet slecht aan toe maar stond er juist gunstig voor, het ging haar voor de wind, en haar liefde voor Eugène was al geruime tijd onherroepelijk voorbij. Vervuld van een lichte walging hield ik haar voor, zoals ik tegenover wie dan ook zou hebben gedaan, dat dit toch een deerniswekkend bestaan was. Maar daar liet ik het bij: was het zo niet het beste? Kalm herhaalde Fanny nog eens dat er voor haar geen andere keus was in de dorpen, en ik bewonderde de wijsheid waarmee ze haar plan om zich in onze streek te nestelen had volvoerd zonder in te gaan tegen het stilzwijgende streven van de familie (in feite hebben we er onderling nooit over gesproken) dat ze zich afzijdig zou houden. Ik wenste haar geluk dat ze weer haar oude voornaam droeg; onder die naam, was haar antwoord, viel ze hier het meest in de smaak. En domweg vroeg ik me af of zij ondanks alles wel de persoon was met wie ik meende te praten, zo anders kwam ze me voor.

Eenmaal weer thuis, deelde ik wat ik te weten was gekomen mee aan mijn nicht Colette, wier voldoening zich gemakkelijk liet raden. Daarna vertelde ik Eugène om te beginnen hoe anders zijn nicht eruit was gaan zien, dat haar uiterlijk in onze gelijkvormige, rustige omgeving nu toch wel een volstrekt ongewone indruk maakte. Hij trok een boos gezicht. 'Ze is toch werkelijk niet te vertrouwen', mompelde hij, blijkbaar van mening dat Fanny's koppige geest hier verantwoordelijk voor was. Uitermate slecht gehumeurd beende hij met nerveuze passen door de kamer. Ik dacht de zaak af te sluiten door op te merken dat Fanny er hoe dan ook helemaal geen zin in had om bij hem te komen wonen, en ik meldde wat zij in dit verband had gesteld. Van zijn stuk gebracht en, was mijn indruk, zich enigszins generend tegenover mij, wist Eugène niet meer wat te zeggen. Maar hij kon niet aanvaarden dat het daarbij bleef, en zijn gevoelens voor zijn nicht zullen serieus zijn geweest, dacht ik toen ik hem zo ontstemd zag. Met aandrang vroeg hij of ik terug wilde gaan en Fanny wilde laten weten dat ze een laatste kans kreeg: als zij van mening was haar uiterlijk te kunnen veranderen, als ze dat wilde en verlangde, dan zou hij van zijn kant zo lang op haar wachten als nodig was; als ze daar in haar halsstarrigheid niet van wilde horen of er met te weinig overtuiging naar streefde om succes te kunnen verwachten dan moest ze hem maar vergeten, voorgoed. Van zo veel hardnekkigheid moest ik zuchten maar ondanks alles ging ik weer op weg, in de overtuiging dat het een nutteloze tocht was. Ik trof Fanny leunend tegen dezelfde wilg, in de invallende duisternis, haar gebogen gezicht onzichtbaar in de spiegel van het water. Toen ze mij zag glimlachte ze van opluchting. 'Wat een geluk', zei ze, 'dat u bent teruggekomen.' Niet dat ze opeens niet meer buiten mijn aanwezigheid kon, maar ze had goed nagedacht en was van mening veranderd toen ik de vorige keer nog maar nauwelijks mijn hielen had gelicht, en ze had het zichzelf kwalijk genomen dat ze me niet meer terug had kunnen roepen. Ze aanvaardde inmiddels het voorstel van Eugène, verklaarde ze. In mijn bekommernis durfde ik haar niet recht aan te kijken. Zelf leek ze zich niet bewust van dat onhoudbaar bijzondere van haar! Ik staarde naar mijn eigen gezicht dat over het oppervlak van het roerloze water zweefde en probeerde mezelf onverschillig te maken. Vervolgens verwoordde ik de voorwaarde van Eugène, alsof het een vanzelfsprekende eis was en zij daarentegen geen greintje gezond verstand meer had. Geruime tijd bleven we zwijgen. Deze keer, murmelde ze, dat stond vast, zou ze als de voorwaarde was vervuld eraan bezwijken, sterven van uitputting. 'Ach kom, ach kom', mompelde ik binnensmonds, in uiterste verwarring.

TWAALFDE DEEL

Het relaas van tante Colette

Mijn zoon Eugène beschikte niet langer over zijn vrouw om in zijn levensonderhoud te voorzien terwijl Georges zijn vertegenwoordigersbaan weer had opgepakt, zodat we gedrieën wegtrokken uit het nieuwbouwhuis waarin mijn zoon mij had opgevangen toen mijn man zijn slippertje maakte en onze intrek namen in de oude woning van mijn moeder, tot grote teleurstelling van Eugène, weliswaar eigenaar van het pand maar op deze manier, zo tussen ons beiden, weer terug in de periode van zijn puberteit, zich heel goed ervan bewust dat hij ons tegenviel en zorgen baarde met zijn luiheid, zijn gebrek aan aanleg en animo voor welk vak ook, zijn schrale emoties over zijn mislukte huwelijk, een onzalige neiging tot buitenissige ideeën die wij naar hij wist ten zeerste afkeurden en wel om toegespitste redenen. Wij hadden de huur opgezegd van het huis dat wij in een naburig dorp geruime tijd hadden bewoond, en onze meubels werden naar het andere huis overgebracht, want die hadden ons altijd omringd en het zou ons moeite hebben gekost er afstand van te doen. Evengoed konden we ons niet meer wenden of keren. Het oude meubilair van mijn moeder stond in de weg maar het zou aanstoot hebben gegeven als we het hadden opgeruimd, zoals we om eenzelfde reden al hadden gedaan met drie kasten. De rest van de familie zou ons dat terecht kwalijk hebben genomen. Twee gelakte dressoirs, twee zware tafels, twee gelukkig bijna eendere canapés, drie fauteuils, twaalf stoelen die bij de tafels hoorden, maakten het vrijwel onmogelijk de eetkamer te betreden. In de overige vertrekken, waar niemand anders kwam dan wij en waar we door elkaar heen meubels voor zit- en slaapkamers hadden opgeslagen samen met allerlei losse spullen die in wankele stapels van de vloer tot het plafond reikten, hadden we smalle gangetjes uitgespaard om ons een weg te kunnen banen naar

onze bedden waar we gingen liggen als in een graf, overhuifd
door een commode of secretaire die we kunstig boven ons
hoofd hadden weten te plaatsen, evenwijdig aan het matras. We
raakten snel gewend aan de nieuwe inrichting en de gedachte
dat er iets ongewoons aan was kwam niet eens meer bij ons op.
Alleen Eugène schold nog, klaagde dat hij stikte, gooide soms
onnadenkend in zijn irritatie een ingenieuze stapel om. Toch
was hij blij dat hij kon profiteren van drie tv-toestellen waar hij
zijn dagen tussen verdeelde, terwijl hij daarnaast meende bij
ons, die maar tegen hem bezig bleven dat hij zijn toekomst in
eigen hand moest nemen, de indruk te wekken dat hij niet
voortdurend thuis was, want 's middags verstopte hij zich han-
dig achter het onopvallendste toestel waarna hij plotseling
opdook voor de huisdeur, zuchtend, zogenaamd moe, en ons
met klem verzekerde dat hij terugkwam van een vergeefse
speurtocht naar werk. Om hem te betrappen hadden we elk
hoekje moeten verkennen en doordat de kamers zo waren
volgestouwd was dat een onmogelijke onderneming. Maar ik
maakte me zorgen dat mijn zoon zich zo gelukzalig overgaf aan
een smadelijke ledigheid. Zonder dat ik er al met zijn vader over
had gesproken, broedde ik op het plan hem naar de echtgenoot
van mijn zuster te sturen, een grandioos geslaagde man die, hoe
sterk hij dan ook nog steeds van ons verschilde, niets verachtelijks meer had, niets bizars meer om van onthutst te raken, en
die wellicht iets van onze zoon zou kunnen maken. Eugène
wilde geen vertegenwoordiger worden. Ik vond het jammer dat
er op dat moment geen tv-serie aan de gang was met een
hoofdpersoon die dat vak uitoefende en hem, zoals altijd het
geval was, zou hebben geïnspireerd tot navolging. Mijn zoon
had geen enkele interesse in iets dat hij niet eerst in de context
van een populaire serie had gezien. Ik betreurde dat hevig,
zeker. En toch had ikzelf... Ik kon niet anders dan toegeven dat
in mijn recente mildheid jegens de man van mijn zuster, in de
jonge-meisjesachtige manier waarop ik me, in gedachten welwillend naar hem toegeneigd, aangetrokken voelde tot die man
op wie ik had neergekeken, waarschijnlijk de invloed doorwerk-
te van een bepaalde uitzending waarin werd gepleit voor een

dergelijke houding, en waar ik met hartstochtelijke belangstelling naar had gekeken, zo'n leuk en amusant programma was het.

In de loop van de ochtend kwam een buurvrouw de krant halen die wij dan bijna gelezen hadden, een oude gewoonte uit de tijd van grootmoeder: we betaalden ieder de helft van het abonnement. Ze zocht een plaatsje in een hoek tussen twee dressoirs propvol zondags serviesgoed en vertelde met schelle stem de laatste nieuwtjes uit het dorp, terwijl Eugène, speciaal om haar te horen nonchalant tevoorschijn gekomen onder uit de kast waar hij zich 's ochtends graag in nestelde, met geveinsde minachting voor dat geklets een sigaret opstak, zijn blik in de verte, en zich half naar het raam wendde, schijnbaar geconcentreerd op iets dat buiten aan de gang was. Nooit miste hij het bezoek van deze buurvrouw die altijd flink wat roddels in voorraad had en aan wie hij, zodra we hier waren gaan wonen, had gevraagd of ze precies wilde komen op het tijdstip dat op de televisie de spelletjes van de vorige avond werden uitgezonden, waarvan hij de herhaling zonder veel wroeging kon missen.

De vrouw zat luid te kwebbelen en zichzelf te herhalen, legde haar voeten op een stoel en bleef zo doorgaan met praten, haar blik op de punten van haar schoenen. Daarna sloeg ze de krant open om commentaar te leveren op het streeknieuws, iets anders las ze niet. Ik luisterde naar haar met een ambivalent genoegen. Zou ze straks niet in het hele dorp gaan rondbazuinen wat ze hier bij ons zag, dat Eugène niets uitvoerde en dat het in huis een grote rommel was, zou ze afbreuk doen aan de uitstekende reputatie die onze moeder met haar bescheiden en nette manier van doen had opgebouwd, terwijl ze nu misschien vergelijkenderwijs werd beklaagd? 'Die verrekte roddelaarster', bromde ik altijd een beetje boos, als ze weg was. En op zo'n moment werd de schaamte om mijn zoon echt schrijnend.

Vervolgens vertrokken we dan naar de supermarkt om te kijken of daar iets nieuws te zien was. Eugène bleef lang op de televisieafdeling. Een tiental toestellen stond aan en methodisch versprong zijn strakke blik van het ene naar het andere, zodanig dat hij elk programma kon volgen zonder van de andere iets te missen, tot hij er doodmoe van werd. Wat moet ik toch met dat kind beginnen? dacht ik, kijkend naar zijn onverschillige gezicht, de weke plooi van zijn mond. Soms benam mijn ongerustheid me de adem; tranen sprongen in mijn ogen; Eugène was toch niet dom!

Na het middagmaal, als er in deze tijd van het jaar een uitnodiging tot siësta kwam van de stroperige hitte, zwanger van scherpe geuren die opstegen uit de chemisch behandelde, in de witte verre stortvloed van de mestregens gedrenkte velden, rolde Eugène zich op in zijn kast terwijl ik mij met vermoeide pas naar onze slaapkamer begaf. De huisdeur trilde omdat er licht tegen werd gestoten. 'Kom er maar in!' riep ik, want het schoot me te binnen dat we mijn zus verwachtten. Toen ik schouderophalend ging opendoen, zag ik aanvankelijk helemaal niets. Naar beneden kijkend ontwaarde ik op de tree van het bordesje een lange, onbekende vorm – en het leek net of de gelige kleur van die tree, of een sprietje onkruid dat daar groeide, voor mij zichtbaar bleven dwars door die gestalte zonder naam of weerga heen, die eerst beefde maar daarna net zo weinig meer bewoog als een lijk. 'Wat is dat nu weer...' mompelde ik terwijl ik behoedzaam voelde met de punt van mijn pantoffel. Plotseling herkende ik de gelaatstrekken van Fanny, zij het op zo'n vage, onbestendige manier dat ik mijzelf er niet toe kon brengen haar zo te noemen. Ik neem trouwens aan dat ik haar niet zou hebben kunnen thuisbrengen als niet door mijn hoofd was geschoten dat alleen zij in staat was ons zulke onaangename verrassingen te bereiden. Bang dat mijn zuster zou arriveren, ontstemd en niet goed wetend wat te doen, tilde ik de nauwelijks waarneembare gestalte op en droeg deze ijlings naar de schuur. Daar bleef ik een moment besluiteloos dralen. Mijn armen bogen echter niet door; ze hadden nauwelijks de indruk iets te ondersteunen! Overwegend dat het geen te hard bed zou zijn, vlijde ik het lichaam neer op een aardappelzak die opgevouwen in een hoek lag. En ik ging weer naar buiten, zorgvuldig de deur sluitend om te voorkomen dat de hond erin kon. Op dat moment knarste het hek. Mijn zus liep over het terrein en zwaaide vrolijk met haar Schots geruite koffertje. In de felle zon kon ik haar gezicht niet onderscheiden en ontroerd zag ik de lichtblauwe jurk, de gedecideerde ronde kuiten, de elegante stadssandalen naderen nu ze bij ons de zomervakantie kwam doorbrengen. Hé, haar zoom is los, dacht ik, leunend tegen de schuurdeur. Altijd was mijn zus zo geweest dat ze, als wij ons niet een beetje om haar bekommerden, en ook al kon ze gedreven door verlangen bijzonder gewiekst zijn, snel op het slechtst mogelijke pad zou zijn beland of in het dagelijks leven, lui en onbezonnen als ze was, de details zou hebben verwaarloosd die in onze opvatting de morele striktheid van een hele familie symboliseren. Dus volstond ik niet met het signaleren van die zoom, toen we elkaar ter begroeting omhelsden, maar na het avondeten, we dronken een kopje kruidenthee in een vrij gebleven keukenhoek, pakte ik mijn naaidoos erbij en begon ik ondanks haar protesten de jurk opnieuw te zomen, over haar knieën gebogen. In de aangrenzende kamer zaten Eugène en zijn vader in de diepste stilte naar een misdaadfilm te kijken. Als de onweegbare vorm in de schuur zou ontwaken, peinsde ik met tegenzin, wat zou er dan gebeuren en wat zou mijn arme zuster zeggen? Was die vorm nu echt eindelijk dood? Ik moest ervan zuchten en dankte de hemel dat onze moeder was heengegaan voordat al die nieuwe beslommeringen zich hadden aangediend. Mijn zuster intussen, buitengewoon ontstemd dat ik daar neerknielde aan haar voeten, greep dit voorwendsel enigszins boosaardig aan om uitdrukking te geven aan haar spijt dat ik me niet altijd zo bezorgd had gemaakt om haar, dat ik zelden even prompt als aan die zoom aandacht had besteed aan de symptomen van een onontkoombare ontsporing. Bijvoorbeeld, zei mijn zus, toen ze zich als jong meisje verwoed was gaan verdiepen in stuiverromannetjes, waarvan de titel omlijst was met een rozenguirlande, met als illustratie een foto van altijd en eeuwig hetzelfde jonge paar in smachtende omhelzing, die ze, lichtte mijn zus toe, liet meebrengen van het station in de dichtstbijzijnde stad zodra ze hoorde dat een buurman of familielid daarheen ging, en ze had het trouwens zo geregeld dat de kioskjuffrouw elke week een exemplaar voor haar apart hield want al stonden de verhalen op zich, alleen al bij de gedachte ze niet allemaal te hebben gelezen, zei mijn zus lichtelijk opgewonden, trokken de spieren in haar buik samen, kwam het zweet op haar slapen en voorhoofd te staan alsof ze een drug nodig had en dat was het in de verveling van de provincie ook voor haar geworden, zei mijn zus, die boekjes geschreven door dames met Engelse namen, In de jungle van de liefde, Een verloofde voor Bernice, Zolang je van me houdt, die op het fundament van vergelijkbare intriges verhalen optrokken rijk aan beloften voor haarzelf, nederige lezeres uit een afgelegen dorp, zonder dat ze bij machte was, zei mijn zus met een zweem van droefheid, weinig ontwikkeld als ze was geweest, van de liefde niets anders wetend dan wat de redelijke verbintenissen uit haar omgeving haar ervan lieten zien, om te bedenken dat je dergelijke wonderen van hartstocht uitsluitend in boeken tegenkomt en dat de buitenissige banden die in dergelijke romans steeds weer tussen mooie jonge mensen van uiteenlopende achtergronden worden gesmeed, in het echte leven alleen maar op een ramp kunnen uitlopen, volgens de huidige opvatting van mijn zuster, die naar haar zeggen tot op de bodem van die mislukking was gegaan – dus toen ze in de afgrond van die fantasmagorieën was gestort had niet alleen niemand uit haar omgeving haar gewaarschuwd, haar alleen al aan de hand van de titels die ze noemde ook maar enigszins het gevoel gegeven dat het belachelijk of minstens volstrekt kunstmatig was, maar ze hadden haar, verbaasde mijn zuster zich nog steeds, met een soort geamuseerd plezier aangemoedigd, zoals mensen er genoegen in scheppen, merkte ik instemmend op, iemand te strelen in een kleine ondeugd, zich erom te vermaken en er tegelijkertijd van overtuigd te zijn dat die iemand daarmee geen kwaad wordt gedaan; die gevaarlijke boekjes werden voor haar meegebracht, zei mijn zus, met de ironische welwillendheid, voor haar verheimelijkt en bedoeld voor het gezelschap, die zich manifesteert in een subtiele knipoog als een notoire dronkaard op bezoek komt en zijn glas tot de rand toe wordt gevuld. Onze onachtzaamheid van destijds, zei mijn zuster beschuldigend, had haar leven zogezegd verwoest, wat wij toch, merkte ik ter verdediging van ons allemaal terneergeslagen op, onmogelijk in die mate hadden kunnen voorzien, omdat niemand anders dan zij de werkjes in kwestie ooit had opengeslagen. Ik vermoedde wat ze nu verder zou gaan zeggen en raakte verward en bedroefd, zonder nog de naald te hanteren om beter naar haar te kunnen luisteren en met mijn armen op haar knieën, terwijl ons vanuit de huiskamer bij tussenpozen de gewelddadige geluiden van de televisie bereikten die ons, mijn zuster en mij, van de weeromstuit afzonderden in een lichtelijk dramatische intimiteit. Ik had graag gewild dat ze het daarbij had gelaten, maar wreed als ze vaak in onze kinderjaren was geweest ging ze door, op een wat zeurderige toon, en intussen plukte ze aan haar zoom zonder dat het haar kon schelen dat ze die nog verder uithaalde. Omdat ik naar haar opkeek kreeg ik pijn in mijn nek; ik zuchtte onopvallend en ging gemakkelijker op haar dijen leunen. Het voortdurend lezen van die boekjes, waar nooit kritiek op was geleverd, had haar ertoe gebracht, ging mijn zus voort, de wereld te zien door het idealiserende filter dat in die verhalen aan elke situatie een eeuwigheids- en grootheidsgehalte gaf en elk personage elegant, mooi en noodzakelijkerwijs nobel van geest maakte. Al gauw had ze zich even weinig thuis gevoeld in dit dorp, aldus mijn zuster, in deze familie die de hare was, als een prinses die er toevallig verzeild was geraakt, en toen ze een keer, legde mijn zuster nu aangedaan en enigszins kortademig uit, naar de stad was gegaan en net op het moment dat ze met een nieuw romannetje onder haar arm de stationskiosk uitkwam die man had ontmoet, degene die later haar echtgenoot zou worden, zo stralend bijzonder, door die vreemdheid vol allure van hem zo helemaal niet te vergelijken met de fletse jongelui uit de omgeving, die dag voor het eerst van zijn leven in de stad en bang voor de blikken van de anderen, op zijn gezicht, herinnerde mijn zus zich, een uitdrukking van schuwe vastberadenheid, een wat te opzettelijke minachting, sprekend de viriele kop van de held met de wilskrachtige kin die op het omslag van het zojuist door mijn zuster gekochte boekje aanstalten maakte zich de lippen van een blonde, achterover neigende schoonheid toe te eigenen — toen zij het dus, hernam zij, in haar verrukte vermetelheid had gewaagd het woord tot hem te richten, hem aan te spreken, zogenaamd beschroomd, blozend, en hij zonder terughoudendheid had geantwoord, verbaasd maar zeker gevleid door een zo vlotte en naar genoegen verlopende ontvangst in een omgeving die voor hem gevaarlijk was, waar hij van schaamte altijd op het punt stond de kluts kwijt te raken, was zij er prompt van overtuigd geraakt, zei mijn zus die nu achteraf ongelovig haar hoofd schudde, dat ze met hem een leven zou kunnen leiden dat om haar heen nooit werd geleefd en waarvoor alleen zij was geschapen. Dus, besloot mijn zus, jullie zijn allemaal een beetje verantwoordelijk voor het fiasco van mijn huwelijk omdat jullie, terwijl jullie toch zagen wat ik deed, niet hebben verhinderd dat ik werd meegesleept door mijn verbeelding... Ik vermeed het te antwoorden, niet dat ik mijn zus niet afgrijselijk onbillijk vond maar omdat ik me, wetend van het ding dat daar in de schuur lag, gegeneerd voelde het voor haar te verbergen en omdat mijn medelijden met haar, mijn zuster, op dit moment groot was. Laat dat ding dood zijn, bad ik in mezelf, verdwenen, opgelost! Laat het nooit hebben bestaan en laat, evenzo, elke herinnering aan het feit dat het er is geweest verdwijnen!

Toch kon ik mijzelf er niet van weerhouden de kwestie aan te kaarten bij Eugène. Het kostte hem enkele minuten voordat hij het begreep (maar was dat niet toch nog snel?): omdat ik me ontzettend ongemakkelijk voelde hem een beschrijving te moeten geven van wat ik had gezien, gebruikte ik onalledaagse en vage termen. Mijn zoon bloosde heftig: hij leek wel in de war. 'Ja zeg, dat had ze van mij toch niet gehoeven!' schreeuwde hij. 'Toch helemaal niet!' Hij stotterde ervan, alsof hij voor iets beducht moest zijn. Ik trok een streng gezicht. Nu ik had besloten mijn plan met hem tot een goed einde te brengen leek het mij beter me volstrekt ontoegeeflijk op te stellen, om te voorkomen dat hij op het idee zou komen een protest te laten horen. Ik vroeg hem een blik te werpen in de schuur. Maar hij, doodsbenauwd, weigerde pertinent. En twee dagen lang bleef hij beschaamd en van zijn stuk. Als een ander eens was gaan kijken naar wat ik had gezien, al was het Eugène, en me zijn indrukken had weergegeven, zou dat me toch hebben geholpen me een helder beeld te vormen van het verschijnsel, want omdat me geen enkel specifiek woord te binnen schoot ging ik twijfelen of ik niet had gedroomd en daarnaast stond het me tegen nog eens naar de schuur terug te keren en na te gaan of daar nu echt een soort restant van mijn nichtje lag.

Een paar dagen nadat mijn zus was gearriveerd nam ik samen met Eugène de bus, zonder iemand te verwittigen. We begaven ons naar haar echtgenoot, voor mij was het de eerste keer. Aanvankelijk stelden de woningen in zijn dorp me teleur doordat ze er over het geheel genomen zo armoedig uitzagen, maar het huis van die man maakte een gunstige indruk en in de enorme hal van echt marmer voelde ik me zelfs zo geïntimideerd dat ik beducht begon te worden voor mijn vermetelheid. De huisknecht, die voor ons had opengedaan, verzocht ons om enig geduld. Eugène, nors, leek toch trots dat hij al eens in deze imposante woning was geweest. 'Dat is toch niet niks hè?' bleef hij herhalen terwijl hij heen en weer liep. Hij drong erop aan dat ik antwoord gaf, dat ik op mijn beurt verrukt was, alsof hij zich inbeeldde dat hij, omdat hij het eerder dan ik had gezien, een deel van die bewondering mocht oogsten. Maar ik bleef beleefd in een hoekje staan zwijgen.

Plotseling rees de man op in de hal, zonder ons op te merken. Hij werd gevolgd door de huisknecht die zijn aandacht op ons vestigde. Hij maakte een breed gebaar van ergernis. Toen de huisknecht hem blijkbaar had verteld wie wij waren bleef hij vervolgens abrupt staan, keek me verbluft en verward aan. Zich vele malen verontschuldigend liep hij op ons toe, en hij was gekleed in een prachtig felrood gewaad, lang en kostbaar, in vergelijking waarmee ik het kleine zwarte jack van Eugène belachelijk krap vond, te meer daar die het vervormde door er zijn vuisten in te stoppen.

'Ach wat een verrassing, wat een verrassing!' riep hij uit. Hij drukte ons achtereenvolgens een aantal malen de hand. Daarna gaf hij de huisknecht een bars bevel, en terwijl hij kort tevoren nog de indruk had gewekt zich naar een of andere activiteit te haasten troonde hij ons nu mee naar de salon, alsof het alleen nog maar urgent was ons te ontvangen en erop toe te zien dat er voor ons werd gezorgd. Hij trok de kussens van de canapé recht en beklopte de fauteuil. Hij deed de televisie aan en zette het geluid heel zacht, om ons naar ik veronderstel met die reeks van bewegende beelden te vermaken. Zo samen met ons leek deze man even blij en opgewonden als wanneer hij een belangrijk personage had ontvangen, een superieure geest! Ik voor mij voelde me verlegen met die attenties, afkomstig van iemand die gewend was de baas te zijn en die, gezien de staat die hij voerde, bij ons de meest prominente figuur van het dorp zou zijn geweest, terwijl wij het gezien dat vak van mijn man nooit zover zouden brengen.

De huisknecht zette ons een glas sinaasappellimonade voor, waarna hij met het stampen van een hak op de tegelvloer werd weggestuurd. Ten slotte, na een korte stilte, brak het moment aan om de reden van mijn bezoek uiteen te zetten. Langdurig beklaagde ik me over Eugènes onvermogen om waar dan ook een baan te vinden, over zijn nonchalante onwetendheid; ik legde uit dat wij niet bij machte waren hem te veranderen omdat Eugène niets van ons wilde aannemen. Hijzelf, naast mij gezeten, protesteerde niet al was hij vast en zeker erg boos, en ondanks alles was ik hem daar dankbaar voor. 'Dus', zei ik, al mijn moed bij elkaar rapend, 'als u in staat zou zijn op hem te letten, hem royaal van adviezen te voorzien, hem te helpen met vinden wat hem past...'

Ik zweeg, verschrikt dat ik het waagde hem aldus lastig te vallen, te meer daar hij nu verbijsterd leek, en bijzonder verlegen. Hij mompelde iets over geld. Haastig corrigeerde ik: 'Nee nee, Eugène heeft niet uw geld nodig maar uw gezonde verstand, uw voorbeeld, begrijpt u...' En mijn stem stierf weg, ik sloeg mijn ogen neer om te verhelen hoe onbehaaglijk ik me voelde. Er volgde een veelzeggende stilte; hij vergat zelfs zijn plichten als gastheer.

In een opflitsende intuïtie begreep ik hem: dat ik, ikzelf, nu met een dringend verzoek bij hem kwam, maakte hem uiterst verward en ontredderd, ondanks de zelfverzekerdheid die hij in de loop der jaren had verworven. Hij had kunnen triomferen, want nu waren we zo diep gezonken dat we hem benijdden. Maar daartoe was hij niet eens in staat, onze glorie liet hij intact. Zou hij me nu gaan smeken, dacht ik terwijl ik zijn onthutstheid bezag, terug te trekken wat ik had gezegd, me duidelijk maken dat hij zich dan weliswaar het kleine genoegen had gegund mijn zoon een huwelijksgeschenk aan te bieden, zich deze discrete overwinning op onze onverzettelijke minachting van vroeger had toegestaan, maar dat het ondenkbaar was dat een beroep werd gedaan op zijn talent, dat op morele bescherming van zijn kant werd gehoopt, dat hij ons de weg zou wijzen?

Hij stond op, liep met onzekere passen naar het raam – midden in een vlammenzee leek het wel, met zijn karmozijnrode gewaad dat in talloze plooien viel. Eugène nam de vrijheid het geluid van de televisie harder te zetten. Ik vouwde mijn handen in mijn schoot en wachtte het antwoord van onze gastheer geduldig af.

Nawoord

Marie NDiaye was twaalf jaar oud toen ze complete romans op papier begon te zetten. Afhankelijk van wat ze las schreef ze een roman in Russische, in Zuidamerikaanse of in Noordamerikaanse stijl, en zo maakte ze zich op doeltreffende wijze de literatuur van vele taalgebieden eigen. In 1985, ze was nog geen achttien, verscheen haar eerste boek in druk: *Quant au riche avenir.*[1] Het verhaal gaat dat Jérôme Lindon, de directeur van uitgeverij Minuit, zich na het lezen van het manuscript met een contract op zak naar haar middelbare school in Sceaux spoedde, uit angst dat andere uitgevers hem vóór zouden zijn. Maar misschien is deze hardnekkig opduikende anekdote niet meer dan een legende, gevoed door de verbazing en bewondering van ieder die ontdekt hoe soepel in *Quant au riche avenir* de taal wordt gehanteerd en met hoeveel gemak er wordt rondgewandeld in de menselijke psyche. De invloed van Proust is in dit debuut onmiskenbaar.

Over het tweede manuscript was Lindon minder geestdriftig. NDiaye vond voor haar *Comédie classique* dan ook onderdak bij de onbekendere uitgeverij P.O.L. Deze roman, verschenen in 1987, is een stilistisch bravourestukje: één enkele zin die zich uitstrekt over honderdzes pagina's. Na deze oefening in virtuositeit keerde NDiaye met haar derde boek, *La femme changée en bûche* (1989), terug naar uitgeverij Minuit. En nu was haar instrumentarium verfijnd genoeg geworden, waren de invloeden van literaire voorgangers voldoende geïntegreerd om een voorlopig hoogtepunt in haar oeuvre mogelijk te maken: *En famille*, in 1990 wederom bij Minuit uitgebracht, en in het Nederlands voorzien van de titel *Lieve familie*. Een roman die hier en daar met bloed geschreven lijkt.

Zoals te doen gebruikelijk is het oorspronkelijke boek, in de uitgave van Minuit, sober uitgevoerd. Geen geïllustreerde om-

341

slagen met flapteksten; wat de schrijfster betreft moeten we het in deze uitgave doen met de enkele aanwijzing van een wat exotische achternaam. Maar voor wie een foto van de schrijfster bekijkt wordt duidelijk dat ze er niet alleen heel mooi maar vooral ook 'anders' uitziet. Marie NDiaye, geboren in Pithiviers bij Orléans, is dan ook de dochter van een Franse moeder en een Senegalese vader. De laatste verdween spoedig uit haar leven en zij kreeg een Franse opvoeding in een Franse omgeving. Maar ze bleef er 'bijzonder' uitzien. Dit autobiografische gegeven moet ongetwijfeld aan *Lieve familie* ten grondslag hebben gelegen. Het intrigerende van het boek is dat het persoonlijke feit wordt opgetild naar een meer universeel niveau, wordt uitgewerkt tot een breder thema: het eeuwige verlangen van het individu om ergens bij te horen, de eeuwige angst van de groep voor al wat vreemd is, de schuld die je wordt aangepraat zodra je afwijkt van de norm. Was je geboorte in orde – zoals in het geval van neef Eugène, *eugenitus* – dan mag je er zijn, dan hoef je geen enkele inspanning meer te leveren om je bestaan te rechtvaardigen. Maar ben je de vrucht van een foute verbintenis dan kun je hoog of laag springen, je kunt intelligent en ook nog aantrekkelijk zijn, altijd zul je met wantrouwen worden bejegend.

Fanny draagt haar herkomst als een erfzonde met zich mee. Haar moeder heeft indertijd de familieregels getrotseerd door te trouwen met een man uit een andere omgeving. De dochter ziet er daardoor 'speciaal' uit, al wordt nergens gepreciseerd wat er nu zo speciaal aan haar uiterlijk is. Fanny aanvaardt blindelings haar onbegrijpelijke schuld en is bereid welke vernedering dan ook te ondergaan om door de familie weer in genade te worden aangenomen. De bekrompen profiteurs die haar omringen buiten haar seksueel en economisch uit. Haar inspanningen om tante Leda terug te vinden hebben precies het averechtse effect. Haar tante is niet voor niets verdwenen: ook zij paste niet in het incoherente maar onwrikbare waardenstelsel van de familie.

Fanny's zoektocht naar mogelijkheden tot rehabilitatie voert haar in hopeloze cirkels langs druilerige dorpjes, waar altijd wel een zelfgenoegzame bewoner opduikt om haar duidelijk te maken dat ze er niet hoort. In dit banale decor, waar alle schoonheid uit lijkt te zijn verwijderd, gebeuren de verschrikkelijkste dingen. Een oom misbruikt zijn nichtje, een hond wordt doodgetrapt, een serveerster valt te pletter op de keien: gebeurtenissen die te midden van allerlei uitvoerig beschreven details bijna terloops worden vermeld. Achteloos worden ook de wetten der natuur getart: Fanny verrijst minstens één keer uit de dood, grootmoeders geest nestelt zich orerend in een wilg of in een fles. In combinatie met de kille wreedheid van de dorpelingen, bij wie al wat naar medemenselijkheid zweemt lijkt te zijn afgestorven, geven deze karakteristieken de roman iets van een boosaardig sprookje.

Van meet af aan zoekt Fanny de schuld bij zichzelf. In de eerste alinea van het boek wordt wat dat betreft de toon gezet: als de honden van grootmoeder haar niet herkennen en agressief tegen haar beginnen te blaffen, ziet ze dat als een tekortkoming van zichzelf. De normen van de familie hebben zich ook in haar stevig vastgezet, maar doordat zij er niet aan kan beantwoorden vreten ze haar van binnenuit aan. Haar niet geringe vitaliteit krijgt het steeds zwaarder te verduren. Na een uiterste poging om aan de wensen van haar familie te voldoen ligt ze ten slotte als bijna niets meer, dood of vrijwel dood, iets dat niet eens meer kan worden benoemd, in de schuur van haar tante.

Maar zonder dat ze het beseft heeft Fanny een bondgenote, die namens haar wraak neemt voor alle ellende haar aangedaan. Die bondgenote is de schrijfster. Fanny zelf is zo bezeten van het verlangen om te worden geaccepteerd dat ze geen oog heeft voor de bekrompenheid van de wereld waarin haar familieleden hun fletse dagen slijten, maar de lezer krijgt daarvan een des te onbarmhartiger beeld voorgeschoteld. Met ingehouden woede wordt in *Lieve familie* de troosteloze middelmatigheid van het leven in de Franse provincie geschilderd. Voor wie er slechts op vakantie gaat of er zo nu en dan zijn tweede huis betrekt is het aardig om met grote voorspelbaarheid steeds weer hetzelfde terug te vinden: de goed doorvoede mannen met hun blozende gezichten en hun gewichtigdoenerij, de vrouwen in hun te krappe jurken met een karbies aan de hand, de jaarmarkt die steevast dezelfde attracties biedt, de slonzige cafés die soms nog getuigen van onhandige pogingen tot modernisering, de protserige snuisterijen in de bazar. Maar wie gedoemd is er permanent te wonen, diens geest gaat noodgedwongen meekrimpen, en wie zich daartegen verzet, zal ervaren dat in die dorpen de sociale controle groot is, dat de normen er strikt zijn en het oordeel over wie afwijkt snel geveld. De groep waar Fanny zo graag bij wil horen, wordt tegelijkertijd door de schrijfster zwaar onder vuur genomen. Hoogtepunten zijn in dit verband de hoofdstukken waarin tante Colette en een naamloze nicht in de eerste persoon enkelvoud hun relaas mogen doen. Ze gunnen ons bij die gelegenheid een blik tot op de bodem van hun onbenullige ziel.

En Fanny mag dan 'anders' zijn, haar avonturen worden door de schrijfster verteld in een stijl die revanche neemt door het beste te vertegenwoordigen van tradities waarvan de familie, al zou ze nog zo graag willen, zich nooit de draagster zal kunnen noemen. Dat NDiaye zich graag spiegelt aan de literaire traditie blijkt al uit de titel van haar tweede boek, *Comédie classique*. In *Lieve familie* blijven de ingewikkeld geconstrueerde zinnen adembenemend voortgolven op een manier die – alweer – doet denken aan Proust. Maar terwijl in *Op zoek naar de verloren tijd* de hogere kringen uit het Frankrijk van rond de eeuwwisseling ten tonele worden gevoerd, geeft NDiaye hier een beschrijving van hedendaagse cafetaria's, streekbussen, supermarkten, huiskamers vol kitsch, langdurige sessies voor het tv-toestel, een bruiloftsmaal omlijst met platte lol. Enerzijds voorziet ze de zinsconstructies van een pseudo-naïef trekje door daar waar je een persoonlijk voornaamwoord verwacht te blijven volharden in het herhalen van eigennamen, anderzijds bewijst ze met een superieure elegantie dat ze haar moedertaal als geen ander naar haar hand kan zetten. Die combinatie heeft iets subversiefs. Met haar gecompliceerde zinnen ondermijnt de schrijfster het gezag van de lichtelijk aangeschoten familieleden die tijdens de huwelijksmis van Eugène en zijn bruid moeite hebben om de preek van de priester te volgen. 'Maar zijn zinnen waren lang en aan het eind, niet erg gewend ons geheugen zozeer in te spannen, wisten we de strekking van het begin niet meer', verzucht tante Colette. Subtiel wordt de familie ons gepresenteerd als een gemakzuchtig en niet erg snugger stelletje. Wat jammer dat Fanny zelf dat niet merkt, ze is toch niet dom! Is tante Colette niet extra boos op haar omdat haar schoolresultaten beter waren dan die van Eugène?

De tragiek van Fanny is dat ze verstrikt blijft in haar schuldbesef. Het levert een mooier, schrijnender verhaal op dan ooit zou kunnen voortvloeien uit een eendimensionaal pleidooi om voor jezelf op te komen. De geschiedenis van Fanny is niet het relaas van een succesrijke assertiviteitstraining, maar een mythe vol wreedheid. Fanny wordt weleens kwaad of opstandig maar haar kwaadheid richt niets uit, het blijft bij ineffectieve uitbarstingen of ontaardt in ongewenste rampen, zoals wanneer Lucette uit het raam stort. En haar verdriet, als ze het al heeft, houdt Fanny zorgvuldig verborgen. Ze is opvallend vaak verbijsterd, verbouwereerd, beschaamd en woedend, maar zelden bedroefd of teder. Zelfs in haar liefkozingen zit iets fels: de mannen die haar aanstaan streelt ze niet, ze knijpt en bijt. Haar zachte gevoelens bewaart ze voor het kleine meisje dat als boodschapstertje gaat fungeren en een soort kopie lijkt van haarzelf zoals ze op die leeftijd was: dezelfde laarsjes, dezelfde hachelijke positie in een onverschillige familie. Na alle barbaarsheid heeft het contact tussen die twee iets van een ontroerende idylle.

Ook op andere manieren eigent de schrijfster, die zoals opgemerkt als Fanny's bondgenote fungeert, zich in haar wraak op het conformisme een flink stuk van de literaire traditie toe. In de Franse recensies van *En famille* wemelt het van verwijzingen naar literaire voorgangers. De titel doet om te beginnen al denken aan *Sans famille* van Hector Malot, in het Nederlandse taalgebied beter bekend als *Alleen op de wereld*. Verder roept de roman zelf associaties op met tal van schrijvers – Proust wordt uiteraard gemeld, maar ook Kafka, Beckett, Lewis Caroll *(Alice in wonderland)* – en met uiteenlopende genres als de schelmenroman, het stripverhaal en het sprookje: Assepoester in La France Profonde. Op een manier die herinnert aan het classicisme van de zeventiende eeuw worden gevoelens genuanceerd beschreven, er wordt uitvoerig geëxerceerd op vele vierkante millimeters van de geest. Daarnaast worden ons postmodernistische doorkijkjes gegund op de romanconstructie, die zichzelf daarmee op losse schroeven zet. 'Geen idee, we moeten aannemen dat dit mijn rol is', zegt de huisknecht als Fanny zich verbaast over het feit dat hij haar, bijna ondanks zichzelf, een waardevolle aanwijzing verschaft die haar naar tante Leda zou kunnen voeren. Ook de vrouw in het huis waar de pastis wordt geschonken heeft het over haar rol in het geheel, alsof ze even buiten haar eigen toneelstuk gaat staan.

Fanny ondersteunt op haar beurt de schrijfster door heel expliciet te suggereren waar troost, vergetelheid en redding zouden kunnen worden gevonden. In de nis onder de trap leest ze 's nachts een roman, bij het licht van een manestraal. Ze raakt 'in de ban van een ijle vreugde, in verrukking over wat ze had gelezen en niet in staat te geloven dat er nog iets reëlers bestond.' En ze zou graag 'ter plekke, meteen, de rest van haar nog korte leven hebben ingeruild voor de zekerheid van een laatste emotie als die van daarnet, die ruimschoots tegen alle vreugden uit haar verleden opwoog.' Hier versmelten hoofdpersoon en schrijfster in hun bezeten liefde voor de literatuur.

Marie NDiaye laat zich zelden interviewen, en dan nog bij voorkeur schriftelijk. Ze mijdt de media, voelt niet veel voor promotiebezoeken. Dat we het moeten stellen zonder anekdoten over haar leven en zonder haar commentaar op eigen werk, wordt ruimschoots gecompenseerd door de gestadigheid waarmee ze doorschrijft. Schrijven lijkt voor haar een vorm van ademhalen. Na *Lieve familie* verscheen van haar alweer een nieuw boek onder de titel *Un temps de saison*.[2] Er zijn auteurs die hun leven en hun talenten slechter beheren.

Jeanne Holierhoek

Noten

1 Dankzij het enthousiasme van vertaler Théo Buckinx verscheen reeds in datzelfde jaar de Nederlandse vertaling bij uitgeverij Tabula, Amsterdam, onder de titel *De jonge Z.*

2 Éditions de Minuit, 1994. De Nederlandse vertaling zal bij De Geus verschijnen.